en (If you mix red and yellow,

If you turn this key, the engine

«I GRILLI»

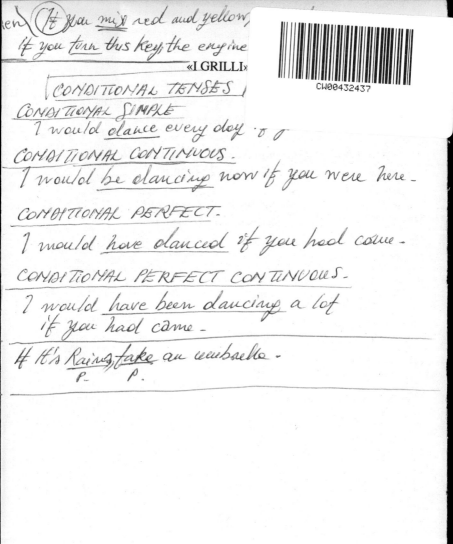

| CONDITIONAL TENSES |

CONDITIONAL SIMPLE

I would dance every day ...

CONDITIONAL CONTINUOUS.

I would be dancing now if you were here.

CONDITIONAL PERFECT.

I would have danced if you had come.

CONDITIONAL PERFECT CONTINUOUS.

I would have been dancing a lot
if you had come.

If It's Raining, take an umbrella.
  P.   P.

MASSIMO DE DONNO, GIACOMO NAVONE,
LUCA LORENZONI

INGLESE
IN 21 GIORNI

Sperling & Kupfer

Realizzazione editoriale a cura di studio pym.

INGLESE IN 21 GIORNI

Proprietà Letteraria Riservata
© 2014 Sperling & Kupfer Editori S.p.A.

ISBN 978-88-200-5562-2

I Edizione gennaio 2014

Anno 2015-2016-2017 - Edizione   15 16 17 18 19 20 21

Indice

INTRODUZIONE

Ogni mese, attraverso le tecniche di apprendimento messe a punto in anni di esperienza, con i nostri corsi abbiamo l'opportunità di aiutare migliaia di persone in tutta Italia a migliorare i loro risultati. Oltre a studenti impegnati nelle sfide della scuola o dell'università, oppure a professionisti, insegnanti e ricercatori per i quali è irrinunciabile dedicare tempo ed energie all'aggiornamento, sono in molti a voler semplicemente perfezionare la propria efficienza mentale e imparare una lingua straniera.

Oggi non conoscere l'inglese può costare molto caro e, in un momento impegnativo come questo, investire sulla formazione e sulle conoscenze può davvero fare la differenza! Eppure è nella natura umana trovare sempre mille scuse per non cominciare a studiare seriamente.

La nostra esperienza ci ha permesso di capire che uno dei motivi più comuni che frenano chi vorrebbe imparare l'inglese è il senso di inadeguatezza rispetto all'obiettivo. La fatica necessaria a memorizzare regole grammaticali, eccezioni, vocaboli, spelling, paradigmi verbali e *idioms*, unita alla disarmante facilità con cui si dimentica ciò che si apprende, spesso scoraggiano anche gli studenti più capaci e motivati.

Invece, quando gli allievi imparano le nostre tecniche di memorizzazione a breve e a lungo termine (descritte in *Genio in 21 giorni*, pubblicato da Sperling & Kupfer nel 2012, e fulcro dei corsi di apprendimento Your Magister), si rendono conto che molti degli obiettivi che ritenevano impossibili sono assolutamente realizzabili. La loro motivazione cresce al punto che tanti decidono di intraprendere lo studio di una nuova lingua, consapevoli e fiduciosi che con gli strumenti acquisiti potranno finalmente arrivare al traguardo.

Inoltre, anche noi siamo stati motivati dai risultati dei nostri allievi. Così abbiamo deciso di creare un percorso esclusivo che unisce i più moderni metodi d'insegnamento della lingua inglese alle mnemotecniche, capace di garantire un apprendimento duraturo.

Siamo convinti che l'obiettivo di questo libro, per quanto possa sembrare ambizioso, sia alla portata di tutti, anche di chi parte da zero: arrivare in 21 giorni a cavarsela nella maggior parte delle situazioni più comuni, dalla semplice conversazione alla trattativa d'affari, dal viaggio all'estero all'email, dal romanzo che abbiamo sempre voluto leggere in lingua originale al film... ascoltando la vera voce del nostro attore preferito!

Scopri le trappole che ti impediscono di imparare l'inglese

Alla fine di questo percorso di apprendimento, ogni lettore diligente sarà in grado di sostenere una conversazione con un madrelingua inglese e di cavarsela in qualsiasi situazione, anche all'estero.

Dopo il successo di *Genio in 21 giorni*, torniamo a fare riferimento agli studi e alle preziosissime ricerche del dottor Maxwell Maltz, il quale dimostrò che il cervello umano ha bisogno proprio di tre settimane per acquisire nuove abitudini.

Imparare una lingua straniera richiede senz'altro più tempo rispetto a ricordarsi di bere un bicchiere d'acqua al mattino appena svegli; con questo testo, però, siamo sicuri di offrire ai nostri lettori un mezzo rapido ed efficace per arrivare a un livello di conoscenza sufficiente a trovare numerose situazioni quotidiane in cui esercitarsi in modo naturale: guardare un film, inizialmente con l'aiuto dei sottotitoli e poi senza, ascoltare una canzone alla radio e riconoscere prima alcuni vocaboli e poi intere frasi, conversare con il turista che chiede indicazioni stradali, frequentare con successo un corso di formazione o di aggiornamento di livello internazionale e così via.

È ovvio che per ottenere un risultato del genere il classico «leggere e ripetere» non basta: per imparare in così poco tempo, e per sempre, la grammatica, 2000 vocaboli, i modi di dire più frequenti, i verbi irregolari, le eccezioni grammaticali e la corretta scrittura, sono indispensabili le tecniche di apprendimento efficace spiegate nelle pagine successive.

Come funziona il metodo? Ognuna delle giornate in cui è suddiviso il percorso affronta un argomento di grammatica, presenta nuovi *idioms* e utilizza negli esercizi termini che fanno riferimento a situazioni sempre diverse, in modo da stimolare l'apprendimento per associazione.

Memorizzare le strutture grammaticali e i vocaboli non è certo sufficiente per parlare in modo spigliato, né dà la garanzia di comprendere ciò che dice un madrelingua, ma rappresenta una base di partenza irrinunciabile. Conversare e allenare l'ascolto, la scrittura e la lettura sono esercizi indispensabili, e la pratica sarà tanto più soddisfacente quanto più solide saranno le nostre fondamenta.

QUAL È IL TUO SCOPO?

Scommettiamo che questa non è la prima volta che prendi in mano un libro per studiare l'inglese. Quanti Capodanni sono che ti dici: «Quest'anno, cascasse il mondo, devo imparare bene l'inglese!», per poi dimenticare i buoni propositi pochi giorni dopo?

La domanda è: qual è il tuo scopo?

Se la risposta è che l'inglese ti sarebbe utile per trovare lavoro, fare carriera, impressionare le ragazze, passare un esame, prendere una certificazione come lo IELTS… temiamo proprio che ti arrenderai alle prime difficoltà, come la maggior parte delle persone. L'unica motivazione davvero valida per poter comunicare è avere assoluto bisogno di imparare una lingua.

Luca, Giacomo e io siamo esperti di tecniche di apprendimento efficace ormai da anni. Ne abbiamo fatto un campo di applicazione vastissimo, e sulla base della nostra esperienza abbiamo rivoluzionato i corsi di formazione, in cui decine di migliaia di allievi hanno potuto acquisire questi metodi; abbiamo portato avanti un vero e proprio lavoro di ricerca per creare una sintesi delle più moderne strategie di apprendimento.

Sapevamo dunque di possedere gli strumenti più efficaci per lo studio delle lingue straniere, e ci rendevamo conto di dover imparare a parlare in modo fluente l'inglese perché questo è ormai un requisito fondamentale per qualsiasi professionista. Ma è stato solo quando abbiamo deciso che Your Trainers era pronta a espandersi all'estero, negli Stati Uniti e in Spagna, che il nostro impegno e la nostra dedizione allo studio delle lingue sono diventati totali e hanno prodotto un risultato degno di nota.

Le leve decisive sono state la voglia, anzi l'esigenza, di trasmettere a chi non parla la nostra lingua quegli stessi insegnamenti che diamo qui in Italia ai nostri allievi, e la possibilità di trovarsi di lì a breve di fronte a una sala gremita di persone con le quali sarebbe stato necessario capirsi a vicenda. L'unica forza che ci spinge realmente ad agire è la motivazione, e la nostra è stata potentissima.

Il problema della maggior parte delle persone che studiano l'inglese è la mancanza di vera passione per la lingua come strumento per entrare in contatto con culture diverse, per vivere in un mondo più grande. Molti si limitano a pensare ai benefici che dovrebbero derivare dalla conoscenza dell'inglese, e questo non è sufficiente: serve la voglia di parlare e comunicare con altri esseri umani! Per aumentare le tue possibilità di successo devi alimentare dentro di te un ingrediente sempre fondamentale: la passione!

LE CREDENZE DEPOTENZIANTI

Se senti di avere una passione e una motivazione ormai invincibili, allora sei quasi pronto per iniziare. Quasi, perché c'è ancora un possibile ostacolo.

Se fino a oggi non hai imparato a parlare l'inglese in modo fluente i motivi possono essere i più disparati, e prima di cominciare ad analizzare gli strumenti che utilizzeremo per raggiungere l'obiettivo che ti sei prefissato è necessario fare un po' di «pulizia mentale» per eliminare le convinzioni improduttive, i vecchi riferimenti negativi, i pregiudizi di qualunque genere e tutte quelle scuse che, di fronte alle prime difficoltà, potrebbero portarti a desistere ancora una volta.

Puoi essere vittima di varie *credenze depotenzianti* (ovvero i pensieri che diminuiscono il tuo potere personale, convincendoti di avere un potenziale più limitato di quanto non sia), ma per quanto riguarda la possibilità di apprendere le lingue straniere alcune sono più frequenti e dannose di altre. In particolare dobbiamo liberarci dell'idea che il DNA contenga un «gene» delle lingue straniere. Non esiste nulla di simile! Il cervello umano è predisposto per sua natura all'apprendimento del linguaggio e tutti abbiamo le stesse possibilità di imparare le lingue, indipendentemente da età, sesso o livello di istruzione.

Cerca di essere onesto con te stesso e di ammettere che questi sono semplici pretesti per non impegnarti al massimo.

Il fatto è che, come ogni volta che impari qualcosa di nuovo, incapperai in qualche difficoltà: è normale. In quei momenti l'unica cosa saggia da fare è tirare un bel respiro, armarsi di un gran sorriso e riconoscere quello che già si è fatto. Poi riprovare, magari cambiando strategia!

Nello studio, come nella vita, ci possono essere o scuse o risultati, ma non entrambi! È arrivato il momento di eliminare le scuse.

Ricorda quello che diceva Henry Ford: «Attento, che tu creda di farcela o di non farcela, avrai comunque ragione».

Ormai sono vecchio

È risaputo che il cervello dei bambini è caratterizzato da una neuroplasticità superiore a quello degli adulti. La naturalezza con cui i più piccoli sembrano imparare a parlare, rispetto alla fatica che facciamo noi per imparare una seconda lingua, potrebbe farci pensare che esista un'età dopo cui qualunque sforzo è inutile. Delle migliaia di persone che abbiamo conosciuto in qualità di docenti, quasi tutte erano convinte di aver ormai superato il periodo «aureo» per l'apprendimento.

In realtà quest'idea non è supportata da alcuno studio scientifico. Il dato empirico delle nostre difficoltà è reale, ma va attribuito all'atteggiamento diverso con cui adulti e bambini affrontano l'apprendimento, non a capacità cerebrali ormai fiacche.

Le vere cause di molti fallimenti sono spesso, infatti, il metodo scorretto, lo scarso impegno e lo scarso entusiasmo. Se ti ripeti che sei troppo vecchio e che è tutto inutile, non fai altro che minare le tue possibilità di successo, perché l'unica cosa che ti resta da fare è non cominciare neanche: è un circolo vizioso. Imparare a parlare inglese in modo fluente è possibile per chiunque e a qualunque età.

Spesso si dice che i bambini imparano più facilmente perché sono delle *tabulae rasae*. Ma questa logica è facile da confutare: basta pensare che c'è un'enorme differenza tra imparare la prima lingua straniera e la seconda, e in generale più cose sappiamo più è facile apprenderne di nuove. Devi infatti tenere conto delle migliaia di parole che la seconda lingua potrebbe avere in comune con la prima, e che quindi possiamo dare per scontate, quando per un bambino ogni parola è assolutamente nuova! Se pensi poi al tempo che un bambino impiega per distinguere tutti i suoni della sua lingua madre e per parlare in modo corretto, è evidente che quando cominci lo studio di una lingua straniera da adulto ci sono molte cose che per te saranno ovvie, e che invece un bambino impiega anni ad acquisire. Potresti inoltre pensare che il cervello dei bambini sia più «aperto» e veloce del tuo, ma sbaglieresti un'altra volta. All'Università di Haifa, in Israele, è stato condotto uno studio su gruppi di diverse età – bambini, adolescenti e adulti – ai quali sono state spiegate alcune regole grammaticali prima sconosciute; ebbene, gli adulti si sono rivelati di gran lunga i migliori in tutte le prove.

Quindi qual è la vera origine delle difficoltà che incontriamo da adulti? Perché non otteniamo risultati migliori dei bambini? Tutto sta nel modo in cui ci poniamo e nei metodi di insegnamento.

L'ambiente accademico tradizionale non funziona per i bambini, e non garantisce risultati nemmeno agli adulti. Ma possiamo decidere di imparare, di infondere grandissimo impegno nello studio, di superare le difficoltà con la passione e l'entusiasmo. Possiamo gestire il nostro tempo per dedicarci alla pratica della lingua, iscriverci a un corso… o comprare un libro per imparare l'inglese in 21 giorni e applicarci fino in fondo!

I bambini hanno senz'altro meno paura di sbagliare, meno paura di fare figuracce, meno pregiudizi e una spiccata capacità di divertirsi mentre apprendono. Quando abbiamo imparato la nostra prima lingua, abbiamo acquisito migliaia di vocaboli senza studiare, semplicemente interagendo con le persone che avevamo intorno.

Mettersi in gioco e buttarsi, comunicare sin dal primo momento senza il timore di non essere perfetti e prendersi un po' più alla leggera sono di sicuro ingredienti fondamentali per avere successo.

La mia esperienza personale è che con le tecniche apprese e la motivazione dei miei 34 anni oggi sono uno studente migliore di quando ero appena ventenne.

Non ho tempo

«Certo, se avessi solo quello da fare, se potessi viaggiare per il mondo e studiare tutti i giorni, sarei anch'io in grado di parlare in inglese, ma qualcuno qui deve pur lavorare!»

Ecco la scusa del secolo: non ho tempo!

Sappiamo benissimo quanto possa essere impegnata la nostra vita e quanto sia difficile per certe persone riuscire a gestire il proprio tempo. Il fatto è che, come molte altre cose, imparare l'inglese non è una questione di tempo ma di focus. Pensa a quante ore vengono sprecate davanti alla TV o sui social media durante la giornata. Pensa ai tempi morti mentre aspetti un mezzo pubblico, una telefonata, l'ascensore o la visita di un amico; pensa ai minuti passati in coda, alla cassa del supermercato o incastrato nel traffico. Ecco tutto il tempo che ti occorre!

Per imparare qualcosa in modo definitivo non servono mesi o anni: serve invece una vera full immersion in cui condensare tutte le tue energie e i tuoi pensieri in modo da trarre il massimo risultato nel minimo tempo possibile. In un secondo momento per finalizzare il lavoro svolto è necessario un continuo condizionamento, almeno fino a quando ciò che hai imparato non farà parte di te per sempre.

Grazie alla nostra esperienza come coach e tutor, abbiamo capito che un altro ostacolo fondamentale che le persone incontrano consiste nel sottovalutare l'importanza della full immersion e della «concentrazione» del tempo dedicato allo studio e alla conversazione in inglese nella prima fase. Vuoi sapere come non imparare mai una lingua straniera? Studia un'ora la settimana, e vedrai che tra un anno avrai sprecato 52 ore del tuo tempo.

Per ottimizzare il tempo di apprendimento è necessaria una full immersion mentale. Il programma che trovi in questo libro è stato creato apposta perché tu possa ottenere in sole tre settimane quello che normalmente non si ottiene neanche in sei mesi di corso tradizionale. Dovrai dedicare del tempo allo studio, ma ti garantiamo che con le tecniche di memorizzazione e seguendo i nostri consigli su come cominciare da subito a parlare la lingua, i tuoi sforzi saranno ripagati dalla grande soddisfazione di aver ottenuto i risultati che desideri con il minimo dispendio di energie e di tempo.

È molto importante, però, che tu abbia disciplina. Il cervello umano è fatto per imparare, ma tende anche a dimenticare. Probabilmente avrai già sperimentato che più tempo passa da una lezione all'altra, più la tua mente fatica a ricordare, con la perversa conseguenza di essere obbligato a «ristudiare» ciò che avevi già appreso, ma che per mancanza di regolarità hai perso strada facendo. Con la tecnica dei *ripassi programmati* avrai la possibilità di portare con te a lungo termine tutte le informazioni che avrai acquisito in pochissimo tempo. Attenzione, però: perché i ripassi possano essere veramente funzionali e darti il massimo rendimento, dovrai seguire esattamente le nostre indicazioni.

Quando siamo arrivati in Florida abbiamo scaricato sui nostri smartphone un'app con 1900 vocaboli in inglese. Li abbiamo memorizzati in una settimana circa, con disciplina ma senza mai dover trovare «il tempo per studiare»: tre quarti d'ora di bike al mattino, il tempo trascorso in macchina per uno spostamento, in attesa di un tavolo al ristorante, persino in bagno, invece di leggere l'etichetta del bagnoschiuma (anche se era in inglese!).

Questo libro ti dovrà accompagnare ovunque per almeno 21 giorni. Lo tirerai fuori in ogni momento morto della giornata. Sarà con te in metropolitana, sul pullman, sul treno, al lavoro, a scuola. Non importa né che tu faccia gli esercizi tutti insieme né che memorizzi tutti i vocaboli uno dopo l'altro. Ciò che conta è vivere questa full immersion a livello mentale e sfruttare ogni momento a disposizione per fare un piccolo passo in avanti.

Ciò non toglie che dovrai dedicare almeno una, due o tre ore di studio concentrato a grammatica, vocaboli ed esercizi. Successivamente potrai guardare le tue serie televisive preferite in lingua originale (ormai molti canali lo consentono) oppure con il tuo smartphone potrai navigare in rete, vedere video in lingua originale, scaricare riviste inglesi o americane sui tuoi principali interessi e fare pratica, pratica, pratica. La maggior parte delle persone ha una pessima gestione del tempo e agisce in base all'urgenza invece che all'importanza. È un principio sbagliato che rischia di farci rimandare per tutta la vita ciò che vorremmo fare davvero, e che ci impedisce di imparare ciò che potrebbe darci la possibilità di migliorare i nostri risultati, condannandoci a una vita stressante e povera di soddisfazioni.

I corsi costano molto

Questo è un argomento delicato. Anche se è possibile imparare una lingua con metodi abbastanza economici, è innegabile che potendo investire risorse adeguate arriverai prima al traguardo.

Vivere all'estero per diversi mesi o, più modestamente, abbonarsi ai canali satellitari, acquistare DVD, libri e riviste in inglese, mandare i propri figli a una scuola internazionale sono scelte che comportano un esborso di denaro che non tutti possono permettersi, ma sono anche soluzioni capaci di accelerare enormemente il percorso di apprendimento.

Il nostro consiglio è dunque di considerare a mente fredda se puoi permetterti o no di investire in quelle direzioni: gli strumenti tecnologici più avanzati, un insegnante o un'ottima scuola potrebbero esserti davvero utili.

Non pensare solo al tempo e al denaro che ti richiede imparare qualcosa di nuovo: rifletti anche sulle opportunità che stai perdendo a causa delle tue lacune. Benjamin Franklin diceva: «Se pensate che l'istruzione sia cara, provate a notare quanto costa l'ignoranza!» Se hai le risorse finanziarie per imparare quello che ti serve ma preferisci riservarle ad altro, stai facendo un grande torto a te stesso.

Corsi e insegnanti continuano a essere molto validi nonostante Internet offra ormai contenuti di ogni genere, anche gratuiti, perché fanno a monte quel lunghissimo lavoro di selezione delle informazioni che ti costerebbe giorni, settimane o mesi di ricerca e di errori; un buon professionista inoltre sa costruire percorsi di crescita che danno risultati concreti. Ricorda: l'unica risorsa che non torna mai indietro è il tempo, perché il denaro, se investito bene, porta altro denaro. E credo che non esista miglior investimento di quello in se stessi.

Per cominciare va bene qualunque cosa, non è necessario iscriversi a un corso costoso se hai paura che non ne varrà la pena. In ogni caso penso che la mossa più intelligente tu l'abbia già fatta: comprare un libro che ti insegni velocemente i rudimenti. Anche se l'obiettivo di *Inglese in 21 giorni* è ben più ambizioso...

Ho bisogno di studiare molto prima di poter sostenere una conversazione

Dovresti cominciare a parlare in inglese dal primo giorno! Se aspetti di avere la sensazione di possedere un vocabolario sufficientemente ampio e una perfetta grammatica, potresti non iniziare mai.

Ha maggiore successo nello studio delle lingue, e non solo, chi sa buttarsi, chi non ha paura di sbagliare, chi non teme il giudizio degli altri, chi sa chiedere spiegazioni anche una seconda e una terza volta, chi è attento a notare i propri progressi invece delle proprie sconfitte.

È ovvio che arrivare a dominare l'inglese in appena 21 giorni non è una passeggiata, perciò devi trovare il contesto in cui usare da subito ciò che stai imparando. Regala il libro a un amico (anche più di uno, funziona!) oppure al tuo partner e ponetevi l'obiettivo di affrontare questo percorso insieme. Cerca quante più occasioni possibile per parlare o chattare con persone madrelingua o che stanno studiando inglese come te. Poco importa se i primi giorni saprai solo fare grandi sorrisi e annuire anche alle domande aperte. *Please, slowly, I'm still learning. Could you repeat?* (Per favore, lentamente, sto ancora imparando. Potresti ripetere?) è stata la frase che forse abbiamo ripetuto più spesso durante le prime settimane in Florida!

Nell'eserciziario troverai dei suggerimenti su come dare inizio a una conversazione con un madrelingua sin dal primo giorno.

L'eccellenza è irraggiungibile

Quando si impara una lingua straniera la frustrazione è una sensazione estremamente diffusa, e spesso rappresenta il principale motivo di abbandono dello studio. Visto che ci sentiamo frustrati quando notiamo una forte differenza tra le aspettative per l'impegno profuso e il risultato oggettivo ottenuto, la tentazione potrebbe essere quella di avere aspettative bassissime in partenza per non provare delusione. Ma non pensiamo sia questa la soluzione: meglio imparare a essere felici e motivati anche con un buon livello di frustrazione, dettata dal fatto che stiamo dando tanto e quindi pretendiamo tanto! Per gestire al meglio questa brutta sensazione è importante rimanere concentrati sui passi che stiamo facendo senza fretta, senza l'angoscia di dover arrivare entro una certa data, e senza dubbi sul nostro livello di impegno o di bravura. Abbiamo suddiviso il programma in 21 giorni proprio per darti la possibilità di dividere in micro-obiettivi il lavoro, con la sicurezza di arrivare al traguardo.

D'altra parte, se pensi che sapere l'inglese consista nel comprendere tutte le canzoni, tutti gli accenti, le tragedie di Shakespeare, parlare con un'intonazione perfetta, filosofeggiare con disinvoltura al circolo dei letterati di Oxford, forse dovresti ricordarti che nessuno ha standard più bassi di chi ha standard troppo elevati. Intendiamo dire che se hai aspettative eccessive l'intero programma potrebbe fallire prima ancora di cominciare. Il nostro obiettivo è partire dai rudimenti per arrivare alla capacità di comprendere e farci capire: questo è senz'altro possibile.

Metti però in conto che alla fine delle tre settimane del programma, durante le quali avrai sperimentato una crescita esponenziale delle tue conoscenze, ci saranno periodi più o meno lunghi in cui vivrai la sensazione di essere sempre più o meno allo stesso livello. Questo fa parte del gioco, ed è comune nell'apprendimento di ogni genere di tecnica, incluso lo sport. Significa che stai sbagliando? No, significa semplicemente che è arrivato il momento di fare qualcosa di diverso, mischiare le carte in tavola e cercare un altro approccio, quello che ti porterà a fare un nuovo salto in avanti.

L'inglese è noioso

Ecco, qui mi trovi d'accordo. Sono sincero: non mi è mai piaciuto. Quello che mi ha aiutato è stato trovare un modo divertente per memorizzare i vocaboli, un metodo efficacissimo per ricordare a breve e a lungo termine regole ed eccezioni, e poi mettere tutto in pratica nelle situazioni più varie, dal chiedere indicazioni stradali al condurre trattative d'affari anche molto importanti e avvincenti, dal rispondere a un'email al fare quattro chiacchiere con qualcuno conosciuto al bancone di un autentico pub inglese. Le tecniche di memorizzazione funzionano perfettamente, e smettere di dover ripetere cento volte la stessa cosa per ricordarla fa apparire tutto molto più divertente e motivante!

Capiranno sempre che sono italiano

E allora? A meno che tu non abbia bisogno di infiltrarti sotto copertura come una spia, ci sembra proprio che questo non sia un problema né per te né per chi ti ascolta. Anzi! Usiamo un po' del fascino latino che ci rende unici: ricorda che all'estero «made in Italy» è sinonimo di eleganza e qualità. Sempre che in sottofondo non parta la musica de *Il Padrino*…

Insomma, la maggior parte delle credenze depotenzianti non sono nient'altro che scuse.

Ti sarai ormai reso conto che non ci sono giustificazioni per non imparare l'inglese. Se hai ancora dubbi sul fatto di esserne all'altezza o di non avere il gene per le lingue, vieni a frequentare un seminario dal vivo in una delle sedi Your Trainers: ti faremo memorizzare un centinaio di nuovi vocaboli in un'ora circa. I lettori di *Inglese in 21 giorni* possono partecipare gratuitamente, e troverai persone come te, che stanno imparando, e altre che sono già più avanti nel percorso e possono darti una mano a crescere. Non c'è niente che convinca più dei fatti!

La motivazione è quella molla interna che ti spinge a considerare l'inglese non più solo come una sorta di «male necessario», un obbligo imposto dalla scuola o dal datore di lavoro, ma anche come una risorsa utile e una soddisfazione.

Per noi è stata l'idea di imparare a tenere corsi in una lingua diversa dalla nostra a darci la motivazione necessaria per ottenere risultati, e dai risultati è nata la passione. In fondo le cose che facciamo più spesso sono quelle che ci vengono meglio, quelle che ci vengono meglio sono quelle che ci piacciono di più, e quelle che ci piacciono di più sono quelle che facciamo più volentieri, in un circolo virtuoso che conduce all'eccellenza.

Per studiare e imparare in modo duraturo devi sempre partire dalle tue passioni: noi l'abbiamo fatto e ora abbiamo l'onore di condividere con te il metodo che ci ha dato risultati!

Adesso che abbiamo affrontato le credenze depotenzianti più deleterie, siamo finalmente pronti per parlare delle tecniche e delle strategie che ti permetteranno di imparare l'inglese in 21 giorni!

Istruzioni per l'uso

Questo manuale è stato concepito secondo il principio della «dose minima efficace», cioè la quantità di una certa sostanza che è in grado di produrre l'effetto desiderato. Per portare l'acqua a ebollizione serve raggiungere la temperatura di cento gradi: a novantanove non succede nulla, ma sopra i cento c'è solo uno spreco di energia. Se trasportiamo questa logica nella nostra vita ci rendiamo subito conto che a volte non facciamo abbastanza, mentre altre volte cerchiamo di strafare con l'effetto però di ottenere un rendimento insufficiente rispetto all'impegno, il che ci fa abbandonare l'impresa.

Le attività previste dal nostro programma sono frutto di una selezione di strutture grammaticali e vocaboli che garantiscono a chi seguirà il libro per filo e per segno di arrivare a cavarsela in ogni situazione con l'inglese. Fare di meno impedirebbe di ottenere un risultato degno di nota; di più, in così pochi giorni, creerebbe confusione, stress e stanchezza mentale, spingendo il lettore a interrompere lo studio. Per funzionare, qualsiasi metodo deve essere sostenibile.

La suddivisione del programma nell'arco di tre settimane richiede ogni giorno un certo tempo dedicato allo studio e all'esercizio: saltare

17

delle pagine potrebbe ridurre significativamente i risultati. D'altra parte il sistema è davvero funzionale perché qualche eventuale giorno di pausa non pregiudica l'apprendimento. Ciò che più conta è rispettare il piano dei *ripassi programmati* e mantenere la full immersion mentale (i concetti sono ben spiegati nelle pagine successive).

Nella prima parte del testo descriveremo le tecniche da utilizzare per studiare la grammatica e i vocaboli e ti forniremo i consigli essenziali che abbiamo strappato ai migliori in questo campo. Poi cominceranno la parte di teoria e l'eserciziario, divisi in 21 giorni.

Alcune delle strategie proposte sono frutto di una ricerca ormai pluriennale nel campo dell'apprendimento efficace, che ha origine nell'antichità. Per avere un quadro ancora più esauriente ti consigliamo di studiare *Genio in 21 giorni*, che svela il funzionamento del nostro metodo Your Magister: una sintesi delle tecniche di apprendimento più efficaci per concentrarsi, memorizzare, leggere velocemente e organizzare dal punto di vista concettuale e temporale l'acquisizione di nuove conoscenze.

Ogni esigenza mnemonica può essere soddisfatta grazie all'utilizzo di una strategia appropriata: per questo il libro è ricco di esempi di memorizzazione per i vocaboli e le regole grammaticali.

Gli strumenti tecnici di cui ci serviremo saranno le *mnemotecniche* e le *tecniche di memorizzazione a lungo termine*.

UN PICCOLO EXCURSUS SULLA MEMORIA*

Gli antichi Greci conoscevano già i principi di funzionamento della memoria, e ne avevano una così alta considerazione da perso-

---

* Per approfondire questi argomenti, ti rimandiamo a *Genio in 21 giorni*, Sperling & Kupfer, Milano 2012.

nificare questa facoltà nella dea Mnemosine, da cui deriva la parola «mnemotecnica». Secondo la mitologia, Mnemosine e Zeus generarono le Muse, divinità della danza, della tragedia, della commedia, della poesia amorosa, della storia e dell'astronomia, della poesia epica e della poesia lirica, del mimo.

In altre parole, le diverse espressioni artistiche nascono dall'unione fra la capacità di memorizzazione e un'enorme energia creativa.

Risale ai tempi antichi anche la consapevolezza che la memoria opera in modo visivo, per associazioni e concatenazioni d'immagini.

Aristotele, infatti, nel IV secolo a.C., afferma nel *De Anima* che «la psiche, anche quando pensa speculativamente, deve avere alcune immagini mentali». La memoria consisterebbe dunque in una collezione d'immagini mentali derivate da impressioni sensoriali, dalle quali scaturisce ogni sorta di sapere.

Se la memoria umana deriva dall'esperienza, possiamo immaginare che sia distinta in due fasi: una di deposito e una di richiamo delle informazioni.

Wilder Penfield (1891-1976), scienziato e neurologo canadese, stimato per la sua ricerca nell'ambito di malattie neurologiche tra cui l'epilessia, con i suoi studi sul tessuto nervoso ha dato il maggior contributo alla dimostrazione che la fase di deposito della memoria è di per sé perfetta. Penfield fu uno dei primi ad applicare la stereotassi, una tecnica che consiste nello stimolare elettricamente piccole aree di tessuto nervoso cerebrale per mezzo di aghi o elettrodi sottilissimi. I suoi numerosi esperimenti lo condussero a una scoperta sorprendente: la stimolazione di determinate aree del cervello provoca la rievocazione di ricordi, ossia può far rivivere con grande chiarezza avvenimenti in apparenza dimenticati, anche dell'infanzia, talvolta con le sensazioni fisiche (suoni, odori e così via) a essi associati. Quindi la mente riesce ad «archiviare» tutto ciò che i cinque sensi percepiscono e immagazzinano. I problemi sorgono quando si vuole richiamare un'informazione in particolare.

Pensiamo alla classica parola «sulla punta della lingua»: quante volte ci accade di non riuscire a ricordare un'informazione che siamo certi di conoscere – magari qualcosa di banale come il nome di una persona – nel momento in cui è utile, per poi ripescarla quando ormai non serve più? Avviene perché la mente archivia tutto, ma spesso in maniera disordinata.

Possiamo sicuramente migliorare questa fase di richiamo, ed è proprio su quest'area che intervengono le tecniche. Pensate a un vocabolario, dove qualsiasi termine si può trovare scorrendo l'ordine alfabetico: è un metodo semplice che rende veloce e facile la ricerca. Ma se i vocaboli fossero inseriti in ordine casuale, sarebbe necessario sfogliare tutto il volume e leggere ogni singola parola fino al raggiungimento dell'obiettivo: una ricerca che non si esaurirebbe in tempi brevi, non permetterebbe di utilizzare un metodo noto e molto probabilmente non darebbe grande soddisfazione.

La differenza tra un vocabolario in ordine alfabetico e uno in ordine casuale è la stessa che intercorre tra una mente che apprende applicando le tecniche di memoria e una mente che apprende in modo casuale: la fase di richiamo nel primo caso è perfetta, nel secondo no.

Questa ovviamente è solo un'analogia per spiegare che avere le informazioni non basta, se non si è in grado di utilizzarle quando si desidera. La fase di richiamo può essere perfezionata imparando ad applicare le tecniche presentate in questo libro, che sfruttano le naturali caratteristiche della memoria.

In particolare, la nostra memoria è visiva, associativa ed emotiva.

- **La memoria è visiva:** tutte le volte in cui si pensa o si ricorda, la mente crea in modo del tutto naturale un'immagine di quel pensiero o di quel ricordo. Questo processo, che può essere definito «visualizzazione», avviene poiché il cervello memorizza e ricorda molto più facilmente le immagini rispetto a qualsiasi altro tipo d'informazione. Le tecniche di apprendimento efficace si basano proprio su questo principio, permettendo di creare immagini semplici da visualizzare per ogni informazione che si voglia ricordare, anche la più astratta.

- **La memoria è associativa:** paragonando i nostri ricordi all'anello di una catena, nel momento in cui si ricorda un evento, una persona o un episodio della vita, molto spesso compaiono nella mente tutte le immagini e le sensazioni a essi collegati. Per esempio, per molte persone è sufficiente riascoltare il «tormentone» dei Mondiali di calcio del 2006 per richiamare le immagini e le emozioni di quella entusiasmante vittoria. Proprio come in una catena, dove il primo anello è rappresentato dalla canzone e tutto il resto viene di conseguenza. Per questo le tecniche di memoria insegnano ad associare in modo efficace le informazioni da ricordare.

- **La memoria è emotiva:** i ricordi più vividi e duraturi sono sempre quelli associati a una forte emozione o a qualcosa che ha colpito fortemente la nostra immaginazione, mentre ci dimentichiamo facilmente tutto ciò che è logico o routinario. Infatti, a meno che non sia successo qualcosa di speciale, è impossibile ricordare cosa abbiamo mangiato un mese fa. L'utilizzo di creatività, paradosso ed emotività è una chiave fondamentale del successo e dei risultati delle mnemotecniche.

GLI STRUMENTI E LE TECNICHE

La visualizzazione PAV

Per entrare nello specifico dell'applicazione delle tecniche, analizziamo una famosa citazione tratta da *Psicocibernetica* di Maxwell Maltz: «La nostra mente non distingue un'esperienza vividamente immaginata da una realmente vissuta». Prova a ricordare un incubo e a far riaffiorare alla mente le brutte sensazioni che hai percepito al momento del risveglio. Se ti sei svegliato di soprassalto, madido di sudore o con il battito accelerato, è perché il tuo corpo stava reagendo come se fosse realmente in pericolo, inseguito dagli zombie o in cima a un grattacielo durante un terremoto. Ciò significa che la mente non distingue il sogno dalla realtà, e che è possibile, grazie alla visualizzazione e all'associazione creativa e paradossale, creare ricordi artificiali per memorizzare ogni genere d'informazione con la stessa intensità degli episodi della nostra vita che restano scolpiti nella memoria per sempre. Da questa premessa ti sarà evidente che per diventare un esperto nel campo dell'apprendimento devi cercare di sfruttare al meglio la visualizzazione. Per riuscire a creare associazioni d'immagini che rimangano impresse nella mente è necessario seguire tre semplici regole, che permettono di ricordare le informazioni in modo molto facile e veloce:

P
A
V

PARADOSSO: Distorcere, esagerare, creare immagini assurde. Bisogna riuscire a suscitare emozioni forti e dare sfogo alla propria immaginazione.

AZIONE: È il miglior collante per riuscire a ricordare le immagini che si stanno visualizzando. Basta farle muovere e interagire perché restino impresse più facilmente.

VIVIDO: L'immagine deve essere nitida nella mente e avere dettagli che colpiscano, come colori sgargianti, suoni forti e sensazioni particolari.

Il segreto per diventare abili memorizzatori è sviluppare il proprio potenziale creativo, liberare la mente da inutili schemi e abitudini improduttive.

Per esempio, se dovessi creare nella tua mente un pennarello PAV, di che forma e dimensione potrebbe essere? Quali azioni potrebbe fare? Di che colore sarebbe? E se dovessi ricordare un elefante? O una casa?

La maggior parte delle cose che ci circonda è frutto della creatività dell'uomo: la scrivania, i libri, il computer, il tram che passa, un aeroplano. Un tempo tutto questo non esisteva, ma poi è nato sotto forma di sogno nella mente di qualcuno, fino a trasformarsi in realtà.

Einstein diceva: «L'immaginazione è più importante della conoscenza». Perché? Perché è alla base dell'evoluzione e della crescita, dell'adattamento e del cambiamento. In questo momento di crisi è indispensabile trovare soluzioni alternative, imparare a adattarsi con facilità, rinnovarsi, creare nuove opportunità: dunque è più importante che mai sviluppare questa facoltà, anche se è considerata spesso un dono misterioso che o si possiede o non si possiede, invece che un insieme di capacità che possono essere apprese, sviluppate e gestite in modo sistematico.

L'impressione che la creatività dipenda da fattori come l'ispirazione, il talento, l'umore e il caso, ovvero che non sia legata a precise strategie e quindi disponibile all'occorrenza, probabilmente dipende dal fatto che chi non usa la propria creatività non sa come iniziare, e chi la usa non è consapevole delle strategie che implementa.

Sviluppare la propria immaginazione significa acquisire maggiore elasticità mentale, saper uscire dagli schemi del ragionamento logico, trovare soluzioni nuove e originali ai problemi di ogni giorno… in poche parole, dare spazio al genio che è in noi!

Se applicherai le tecniche di memorizzazione ai vocaboli stranieri, ti accorgerai presto di un effetto collaterale interessante: il tuo potenziale creativo si svilupperà enormemente!

Le associazioni PAV

Miscelando bene creatività e razionalità seguendo i principi PAV, è possibile apprendere il vocabolario di un madrelingua in modo efficace, divertente e soprattutto duraturo nel tempo.

La strategia consiste nell'associare all'immagine del vocabolo italiano un'altra immagine che richiami la sua traduzione per assonanza, in modo da facilitare il richiamo della pronuncia della parola in lingua straniera.

Per esempio, supponiamo che tu debba memorizzare che la traduzione di «libro» in inglese è *book*.

Ecco i passi che devi seguire:

1. **Trova un'immagine concreta per la parola in italiano:** un libro è già qualcosa di concreto, quindi puoi usare l'immagine del tuo romanzo preferito.

2. **Trova un'immagine concreta per la corrispondente traduzione in inglese:** *book* si pronuncia [buk], quindi per assonanza potresti scegliere «buco».

3. **Associa le immagini con PAV:** apri il tuo libro preferito e vieni risucchiato da un buco nero che si apre fra le pagine.

4. **Chiudi gli occhi e visualizza bene l'associazione.**

Puoi fare la stessa cosa per memorizzare i paradigmi dei verbi irregolari. Per esempio:

To fall = cadere

PARADIGMA	*to fall*	*fell*	*fallen*
PRONUNCIA	[tu fol]	[fel]	[follen]

Seguendo gli stessi passi di prima:

1. «Cadere»: visualizza una caduta.

2. [fol] suona come «folla»;
   [fel] suona come «felino»;
   [follen] suona come «folle».
3. Memorizza tutto associando le immagini. Per esempio puoi visualizzare di cadere in un precipizio e rimbalzare su una folla, finendo così in bocca a un felino affamato, ma per fortuna arriva un folle che ti salva dalle sue grinfie.
4. Chiudi gli occhi e visualizza tutto.

Sappiamo cosa stai pensando: «E io dovrei usare queste storielle per l'intero vocabolario?»

Ci hanno fatto questa domanda migliaia di volte! La nostra risposta è sempre stata: «Hai un'alternativa migliore? Perché se mi spieghi un modo in cui posso memorizzare mille vocaboli in meno di dieci ore... *I'm all ears!* (Sono tutto orecchi!)».

Un po' di scetticismo è perfettamente comprensibile, ci siamo passati tutti. All'inizio il metodo della visualizzazione e delle associazioni può sembrare lungo e complesso, destinato a rallentarti invece di permetterti di accelerare l'apprendimento. Infatti, non avrai bisogno di ricordare tutta la storia per richiamare un vocabolo. Imparare non è una questione di tempo ma d'impegno. Puoi ripetere un paradigma all'infinito, in modo del tutto passivo e senza metterci particolare energia. Invece, usare la creatività, visualizzare e fare le associazioni PAV richiede un apprendimento di tipo attivo, e finché non diventa un automatismo richiede energia. Ecco, energia, non tempo! Man mano che farai pratica, sarai sempre più veloce e come qualunque altra tecnica a un certo punto diventerà un'abitudine e non ti costerà più alcuna fatica. Già dopo i primi 7 giorni del programma sperimenterai un miglioramento notevole nella velocità e nella qualità del ricordo, perché avrai capito quale tipo di associazioni funziona meglio per te.

Abbiamo pensato a lungo se suggerire nel libro tutte le nostre associazioni PAV. Alla fine non le abbiamo inserite, perché ti avremmo spinto a credere che esista un solo modo per creare un'associazione. La verità è che il sistema migliore per memorizzare è utilizzare le proprie immagini, la propria fantasia e le proprie associazioni. Inoltre... be', avevamo paura che alcuni, aprendo distrattamente il libro e leggendo i nostri PAV, l'avrebbero subito posato sullo scaffale pensando: «Questi sono matti!»

Sul sito www.inglesein21giorni.it troverai la registrazione audio divisa giorno per giorno di tutti i vocaboli, ma usala solo se non sei riuscito a memorizzarli da solo dopo esserti sforzato, o per fare dei ripassi programmati.

Il numero di vocaboli è molto ridotto nei primi giorni, per poi crescere esponenzialmente verso la fine del percorso, in relazione alla velocità che si acquisisce facendo pratica con le tecniche di memoria. Il tempo impiegato per memorizzare dieci nuovi vocaboli il primo giorno sarà lo stesso impiegato per memorizzarne un centinaio alla fine del percorso. Arrivato al ventunesimo giorno sarai in grado di creare associazioni in pochi secondi: non vale la pena cominciare al più presto?

Come abbiamo accennato, non dovrai ricordare un'intera storia ogni volta che vorrai richiamare un vocabolo. Durante i corsi usiamo questa metafora: l'associazione PAV è come la colla che si applica dietro le piastrelle. Serve ad attaccare le parole nella nostra memoria e, come la colla per piastrelle, diventa parte integrante del muro: la storiella sparisce sotto il ricordo dell'informazione memorizzata e rimarrà lì a esercitare la sua funzione per sempre. Ti basterà ripassare tre o quattro volte l'associazione che hai creato per richiamare il vocabolo senza più pensare a come l'hai memorizzato. Questo è anche il motivo per cui non ci si può confondere tra un'associazione e l'altra. Alla fine dei conti come si sia formata la sinapsi non importa più di tanto: importa il risultato, e non esiste al mondo una strategia più efficace di questa per memorizzare il vocabolario.

L'associazione d'immagini non sarà l'unico metodo che ti proponiamo ma lo consideriamo il più efficace.

Le flashcard

Le flashcard sono carte, vere o virtuali, che da un lato hanno una domanda o un'immagine e dall'altro la risposta o il nome dell'oggetto rappresentato.

La loro utilità si può apprezzare solo se è possibile monitorare il livello di difficoltà provato da chi le utilizza, le informazioni presenti sulle carte e gli errori commessi in fase di ripetizione: in questo modo è possibile concentrare gli sforzi sulle categorie di studio che creano maggiori problemi.

Se usi le flashcard per memorizzare frasi, *idioms*, paradigmi e vocaboli, dovrai organizzare il mazzo di carte in modo da mettere in fondo le informazioni che richiami con maggior facilità: così, sarai sicuro di vedere le carte che ti creano più difficoltà a ogni ripasso. *The quicker you remember it, the further down it should go!* (Più sei veloce a ricordare, più in fondo deve andare!)

L'app che abbiamo usato in Florida funziona proprio secondo questo principio: misura il tempo impiegato a dare ogni risposta e organizza i ripassi in modo da riproporre più spesso le parole sulle quali l'utente mostra maggiore incertezza. Inutile dire che avendo memorizzato i vocaboli con le associazioni PAV la nostra velocità di richiamo era altissima per il 99% delle parole. Il grande vantaggio degli strumenti come le app è che, visto che abbiamo sempre con noi il nostro smartphone, ci permettono di rendere proficui anche i tempi morti e d'immergerci più volte al giorno nello studio della

27

nuova lingua. Cerca sul nostro sito tutti gli strumenti che ti raccomandiamo di scaricare e utilizzare.

Un'altra strategia che puoi adottare per arricchire il tuo vocabolario è osservare i luoghi in cui ti trovi e pensare al nome inglese degli oggetti che vedi. Quando ne trovi uno che non conosci cerca di descriverlo con altri termini in inglese e poi scopri subito come si dice. Online sono disponibili un gran numero di dizionari, bilingui o monolingui: tra i migliori ti consigliamo WordReference (www.wordreference.com).

Si tratta di un dizionario che contiene più di 50.000 termini e 100.000 traduzioni dall'inglese all'italiano e viceversa, e che continua a crescere e migliorare grazie al forum, che conta migliaia di vocaboli o espressioni non inclusi nel dizionario principale. Se non trovi la parola che stai cercando puoi porre la tua domanda al forum, dove migliaia di utenti madrelingua inglesi e italiani sono felici di aiutare gli altri a trovare le traduzioni che stanno cercando. Inoltre, il sito permette di ascoltare tutte le volte che si vuole la pronuncia di una parola, sia con la cadenza americana sia con quella britannica.

A questo proposito è necessaria una precisazione. Se di primo acchito inglese americano e britannico appaiono pressoché identici, si differenziano tuttavia in molti piccoli particolari che riguardano lo spelling, il lessico, la pronuncia e le espressioni della lingua parlata. Noi italiani abbiamo difficoltà a distinguere queste differenze e siamo quindi esposti al pericolo di acquisire un accento e un'intonazione che non sono né carne né pesce. Per ovviare al problema bisogna sensibilizzarsi sin da subito a riconoscere le differenze e possibilmente decidere a quale sponda dell'Atlantico si vuole dare la preferenza. Potresti notare che in questo manuale non abbiamo fatto una scelta precisa: il nostro obiettivo, come sai, è permetterti di comunicare con un madrelingua. Se l'unico appunto che ti sarà fatto è che suoni troppo inglese o troppo americano... saremo orgogliosi di te!

Se WordReference o altri dizionari bilingui sono ottimi per tradurre qualsiasi termine ci sia utile, i dizionari monolingui sono perfetti quando abbiamo raggiunto un buon livello di conoscenza del vocabolario. L'utilizzo di questo tipo di dizionari favorisce il processo attraverso il quale si arriva a pensare direttamente in inglese, che è l'obiettivo da raggiungere per parlare la lingua in modo fluente.

Più acquisiamo confidenza, infatti, più diventa fastidiosa l'interferenza della nostra lingua madre: mentre cerchiamo di parlare in inglese il nostro cervello non deve continuare a proporci la traduzione di quello che diremmo in italiano, ma quello che direbbe un inglese nella stessa situazione!

La ricerca per immagini

Utilizzando un motore di ricerca come Google è possibile digitare una parola in inglese e cercare le immagini relative, invece del termine corrispondente in italiano. Comprendere il significato di un nuovo vocabolo senza passare per la sua traduzione può aiutarti a non prendere il «vizio» di tradurre sempre tutto a partire dalla tua lingua madre.

Musica e parole, o meglio: frasi!

È ovvio che memorizzare nuove parole è fondamentale, ma è altrettanto importante cominciare da subito a imparare le frasi che ti permettono di comunicare davvero. Per esempio: *Excuse me, where is the restroom?* (Scusi, dove sono i servizi? Ma ricorda che un americano chiama *restroom* o *bathroom* ciò che un inglese chiamerebbe *toilet* o *loo*!), *Thank you very much!* (Grazie mille), *How do you do, nice to meet you* (Piacere di fare la sua conoscenza), *How much is it?* (Quanto costa?) e così via.

Conoscere il significato di queste frasi non è sufficiente: dobbiamo ricordarle nel momento in cui ci sono utili e saperle pronunciare con naturalezza. Pensando a come gli aedi si sono tramandati i poemi omerici, potremmo trovare la nostra chiave nella musica e nel ritmo: prova a combinare varie immagini (utilissime a creare un collegamento immediato) e ad associare le frasi a motivetti con una metrica azzeccata.

Pensare in inglese

Questi strumenti servono a creare un vocabolario e un frasario in breve tempo, presupposto necessario per raggiungere l'obiettivo di comunicare in modo fluente. Però per riuscirci davvero, come dicevamo, devi cominciare a pensare in inglese… da subito! Sforzati di controllare il tuo dialogo interno e prova a chiederti come diresti le cose che stai pensando a degli amici inglesi.

Se perdi il pullman, invece di pensare in italiano: «Maledizione, ho perso il pullman, ora non ne passeranno più per almeno un'ora. Sembra proprio che debba prendere la macchina!», sforzati di trovare un modo – anche più semplice – per esprimere la stessa cosa in inglese, come se dovessi dirla a qualcuno che è lì con te in quel momento. Quando ti accorgi di non sapere una parola o un'espressione, semplifica fino a quando non riesci a comunicare quello che stai pensando: puoi anche solo dire *Damn!* (Le parolacce le sanno tutti!) *I've missed the bus, I must go by car!* Questo è un passo fondamentale per fare progressi nella pratica della lingua.

Il concetto è: devi creare una tua full immersion mentale. Quando non hai la possibilità di parlare con un madrelingua, chiedi ai tuoi amici se vogliono fare un po' di pratica in inglese e cercate di comunicare tra di voi senza usare l'italiano. Quando sei da solo e dialoghi con te stesso, fallo in inglese. Prendi nota di ciò che non sai dire, cercalo sul dizionario e memorizzalo!

Memorizzare la scrittura

Diamo per scontato che dopo aver memorizzato le regole fonetiche della lingua difficilmente verrà in mente a chi studia inglese di scrivere «casa» (*house*) come [haus]. Tuttavia, per alcune parole non è immediato ricavare la grafia direttamente dalla pronuncia.

In questo caso sfruttiamo il *principio del contrasto figura-sfondo*.

Partiamo dal presupposto che la scrittura di ogni parola che noi conosciamo è depositata nella nostra memoria sotto forma d'immagine: ti è mai successo di essere in dubbio sulla grafia di una parola, ma appena la vedi scritta capisci subito se è corretta oppure no? Un esempio è la parola «coscienza»: come tutti sappiamo vuole la I, quindi se ci capita di leggere da qualche parte «coscenza» la nostra mente ci avverte che qualcosa non va, creando una sensazione di disagio che non proviamo affatto guardando la parola scritta nel modo corretto.

Se volessimo utilizzare il principio del contrasto figura-sfondo per ricordare che la parola «coscienza» vuole la I, dovremmo mettere questo dettaglio in risalto con un colore acceso ed evidente, così da fotografarlo visivamente.

Lo stesso principio si può applicare ai vocaboli inglesi: prendiamo per esempio *hearth*, che significa «focolare».

La particolarità della parola sono le due H, che è facile dimenticare di scrivere: per memorizzarle visivamente sfruttiamo il nostro principio del contrasto figura-sfondo visualizzando la parola in questo modo:

HEARTH

Questa è una strategia semplice ma molto efficace, perché sfrutta appieno la nostra memoria fotografica. Con la tecnica PAV potresti invece visualizzare un focolare in mezzo a due enormi ospedali (che siamo abituati ad associare alla lettera H).

LA MEMORIA A LUNGO TERMINE

Una volta abituati a far lavorare la memoria correttamente nella fase di studio, diventa importante potenziare la nostra capacità di ricordare le informazioni a lungo termine.

Il fatto è che la memoria si comporta in un modo che potrebbe stupirti! Studi scientifici hanno dimostrato infatti che:

- si ricorda di più dopo qualche minuto dal termine di una lezione che immediatamente dopo;
- entro le 24-48 ore successive si perde più dell'80% di ciò che si è imparato.

Per depositarsi nella memoria a lungo termine, un'informazione deve essere sottoposta a un processo di ripasso di una certa durata. A parte questo limite, il nostro «magazzino» mnemonico ha una capacità teoricamente illimitata e può conservare le informazioni per un tempo indefinito, purché non intervengano danni cerebrali.

Tutto quello che un individuo apprende viene dunque conservato, per tutta la sua vita, nella memoria a lungo termine. Al suo interno si possono distinguere, secondo le definizioni di Larry Squire, professore di psichiatria e neuroscienze presso l'Università della California:

- **memoria dichiarativa (o esplicita):** riguarda le informazioni che si possono comunicare e che vengono richiamate a livello conscio; si suddivide a sua volta in memoria episodica (il «film» della nostra vita) e semantica (conoscenze in cui un elemento rievocato funge da indizio per la rievocazione di altri elementi a esso connessi per via associativa);

- **memoria procedurale (o implicita):** riguarda le informazioni relative a comportamenti automatici, e soprattutto alle abilità motorie e fonetiche, che vengono apprese con il semplice esercizio e utilizzate senza controllo volontario. All'interno di questa ricade la memoria prospettica (preposta a conservare i piani d'azione per il futuro).

Per poter parlare di apprendimento è necessario che le informazioni possano essere recuperate nella memoria e rese disponibili per ulteriori elaborazioni; come abbiamo visto, il recupero dell'informazione dipende dall'efficienza dell'immagazzinamento. Quindi chi applica le tecniche di memorizzazione è molto facilitato nell'ottenere grandi risultati anche a lungo termine.

Il metodo raccomandato in *Genio in 21 giorni* per trattenere le informazioni apprese consiste nell'effettuare *ripassi programmati* proprio quando la capacità di richiamo tende a calare.

I tempi di decadimento delle informazioni memorizzate sono stati analizzati da vari ricercatori, che hanno così individuato i momenti in cui è necessario effettuare i ripassi programmati per fissare in maniera indelebile il ricordo: è utile farli dopo un'ora, un giorno, una settimana, un mese, sei mesi.

Questo significa che ripassando l'informazione dopo un'ora, quando si ha il livello più alto di ricordo e comprensione, si fissa quanto appreso in modo da tenere alta la curva del ricordo per almeno un giorno. Ripassandola ancora il giorno dopo, la traccia mnestica (cioè relativa al patrimonio mnemonico) si rinforza al punto da essere valida per almeno una settimana, e così via.

I ripassi programmati, a queste scadenze, vanno utilizzati per qualsiasi nuova informazione che apprendiamo.

Per spiegarti al meglio il metodo, ecco un esempio di come usare i ripassi programmati e ottimizzare i tempi dell'apprendimento:

Primo giorno:

1 ora per studiare grammatica, vocaboli e fare gli esercizi, scandita dai seguenti ritmi: 2 minuti di relax, 50 minuti di studio (ed esercizi), 5 minuti di pausa, ripasso programmato di quanto appreso.

Secondo giorno:

Prima di affrontare un nuovo argomento, esegui il ripasso programmato degli argomenti e degli esercizi del primo giorno.

Poi, per la prima ora: 2 minuti di relax, 50 minuti di studio, 5 minuti di pausa, ripasso programmato di quanto appena appreso.

Per la seconda ora: 2 minuti di relax, 45 minuti di studio, ripasso programmato di ciò che hai studiato nella seconda ora.

Terzo giorno:

Prima di affrontare un nuovo argomento, esegui il ripasso programmato del secondo giorno (non del primo).

Poi, per la prima ora: 2 minuti di relax, 50 minuti di studio, 5 minuti di pausa, ripasso programmato di quanto appena appreso.

Per la seconda ora: 2 minuti di relax, 45 minuti di studio, ripasso programmato di ciò che hai studiato nella seconda ora.

Quarto, quinto, sesto e settimo giorno:

Segui lo stesso schema del terzo giorno.

Ottavo giorno:

Prima di affrontare un nuovo argomento, esegui il ripasso programmato del primo giorno (è passata una settimana, quindi è il momento di rafforzare il ricordo) e del settimo giorno.

Poi, per la prima ora: 2 minuti di relax, 50 minuti di studio, 5 minuti di pausa, ripasso programmato di quanto appena appreso.

Per la seconda ora: 2 minuti di relax, 45 minuti di studio, ripasso programmato di ciò che hai studiato nella seconda ora.

Per tutti i giorni successivi, replica le indicazioni dell'ottavo giorno.

CONSIGLI PRATICI

Con i metodi descritti puoi incrementare ogni giorno il tuo vocabolario e la tua capacità di comunicare. Ecco che cosa devi fare per acquisire nuovi termini ed espressioni da utilizzare al momento opportuno:

1. Crea associazioni con il metodo PAV. Chiudi gli occhi e visualizza le immagini nel dettaglio.

2. Ripassa le immagini delle associazioni un'ora dopo averle create, per verificare se erano abbastanza efficaci. Ripassale anche il giorno dopo e dopo una settimana: questo ti garantirà di fissare le informazioni a lungo termine.

3. Se impieghi più di trenta secondi per una singola parola stai sbagliando qualcosa. Non ti intestardire: vai avanti con un altro vocabolo e nel frattempo il tuo cervello troverà le immagini migliori da associare anche ai termini più difficili. Se proprio non ti viene in mente nulla, vai sul nostro sito e scarica il file audio per la memorizzazione dei vocaboli della giornata. Non esiste un modo giusto o un modo sbagliato per creare le associazioni: il più efficace sarà sempre quello che usa le tue immagini e la tua fantasia. Gli esempi però possono servirti per capire come applicare la tecnica.

4. Impara frasi utili come *What does it mean?* (Che cosa significa?) e memorizzale con le associazioni musicali o i PAV.
5. Scrivi una breve «autobiografia» con la quale presentarti, falla tradurre correttamente da un madrelingua e memorizzala. Sarà divertente recitarla durante le tue prime conversazioni!

Il modo migliore per assimilare l'uso naturale della lingua è renderla familiare. Usa questo libro per imparare nel minor tempo possibile le fondamenta che ti permetteranno di sfruttare le mille risorse disponibili, online e non solo, e poi fai pratica con conversazioni reali.

Se ti stai chiedendo come poterti immergere in un ambiente anglofono senza prendere l'aereo, *listen up!* (apri bene le orecchie!): startene a casa potrebbe essere la scelta ideale per imparare i rudimenti della lingua. Visitare altri Paesi è fantastico, ma una buona preparazione alle spalle rende più ricco qualsiasi viaggio. All'inizio c'è tantissimo lavoro da fare: memorizzare le strutture grammaticali più importanti e ovviamente i vocaboli è necessario. Ma se avrai seguito con precisione il programma di *Inglese in 21 giorni* siamo sicuri che poi non vedrai l'ora di cimentarti nella parte più divertente dello studio di una lingua: partire alla scoperta di un mondo diverso e conoscere gente nuova! Perché non prenoti già ora un weekend a Londra alla fine dei 21 giorni, in modo da avere un motivo in più per impegnarti al massimo?

La cosa più importante è circondarti di persone che parlano inglese e che ti diano la possibilità di fare pratica. Uno dei modi più intelligenti per creare questo contesto sono i social media: non è difficile trovare dei madrelingua nella tua città. Se non avrete la possibilità di incontrarvi, puoi sempre chattare; se si trovano in Italia forse cercano anche loro la maniera di fare pratica con una lingua nuova, oppure saranno felici di trovare qualcuno disposto a comunicare con loro in inglese: potrebbe nascere una bella collaborazione!

Nelle sedi Your Trainers in Italia e in Spagna organizziamo *meet-up* in cui si parla esclusivamente in inglese e teniamo brevi lezioni in lingua su argomenti di formazione: così diamo vita a un contesto utile e divertente, in cui fare pratica e conoscere persone nuove. Se non trovi amici madrelingua ti sarà comunque molto utile frequentare altre persone che come te stanno cercando l'occasione di esercitarsi.

Se dunque per parlare la cosa più ovvia è individuare qualcuno che sappia bene l'inglese, possibilmente un madrelingua, dovrai poi lavorare sulla tua capacità di comprensione, lettura e scrittura. Anche in questo caso, dovrai entrare in una vera e propria full immersion.

Ti consiglio prima di tutto di cercare online una radio inglese che trasmetta in streaming: riportiamo un elenco di stazioni interessanti anche sul nostro sito. Poi potresti cercare la tua serie televisiva preferita in lingua originale. Su Wikipedia sarà semplicissimo scoprire il titolo originale, e potrai comprarla online. Stessa cosa vale per libri, fumetti, riviste. Anche i film in DVD permettono di scegliere dal menù la lingua e i sottotitoli. Infine, su Internet c'è una serie pressoché infinita di contenuti in inglese: per orientarti forniamo un elenco di partenza sul nostro sito.

Negli ultimi anni l'era digitale ha ampliato molto le possibilità di chi vuole fare pratica con le lingue straniere. Gli inglesi che cercano un italiano per esercitarsi con la lingua del Bel Paese non sono molti, ma sicuramente riuscirai a scovare qualcuno disposto a regalarti un po' del suo tempo e a rispondere alle tue domande in cambio della possibilità di fare la stessa cosa con te che parli italiano. C'è persino un sito dedicato a far incontrare chi ha voglia di provare: si chiama italki (www.italki.com) e permette di consultare le referenze degli altri utenti in modo da scegliere «l'interlocutore» giusto per te.

Esistono anche vari forum online dove si può offrire o chiedere aiuto per parlare una determinata lingua, e grazie a Skype è possibile chiacchierare con qualcuno dall'altra parte del mondo senza spendere un centesimo.

Infine, potresti farti seguire da un insegnante d'inglese online, che lavorando comodamente da casa sua ti può fornire ottime lezioni a prezzi competitivi.

Insomma, esistono davvero tante soluzioni (persino gratuite!) per chi ha voglia di impegnarsi.

Le fondamenta

Prima di cominciare con lo studio vero e proprio delle strutture grammaticali e dei vocaboli, pensiamo ti possa essere utile familiarizzare con i suoni della lingua inglese, spesso così diversi da quelli a cui siamo abituati. Ci sono persino delle lettere in più nell'alfabeto: 26 invece di 21. Memorizza il suono delle lettere che non conosci in modo da saper almeno fare lo spelling del tuo cognome.

Per quanto riguarda la pronuncia dobbiamo essere realistici: lo scopo di questo libro non è farti acquisire un perfetto accento inglese. Se ci imponiamo un'ottica di perfezionismo non arriveremo mai a sentirci a nostro agio nel chiacchierare con un madrelingua: il TH è tanto difficile da imparare per noi quanto arrotare la R è quasi impossibile per loro! Come già detto, la corretta intonazione e cadenza inglesi si ottengono solo dopo aver vissuto per anni in un ambiente anglofono, possibilità molto rara per un italiano e purtroppo difficile da ricreare. Inoltre, scozzesi e irlandesi sono lì a dimostrare che non è necessario riprodurre tutti i suoni standard dell'inglese per parlare la lingua in modo perfetto. E, allora, quale può essere il nostro obiettivo? Acquisire una pronuncia che consenta di essere capiti, evitando gli errori più comuni. A questo proposito sottolineiamo che la pronuncia fra parentesi quadre nel testo vuole essere indicativa per facilitare i neofiti.

L'ALFABETO

A [ei]
B [bi]
C [si]
D [di]
E [i]
F [ef]
G [gi]
H [eic] (con la C dolce di «ciao», non quella dura di «oca»)
I [ai]
J [giei]
K [kei]
L [el]
M [em]
N [en]
O [ou]
P [pi]
Q [qiu]
R [ar]
S [es]
T [ti]
U [iu]
V [vi]
W [dabliu]
X [ecs]
Y [uai]
Z [zed]

Per memorizzare la pronuncia delle lettere – quando è diversa rispetto all'italiano – occorre scegliere un cliché che per noi richiami immediatamente la lettera stessa e un'altra immagine per la pronuncia, da associare poi secondo i criteri PAV.

Le lettere possono essere «trasformate» in immagini rifacendosi alla loro forma grafica: per esempio la A potrebbe ricordare la punta di una matita. Oltre alla forma, per scegliere un'immagine concreta puoi usare un oggetto o un personaggio famoso il cui nome inizia con quella lettera.

Facciamo qualche esempio:

A = graficamente può ricordare una montagna o una capanna, la punta di una matita ecc... Usando l'iniziale, potresti associarla a un personaggio famoso come Annibale o Attila; per rifarti a un oggetto concreto, potrebbe ricordare un'ancora o un'antenna.

B = può ricordare graficamente degli occhiali, una mascherina o delle labbra, oppure potresti scegliere l'immagine di una balena, che comincia per B.

Qualsiasi associazione deve partire dall'informazione che già conosciamo, quindi in questo caso dalla singola lettera. Per esempio:

A si pronuncia [ei].

A = albero, astuccio, oppure guardando la forma potrei pensare a una montagna, una tenda, una matita.

EI = Ehi! (l'espressione tipica di Fonzie in *Happy Days*).

Esempio di associazione: senza farlo apposta conficco la punta della matita nell'occhio di Fonzie, che si scompone appena, dicendo: «Ehi!»

Per la lettera B non è il caso di fare un'associazione PAV, dal momento che si pronuncia come in italiano, esattamente come D, G, P, T, V.

LE PRINCIPALI REGOLE DELLA PRONUNCIA

Vocali e semiconsonanti

Le vocali mantengono il proprio suono ([ei], [i], [ai], [ou], [iu]) quando su di loro cade l'accento tonico. L'accento tonico non è rappresentato graficamente ed è quello con cui si dà a una sillaba maggior rilievo rispetto alle altre della stessa parola.

È importante sapere che in inglese non esistono lettere accentate e che di solito l'accento tonico cade all'inizio della parola.

E

La E è muta quando è la lettera finale di una parola, a meno che questa non sia monosillabica.

name	[neim]	*tune*	[tiun]
note	[nout]	*be*	[bi]

Ora memorizziamo come si pronuncia la E, prendendo un'immagine concreta per ogni elemento della regola:

E = elefante

Muta = un cerotto davanti alla bocca

Finale = la finale di una gara

Esempio di associazione: un elefante che arriva ultimo alla finale di una gara di canto perde la voce e si mette un enorme cerotto sulla bocca.

Y

La Y è una semiconsonante e si pronuncia [i] se è alla fine della parola, oppure [ai] se è al suo interno.

type	[taip]
lady	[ledi]

Per memorizzare:

Y = yacht

I = nitrito

Fine parola = retro dello yacht

AI = Ahi! (esclamazione di dolore)

Esempio di associazione: un enorme yacht con attaccato dietro un cavallo che nitrisce imbizzarrito, perché tu, al centro dell'imbarcazione, ti sei dato una martellata sul dito e hai urlato: «Ahi!»

W

Anche la W è una semiconsonante e si pronuncia [u], ma è muta se precede la consonante R.

water	[uote(r)] la R praticamente non si sente
write	[rait]

Per memorizzare:

W = wagon

U = l'ululato del lupo

R = un re

Muta = un cerotto sulla bocca

Esempio di associazione: da una station wagon esce un lupo che ulula e il re gli mette un cerotto sul muso per farlo stare zitto.

U

La U è muta se si trova tra una consonante e una vocale.

build	[bild]
guest	[ghest]

Adesso prova tu a creare un'associazione adatta.

Dittonghi

AI e AY si leggono [ei], come in *rain* [rein].

AI = aiuola
AY = Attila che guida una Lancia Y
EI = la Torre Eiffel
Esempio di associazione: Attila guida una Lancia Y, distruggendo un'aiuola e salendo su per la Torre Eiffel.

AU e AW si leggono [óo], come in *fault* [fóolt].
EA si legge [ìi], come in *read* [riid].
EE si legge [ìi], come in *week* [uìik].
EI si legge [ìi], come in *deceive* [disìiv].
EU e EW si leggono [iù], come in *neuter* [niùter] e *new* [niù].
IE si legge [ìi], come in *field* [fìild].

Per memorizzare, prendo una sola immagine per il suono [ìi], per esempio il nitrito di un cavallo: «Hiiii!»

EA = Bea (Beatrice se hai un'amica che si chiama così, oppure immagina la Beatrice di Dante)
EE = una coppia di elefanti
EI = la Torre Eiffel
IE = una iena
Esempio di associazione: un cavallo insegue Beatrice che è in groppa a una coppia di elefanti che si arrampicano sulla Torre Eiffel tenendo in braccio una iena.

OA si legge [óu], come in *oak* [óuk].
OI e OY si leggono [ói], come in *oil* [óil] e *boy* [bói].
OO si legge [uu], come in *boot* [buut].
OU e OW si leggono [au], come in *noun* [naun] e *now* [nau].

Consonanti

B

La B dopo la M è muta nelle seguenti parole: *climb, lamb, tomb, womb, dumb, thumb, comb, numb.*

C

La C è dura (come in «casa») davanti ad A, O e U, e quando è l'ultima lettera di una parola.

Si pronuncia [s] davanti a E, I e Y, come in *pharmacy* [farmasi].

CCE e CCI si leggono [cse] e [csi], come in *accent* [acsent].

CH e TCH si leggono [c], con la C dolce di «cera», come in *chill* [cill].

Ma attento: CH si legge [k], con la C dura di «cane», nelle parole di origine greca come *school* [schuul].

G

La G è dura (come in «gomma») davanti ad A, O e U, e quando è l'ultima lettera di una parola, come in *game* [gheim] o *log* [log].

È dura anche davanti a E e I nelle parole di origine germanica, come *gift* [ghift] e *get* [ghet].

È dolce (come in «giro»), invece, davanti a E e I nelle parole di origine greca, come *geometry* [giometri].

GN si legge [ghn], separando la G dura dalla N, come in *magnetic* [maghnetic], così come GL si legge [ghl]: pensa ad *ugly* [aghli].

H

La H di solito è aspirata, cioè devi produrre lo stesso suono di quando alitiamo… senza esagerare!

Non si pronuncia solo in qualche eccezione, come *honest, honour* (o *honor,* nello spelling americano), *hour* ed *heir.*

In WH è sempre muta: *what* si pronuncia [uot].

K

Si legge [k] (ovvero la C dura di «casa») nella maggior parte dei casi, ma davanti alla lettera N è muta, come in *know* [nou].

J

Si legge [gi] (come la G dolce di «giro»), come in *jacket* [gièchet].

L

Solitamente la L si legge come in italiano.

Non si pronuncia però quando precede F, K o M nella stessa sillaba: in questi casi devi solo allungare la vocale che la precede: *walk* [uóok].

La L è muta anche nei modali *could* [cuud], *should* [sciuud] e *would* [uùd].

NG

Si legge in un unico suono nasale, come in *sing* [sing].

P

La lettera P davanti alla S è muta, come in *psychology* [saicologi].

PH

Si legge [f], come in *phone* [fòun].

R

Il modo migliore per spiegarti come si pronuncia la R è dirti di imitare i Fichi d'India nel loro famoso sketch «Ahrarara shopping»! Se è seguita da consonante o è l'ultima lettera di una parola, ricordati che allunga il suono della vocale che la precede, come in *far* [faa] e *smart* [smaat].

S

Si pronuncia come in «serpente» se è all'inizio della parola, se forma una doppia consonante (come in *sweet* [suiit]) e nei monosillabici (come *bus* [bas]).

Invece tra vocali (per esempio *easy* [isi]), oppure quando il suono che la precede è CH, SH, S o X, si pronuncia dolce (come in «rosa»).

SH

Si legge [sc] (come in «scena»): *shot* [sciot].

TH

In alcune parole si pronuncia [t], ma con la lingua tra i denti: pensa a *think* [think] o *three* [thrii]. In pratica devi mettere la lingua tra i denti (o contro il palato subito dietro i denti) e soffiare, facendo fluire l'aria con scioltezza: evita di troncarla tenendo la bocca troppo rigida, perché finiresti per fare una pernacchia!

In altre parole invece TH si legge come [d], ma sempre con la lingua tra i denti: *then* [den], *father* [fada]. Mentre soffi fuori l'aria devi usare le corde vocali, e appena pronunci la prima vocale devi riportare la bocca in posizione normale. Con un po' di pratica raggiungerai una pronuncia comprensibile, non ti preoccupare.

X

Si legge [gs] quando precede una vocale: *examine* [igsemin].

Si legge [cs] quando precede una consonante o si trova alla fine di una parola: *fox* [focs], *except* [icsèpt].

Z

Si pronuncia come la nostra S dolce (quella di «rosa»).

Altre regole... ed eccezioni

- In inglese le doppie non si pronunciano, quindi per esempio *swimming* si pronuncia [suimin].

- Nei verbi regolari, quando aggiungi la desinenza -ed per formare il *simple past* o il participio passato del paradigma, la pronuncia si differenzia in base alla parte precedente della parola.

- ED preceduta da P, K, F, CH, SH, S o X si pronuncia [t] (*finished* si pronuncia [finisct]).
  Preceduta da T o D si pronuncia [id] (*commanded* [comandid]).
  In tutti gli altri casi si pronuncia semplicemente [d] (*played* [pleid]).

Date queste regole di massima, purtroppo non possiamo garantirti che non farai mai più errori di pronuncia. Quelli più frequenti si possono ricondurre quasi tutti a due casi:

a) lettere che in inglese sono mute ma vengono erroneamente pronunciate;

b) lettere che in inglese hanno un valore fonetico irregolare ma vengono pronunciate come se fossero regolari.

Per esempio, in *tomb* e *womb* la O, irregolarmente, si legge [u]. Nel nome *Stephen* PH si pronuncia [v] e non [f]. Un madrelingua legge *Warner Bros* pronunciando sempre la parola *brothers* per intero, non [bros] come facciamo noi. La pronuncia della parola *says* (dice) non è [seiz] ma [sez], e quella di *said* (disse) non è [seid] ma [sed]. Nel nome *Lincoln* la seconda L è muta, come anche la prima di *folksong* o *folklore*, o quella nel cognome del famoso investigatore *Sherlock Holmes*.

Come fare, allora, con tutte queste eccezioni? Ci sono diversi tutorial su YouTube (indicati anche sul nostro sito) che spiegano in maniera molto chiara come si pronunciano lettere, parole, suoni, con persone madrelingua che danno suggerimenti su come migliorare. Naturalmente un video sarà di gran lunga più esaustivo rispetto a qualunque libro: il nostro obiettivo era solo che tu appuntassi mentalmente quali sono i suoni a cui devi prestare più attenzione perché sono diversi rispetto alla nostra lingua.

Per migliorare la pronuncia la soluzione più valida è sedersi di fronte a un madrelingua che ti spiega cosa sbagli e che ti fa sentire come si fa. Anche una videoconferenza con un insegnante inglese può fare al caso tuo! Gli esperti consigliano di chiedere all'insegnante di ripetere inizialmente quello che dici tu, e poi di farti sentire la pronuncia corretta. Forse ti sentirai goffo, ma per raggiungere l'eccellenza sarà un passaggio obbligato.

L'INGLESE È FACILE!

Tutti dicono: «L'inglese è facile!» Ma se lo devi imparare da zero potrà non sembrarti così. Come tutte le lingue, anche l'inglese ha le sue complessità. È vero però che la sua grammatica è in molti casi più semplice di quella italiana e che, rispetto a lingue come il cinese o l'arabo, riuscirai a indovinare molti più punti in comune.

False friends e cognates

In inglese esistono vocaboli che vengono definiti *false friends* (falsi amici): parole che suonano simili a termini italiani ma che non ne sono la traduzione. L'esempio classico è *parents*, che non significa «parenti» come si potrebbe pensare, ma «genitori». O *factory*, che non significa «fattoria» (che si dice *farm*) ma «fabbrica».

Incontreremo diversi *false friends* nel processo di memorizzazione dei vocaboli.

Esistono anche «amici veri», ovvero vocaboli inglesi che sono molto simili al loro corretto corrispettivo italiano: per esempio «ristorante» si traduce *restaurant*. In inglese queste coppie di termini si definiscono *cognates* (che per ironia della sorte è un *false friend*: significa «imparentati», «analoghi» e non «cognati»). Non è necessario creare un'associazione PAV per questi vocaboli, ma se non riesci a ricordare che i termini nelle due lingue sono simili puoi ricorrere a un cliché: se nella storiella che inventi compare un determinato elemento (uno specchio, per esempio) significa che la pronuncia in inglese è simile a quella in italiano. Se vuoi memorizzare quali sono le lettere diverse, puoi metterle in risalto immaginando un pennarello colorato, così da imprimere nei tuoi ricordi il dettaglio importante grazie alla memoria fotografica.

L'inglese ha moltissimi *cognates* in comune con le lingue romanze, cioè che derivano dal latino, la lingua dell'Impero romano. Il motivo è semplice: la conquista normanna ha aperto le porte a un forte influsso francese, con l'effetto che molti vocaboli esistono in due forme, quella di origine anglofona e quella di origine latina. Per esempio: *freedom* e *liberty*, *come in* ed *enter*, *thought* e *opinion*, *point of view* e *perspective*, *easy* e *simple*.

Qui il trucco è capire quale sinonimo usare e quando. Se pensi al modo in cui queste parole sono state trasferite all'inglese puoi intuire una semplicissima regola di massima: visto che l'aristocrazia aveva origini francesi, i *cognates* sono più frequenti nel linguaggio formale e rischiano di suonare inutilmente pomposi al di fuori di questo contesto.

Oltre al tono che vuoi tenere, ovviamente devi fare attenzione ai *false friends*, ma in genere puoi fare affidamento su questi termini per incrementare a grandissima velocità il tuo vocabolario.

Molti termini che in italiano finiscono in -zione, infatti, in inglese terminano in -tion, ma per il resto sono praticamente identici:

pensa a *action, application, destruction, communication, population, inspiration, invitation, nation, option, solution, protection, tradition, frustration, compilation, convention, deregulation, evolution* e *station*!

Anche -tudine trova il corrispondente -tude in inglese: *gratitude, magnitude* ecc.

La desinenza -sione diventa -sion (*explosion, implosion, expression*), mentre -mento perde la finale e diventa -ment (*segment, encouragement*). Ci sono molti casi simili, prova a trovarne altri!

Purtroppo tra italiano e inglese ci sono più differenze che somiglianze: l'importante è sfruttare entrambe correttamente. Le somiglianze ci permettono di imparare velocemente tante parole nuove e a volte di capire anche termini mai sentiti prima. Le differenze ci creano invece qualche problema: spesso leggiamo un testo inglese accontentandoci di capirlo passivamente, senza «sensibilità» per le differenze rispetto all'italiano, che così non vengono memorizzate. Se invece ti abitui a fare la «caccia alle differenze», cioè analizzi ogni testo che leggi per renderti conto di dove la lingua straniera si discosta dall'italiano, con il tempo ti troverai a parlare un inglese più spontaneo e autentico, lontano dalle traduzioni artificiose e meccaniche.

Verbi modali

I verbi modali sono alleati preziosi, che ci aiutano a esprimere molti concetti senza preoccuparci più di tanto della grammatica e delle coniugazioni.

Coniugazioni che, peraltro, sono molto più semplici che in italiano, perché a parte «essere» (*to be*) e «avere» (*to have*) al presente indicativo i verbi si coniugano tutti allo stesso modo: le persone sono tutte uguali a parte la terza singolare, per la quale devi aggiungere la desinenza -s alla fine del verbo.

I verbi modali sono ancora più facili, perché tutte le persone hanno la stessa forma. Memorizzali subito, sono fondamentali!

- *I can* [ai chen], (*I am able to*) [ai em ebol tu] = Io posso/riesco a
- *I could* [ai cuud] = Io potevo/potrei
- *I should* [ai shuud] = Io dovrei
- *I would like to* [ai uùd laik tu] = Mi piacerebbe
- *I must* [ai mast] = Io devo (se ti rivolgi a qualcuno con l'imperativo *you must*, significa che l'obbligo deriva da te)
- *I want to* [ai uant tu] = Io voglio
- *I have to* [ai hev tu] = Io devo (ma questa volta l'obbligo deriva da altri)
- *I need* [ai niid] = Ho bisogno

Dare del lei

Un'altra regola che semplifica la vita a chi studia l'inglese è che la forma di cortesia non prevede l'uso del «lei» nel rivolgersi a un estraneo o a una persona più anziana o autorevole. Si dà sempre del «tu» (o del «voi» se al plurale, ma tanto in inglese è sempre *you*!).

Per dimostrare rispetto o mantenere un certo distacco ci si chiama per cognome invece che per nome di battesimo.

PRONTI? VIA!

Finalmente è il momento di cominciare a fare sul serio.

Se vuoi che il tuo impegno sia coronato dal successo devi metterti nella condizione ideale per poter riuscire.

Lo sai che chi dichiara in pubblico e mette per iscritto i suoi sogni, decidendo una data di scadenza entro la quale realizzarli, aumenta del 50% le sue probabilità di successo?

Ecco perché ti consigliamo di fare un *public commitment*, cioè di dichiarare al mondo il tuo obiettivo! Vieni a pubblicare sulla nostra pagina Facebook (www.facebook.com/Inglesein21Giorni) i tuoi progressi, le tue domande, i tuoi risultati. Documenta il tuo lavoro, condividi le strategie, congratulati con te stesso per ogni passo che fai nella direzione giusta. Coinvolgi qualcun altro nel tuo progetto: in squadra si ottengono risultati che da soli sarebbero ben più faticosi, se non addirittura impossibili.

Se pensi che ti possa essere utile, chiama la nostra sede più vicina e chiedi di prendere appuntamento con un tutor per risolvere tutti i tuoi dubbi.

Per il momento, complimenti per essere arrivato fino a qui nella lettura: significa che hai tutte le carte in regola per farcela. Adesso vorremmo che chiudessi un attimo gli occhi e che ti vedessi tra 21 giorni, mentre arrivi all'ultima pagina dell'eserciziario o conversi in inglese con un amico conosciuto online. Guarda come sei soddisfatto di te stesso, ripensa a quando hai preso in mano questo libro per la prima volta e ti sei fatto una promessa che hai mantenuto. *Great!*

Pare sia stato Alan Kay a dire: «Il modo migliore per predire il futuro è inventarlo». Crea il tuo futuro: è nelle tue mani... anzi, *it's in your hands...*

Good luck, and have fun!

DAY ONE

Ogni giorno ti proponiamo un programma che include grammatica (*grammar rules*), vocabolario (*vocabulary* e *idioms*) e spunti di conversazione (*conversation time*). Tieniti un quaderno a portata di mano per gli esercizi. *Let's start!*

GRAMMAR RULES

Pronomi personali soggetto

Per cominciare a formulare delle frasi in qualunque lingua straniera, il primo elemento che devi conoscere sono i pronomi personali con funzione di soggetto.

Se già li conosci bene, com'è probabile, qui di seguito puoi fare un rapido ripasso; se invece parti da zero, cogli l'occasione per memorizzarli: usa le tecniche spiegate nel Capitolo 2.

Il nostro pronome «io» in inglese si traduce *I* (che si pronuncia [ai]). Un esempio di associazione allora potrebbe essere: l'insegnante d'inglese chiede alla classe: «Chi vuole imparare l'inglese?» E mentre alzo la mano sbatto fortissimo contro il banco e urlo per il dolore: «Ahi!»

Ricorda: ogni volta che crei un'associazione è fondamentale visualizzare con l'occhio della mente la scena che hai inventato, rendendo immagini, suoni e sensazioni il più vividi possibile.

Ora crea tu le associazioni utili per ricordare tutti i pronomi personali soggetto... poi copri con un foglio le colonne con la pronuncia e scrittura e prova a riscrivere!

	SCRITTURA	PRONUNCIA	RISCRIVI
io	*I*	[ai]	
tu	*you*	[iu]	
egli/lui	*he*	[hi]	
ella/lei	*she*	[sci]	
esso	*it*	[it]	
noi	*we*	[ui]	
voi	*you*	[iu]	
essi/esse/loro	*they*	[dei]	

Verbo essere

Dopo il soggetto abbiamo bisogno del verbo. Il primo, in ordine logico e per importanza, è il verbo «essere», ovvero *to be*. Apriamo qui una piccola parentesi per dire che al modo infinito i verbi in inglese sono preceduti da *to*. Ovviamente, quando cerchi il lemma nel dizionario, questa particella sarà omessa.

Per quanto riguarda la coniugazione dell'indicativo presente (*simple present*), abbiamo già detto che per la stragrande maggioranza dei verbi in inglese è semplicissima, perché richiede solo di aggiungere una -s finale alla terza persona singolare. Ma «essere» e «avere» fanno eccezione: dovrai memorizzare qualche parola in più.

Cominciamo dalla forma affermativa.

	SCRITTURA	PRONUNCIA	FORMA CONTRATTA	RISCRIVI
io sono	*I am*	[ai em]	*I'm*	
tu sei	*you are*	[iu ar]	*you're*	
egli/lui/ella/ lei/esso è	*he/she/it is*	[hi/sci/it is]	*he/she/it's*	
noi siamo	*we are*	[ui ar]	*we're*	
voi siete	*you are*	[iu ar]	*you're*	
essi/esse/ loro sono	*they are*	[dei ar]	*they're*	

Considerando che le tre persone plurali sono identiche alla seconda persona singolare, ti basterà memorizzare le prime tre forme. Crea un'associazione tra «essere» e *to be*, poi collegaci le prime tre persone singolari [em], [ar] e [is].

Suggerimento: l'immagine per il verbo «essere» può essere la famosa scena di Amleto che dice: «Essere o non essere...» *To be* [bi], puoi associarlo per assonanza a una birra. Il suono [em] potrebbe essere l'inizio del nome del rapper Eminem, [ar] l'inizio della parola «arrosto», [is] quello di «isola».

Esempio di associazione PAV: immagina Amleto che, invece di un teschio, ha in mano un enorme boccale di birra e urla: *To beer or not to beer...* Poi lancia il boccale contro Eminem, che sta mangiando un arrosto su un'isola deserta.

Per utilizzare la forma contratta devi aggiungere l'apostrofo dopo il soggetto e togliere la prima vocale del verbo: per esempio *I am* diventa *I'm*. Come in italiano l'apostrofo va a sostituire una vocale di cui non si sente la pronuncia.

Facile, vero? Anzi, *easy* [isi]!

Ora componiamo qualche semplice frase, sul modello:

soggetto + verbo + complemento o predicato.

Sono felice   *I am happy* [ai em heppi]
Il gatto è piccolo   *The cat is little* [de chet is litt(e)l]

Ricordati che in inglese il soggetto non può mai essere sottinteso.

ESERCIZIO 1.1

Traduci tu questi esempi.

Siamo giovani (*young*).   _____
Lei è bella (*beautiful*)!   _____
Tu sei felice.   _____

Forma negativa, interrogativa e interrogativo-negativa

Passiamo alla forma negativa: basta aggiungere *not* dopo il verbo essere. Il modello è:

soggetto + verbo + *not* + complemento o predicato.

ESERCIZIO 1.2

Leggi gli esempi e completa.

Io non sono Marcus.   *I am not Marcus.*
Il gatto non è piccolo.   *The cat is not little.*

Non siamo giovani.   _____
Lei non è bella!   _____
Tu non sei felice.   _____

In italiano la forma interrogativa si distingue grazie al tono con il quale si pone la domanda e al punto interrogativo aggiunto in fondo alla frase scritta. In inglese invece cambia anche la struttura della frase, con l'inversione di verbo e soggetto:

verbo + soggetto + complemento o predicato·

Esercizio 1.3

Leggi gli esempi e completa.

Sei Marcus?	*Are you Marcus?*
Il gatto è piccolo?	*Is the cat little?*
Siamo giovani?	_____
Lei è bella?	_____
Sei felice?	_____

Infine, la forma interrogativo-negativa si struttura in questo modo:

verbo + *not* (in forma contratta) + soggetto
+ complemento o predicato·

Esercizio 1.4

Leggi gli esempi e completa.

Non sei Marcus?	*Aren't you Marcus?*
Il gatto non è piccolo?	*Isn't the cat little?*
Non siamo giovani?	_____
Lei non è bella?	_____
Non sei felice?	_____

Short answers

Ora che sai come fare una domanda, impariamo anche a rispondere con delle *short answers* (risposte brevi): in inglese non è corretto rispondere solo con un «sì» (*yes*) o un «no» (*no*) secchi!

Short answer positiva: *yes* + soggetto + verbo (per esempio: *Are we invited? Yes, you are*).

Short answer negativa: *no* + soggetto + verbo + *not* (per esempio: *Am I right? No, you are not/aren't*).

Numeri cardinali

Impariamo anche a contare!

	SCRITTURA	PRONUNCIA		SCRITTURA	PRONUNCIA
1	one	[uan]	11	eleven	[ileven]
2	two	[ciu]	12	twelve	[tuelv]
3	three	[th(r)ii]	13	thirteen	[th(i)rtiin]
4	four	[foor]	14	fourteen	[foo(r)tiin]
5	five	[faiv]	15	fifteen	[fiftiin]
6	six	[sics]	16	sixteen	[sicstiin]
7	seven	[seven]	17	seventeen	[seventiin]
8	eight	[eit]	18	eighteen	[eitiin]
9	nine	[nain]	19	nineteen	[naintiin]
10	ten	[ten]	20	twenty	[tuenti]

	SCRITTURA	PRONUNCIA		SCRITTURA	PRONUNCIA
21	twenty-one	[tuenti-uan]	40	forty	[fo(r)ti]
22	twenty-two	[tuenti-ciu]	50	fifty	[fifti]
23	twenty-three	[tuenti-th(r)ii]	60	sixty	[sicsti]
24	twenty-four	[tuenti-foor]	70	seventy	[seventi]
25	twenty-five	[tuenti-faiv]	80	eighty	[eiti]
26	twenty-six	[tuenti-sics]	90	ninety	[nainti]
27	twenty-seven	[tuenti-seven]	100	a/one hundred	[a/uan handred]
28	twenty-eight	[tuenti-eit]	1000	a/one thousand	[a/uan thausen(d)]
29	twenty-nine	[tuenti-nain]	10000	ten thousand	[ten thausen(d)]
30	thirty	[th(i)rti]	100000	a/one hundred thousand	[a/uan handred thausen(d)]
			1000000	a/one million	[a/uan milion]

Come avrai notato, scrivendo in lettere i numeri dal 21 al 99 occorre unire con un trattino le decine e le unità. Le centinaia si uniscono alle decine, e le migliaia alle centinaia, con la congiunzione *and*: per esempio 150230 si scrive *one hundred and fifty thousand and two hundred and thirty*.

Fai attenzione a una particolarità, quando scrivi: nel mondo anglofono la virgola è il simbolo che separa le migliaia, mentre il puntino separa l'intero dai decimali. Per esempio il numero che noi siamo abituati a scrivere come 12.000,50 va «tradotto» in inglese così: *12,000.50*.

Per concludere, ci sono tre diversi vocaboli che possono indicare lo zero:

- *o* [ou] nei numeri letti cifra per cifra;
- *nought* [nout] nelle numerazioni e nei calcoli;
- *zero* [ziro] nelle scale di numerazione e nel conto alla rovescia.

VOCABULARY

Aggettivi fondamentali

In inglese gli aggettivi non vanno concordati con il sostantivo al quale si riferiscono: questo significa che non c'è differenza tra maschile, femminile, neutro, singolare o plurale!

	SCRITTURA	PRONUNCIA	RISCRIVI
Bello	*Beautiful*	[biutiful]	
Brutto	*Ugly*	[aghli]	
Felice	*Happy*	[heppi]	
Triste	*Sad*	[sed]	
Giovane	*Young*	[ian]	
Vecchio	*Old*	[old]	
Piccolo	*Little*/*small* (riferito a cose)	[litt(e)l/smoll]	
Grande	*Big*	[big] (G dura)	
Alto	*Tall*	[toll]	
Basso	*Short*	[sciort]	

Sostantivi e verbi

Oltre ai termini inseriti nelle liste che ti proponiamo, durante gli esercizi potresti incontrare parole che non conosci: mi raccomando, memorizza anche quelle!

	SCRITTURA	PRONUNCIA	RISCRIVI
Libro	Book	[buk]	
Nome	Name	[neim]	
Amico	Friend	[frend]	
Ponte	Bridge	[bridg] (G dolce)	
Insegnante	Teacher	[ticia]	
Scuola	School	[scuul]	
Gatto	Cat	[chet]	
Borsa/sacchetto	Bag	[beg] (G dura)	
Andare	To go, went, gone	[tu go, uent, gon]	
Studiare	To study (regolare)	[tu stadi]	
Parlare	To speak, spoke, spoken	[tu spik, spok, spoken]	

Stai usando le associazioni PAV per memorizzare i vocaboli? Facciamo qualche esempio.

Sad [sed] = triste

Triste: immagina una faccia triste.

[Sed] suona come l'inizio di «sedano».

Esempio di associazione: quando gli inglesi sono tristi mangiano delle enormi quantità di sedano.

Friend [frend] = amico

Amico: il tuo migliore amico.

[Frend] suona un po' come «Fred Flintstone».

61

Esempio di associazione: stai passeggiando con il tuo migliore amico quando da dietro un angolo esce Fred Flintstone, che inizia a picchiarlo con la sua clava.

Continua tu. Ricorda che le associazioni diventano più veloci da creare con la pratica, e che sono il modo migliore per memorizzare in fretta una gran quantità di vocaboli… e non dimenticarli più, attuando i ripassi programmati.

IDIOMS

Gli *idioms* sono modi di dire ed espressioni che vanno imparati a memoria così come sono. In inglese se ne trovano davvero tanti e vengono utilizzati spesso: te ne proponiamo qualcuno ogni giorno in modo da imparare almeno i più importanti.

Out of order (letteralmente: «fuori ordine»)
Pronuncia: [aut of orda].
Significato: guasto, fuori servizio (riferito solitamente a un macchinario).
Esempio: *The coffee machine is out of order.* (La macchina del caffè è fuori servizio.)
Per memorizzare gli *idioms* devi visualizzare un'associazione PAV che inizi sempre dall'immagine ricavata dall'espressione in italiano e poi si colleghi alle immagini delle parole inglesi. Più vocaboli conosci e più diventerà facile.

Potresti procedere così:
Guasto (riferito a un oggetto): un bagno con un cartello che dice GUASTO (sarà capitato a tutti di vederlo almeno una volta).
Out of [aut of]: un'auto.

Order [orda]: un'orda di barbari.

Esempio di associazione: il bagno con la scritta GUASTO si è rotto perché ci si è schiantata contro un'auto guidata da un'orda di barbari.

ESERCIZIO 1.5

Scrivi nella forma contratta (*she's*, *we aren't* ecc.) le seguenti forme verbali.

She is	_____	They are	_____
It is not	_____	He is not	_____
I am not	_____	You are	_____

ESERCIZIO 1.6

Completa con *am*, *is*, *are* oppure, nella forma negativa, *am not*, *isn't*, *aren't*.

This book	_____ very big!	They	_____ my friends.
I	_____ Italian.	The bridge	_____ tall.
We	_____ young.	You	_____ happy!
She	_____ beautiful.	My name	_____ Carl.

ESERCIZIO 1.7

Utilizza gli elementi dati per comporre frasi con il *simple present* di *to be*, in forma affermativa contratta e non.

lei / spagnola	She is / She's Spanish
lui / un insegnante	_____
il libro / piccolo	_____
loro / tristi	_____
io / alto	_____
tu / felice	_____
il gatto / bello	_____
lei / vecchia	_____
esso / grande	_____
noi / bassi	_____

ESERCIZIO 1.8

Ora trasforma le frasi che hai scritto in forma negativa e interrogativa, e rispondi con una *short answer* alla domanda.

Negativa	Interrogativa	Short answer
She is not/isn't Spanish	*Is she Spanish?*	*Yes, she is / No, she is not*

Complimenti per essere arrivato al termine degli esercizi del primo giorno. Se non ti senti sicuro, puoi controllare le risposte in fondo al libro.

Ricorda di effettuare il ripasso programmato prima di fare pausa.

CONVERSATION TIME

Il vero apprendimento della lingua passa sempre attraverso la pratica. Se non ti senti ancora abbastanza preparato, ricordati che non è mai troppo presto per buttarsi e mettersi in gioco: ti abbiamo spiegato quanto è importante nei Capitoli 1 e 2. Trovare qualcuno con cui chiacchierare tramite Internet può essere la scelta più comoda, economica e meno imbarazzante (in fondo con uno sconosciuto non hai nulla da perdere!). Vediamo allora come arrivare alla tua prima conversazione online in inglese.

1. Decidi di trovare qualcuno per far pratica con l'inglese.
2. Cerca qualcuno su Facebook che parli inglese e mandagli un messaggio privato: *I would like to practice my English. Can you help me, please?* (Vorrei esercitare il mio inglese. Mi aiuti, per favore?)
3. Iscriviti a italki e cerca un partner che ti aiuti a fare pratica, o un insegnante per una lezione di *conversation*.

4. Stabilisci quando avverrà il tuo primo collegamento online, tramite una chat dedicata o semplicemente su Skype.

Con questi semplici passi ti sei dato una fortissima motivazione per memorizzare nel più breve tempo possibile le prime frasi. Inutile aspettare che arrivi il famoso giorno in cui ti sentirai pronto: il momento giusto è ora!

Adesso preparati per la tua prima conversazione *live* (dal vivo). Innanzitutto dobbiamo creare un frasario di base perché tu possa sostenere uno scambio di domande e risposte per almeno un minuto. Come puoi immaginare, all'inizio ti saranno molto utili queste frasi:

- *I don't understand* [ai dont anderstend] = Non capisco.
- *Could you repeat that?* [cuud iu ripit det?] (o anche, più breve: *Again, please!* [eghein plis!]) = Puoi ripetere?
- *Can you speak slower, please?* [chen iu spik sloue plis?] = Puoi parlare più lentamente per favore?
- *What does it mean?* [uot das it min?] = Cosa significa?

Ricordati che è il tuo primo giorno: hai solo bisogno di sapere qualche frasetta e di rilassarti. È molto improbabile che dall'altra parte del monitor troverai la regina d'Inghilterra!

Memorizza queste frasi o tieni aperto il libro vicino a te.

Hi, my name is _____ [hai, mai neim is _____] = Ciao, io mi chiamo _____

I'm from Italy. Where are you from? [aim from itali. uer ar iu from?] = Io sono italiano. Tu di dove sei?

How old are you? I'm _____ [hau old ar iu? aim _____] = Quanti anni hai? Io ne ho _____.

Al momento della connessione devi solo dire: *Hello!* [hello!], e il tuo nuovo amico ti risponderà *hello* a sua volta. A questo punto potresti presentarti e chiedergli: *How are you?* [hau ar iu?] = Come stai? Con tutta probabilità non ti racconterà la sua ultima storia d'amore finita male o i suoi problemi economici, ma risponderà superficialmente come facciamo tutti a un primo incontro: *Fine thanks, and you?* (dovrebbe suonare più o meno così: [fain thenks, end iu?]). Tu potresti dire: *Excited, this is my first time* [icsaitid, dis is mai f(i)rst taim]; non possiamo non citare John Peter Sloan, quando dice che la I di *first* deve ricordare un uomo che emette un gemito!

Così, ammettendo di essere emozionato perché è la tua prima volta, avrai rotto il ghiaccio... forse non capirai più niente del seguito della conversazione, ma poco importa: non è il momento di arrendersi. Hai studiato le frasi di cui puoi avere bisogno: chiedi che ti vengano ripetute le frasi e che ti venga scritta una parola se non ti è chiara (così la potrai cercare subito online). Se alla fine avrai qualche informazione su ciò che il tuo interlocutore fa nella vita bene, se no fa lo stesso. Quello che conta è che hai sostenuto la tua prima conversazione in inglese. Ricorda: tra il dire e il fare c'è di mezzo... il cominciare! E tu adesso ti trovi mille miglia avanti rispetto a dove eri ieri. Congratulazioni, ci vediamo domani!

DAY TWO

Prima di studiare qualcosa di nuovo è importante che ripassi velocemente le informazioni apprese ieri: è il modo migliore per fissare nella memoria a lungo termine le tue nuove conoscenze.

GRAMMAR RULES

Articoli determinativi

A differenza dell'italiano, in cui l'articolo determinativo dev'essere concordato con il genere e il numero del sostantivo al quale si riferisce, in inglese c'è un unico articolo determinativo per maschile, femminile e neutro, singolare e plurale. Facile, no?

In sostanza, per tradurre «il», «gli», «la», «le», «lo», «i» ti basta un vocabolo: *the* [de].

Esempi:

L'automobile	*The car*	Il sole	*The sun*
Le automobili	*The cars*	I cani	*The dogs*

Per la corretta pronuncia di questo articolo e di tutte le parole che contengono il suono TH (vedi Capitolo 3) la tecnica è di mettere la lingua fra i denti incisivi superiori e inferiori, o appoggiarla sulla faccia posteriore degli incisivi superiori e soffiare senza forzare, quindi senza troncare il flusso d'aria premendo la lingua contro il palato come invece si fa per pronunciare il suono T.

In inglese l'articolo determinativo si usa più spesso che in italiano, ma non lo troverai mai prima di termini appartenenti alle seguenti categorie:

- sport (Mi piace il tennis = *I like tennis*)
- nomi dei pasti (Ho preparato il pranzo = *I made lunch*)
- titoli e nomi di parenti (Conosco il dottor Rossi = *I know Dr Rossi*)
- colori (Il blu è il mio colore preferito = *Blue is my favourite colour*)
- anni (Nel 1980... = *In 1980...*)
- aggettivi e pronomi possessivi (La mia casa è più grande = *My house is bigger*)
- categorie generali (Le bionde si divertono di più = *Blondes have more fun*)

   e prima di queste parole:

- *next last* (L'anno prossimo... = *Next year...*)
- *television* (Guardiamo la televisione! = *Let's watch television*)

Per memorizzare queste eccezioni puoi inventare un'associazione di immagini che riunisca in una scena l'intero elenco: come sempre, scegli un'immagine concreta per ogni elemento e poi associale con i criteri PAV, chiudi gli occhi e memorizza.

Esempio di associazione: Alex Del Piero (la nostra immagine per lo sport) viene a pranzo (nomi dei pasti) con nostro zio (titoli e nomi di parenti); mangiamo su un arcobaleno (colori) e festeggiamo il mio

compleanno (aggettivi possessivi e anni) guardando la televisio[...]
mi regalano un catalogo (categorie generali) di mobili e un viaggi[o]
last minute per la prossima settimana (*next*/*last*).

Ora prova tu! Se usi la tua creatività e le tue associazioni otterrai
risultati più efficaci. Se all'inizio sei lento, non ti preoccupare: più
ci si esercita più si diventa rapidi. Alla fine di queste tre settimane
avrai interiorizzato il metodo e lo potrai applicare anche quando
passerai alla fase successiva di approfondimento della lingua.

Articoli indeterminativi

Anche in questo caso la grammatica inglese è più semplice di
quella italiana. Ci sono due forme per l'articolo indeterminativo
singolare («un», «uno», «una»): *a* [a] e *an* [an], valide per tutti i ge-
neri. La scelta tra l'uno e l'altro dipende dall'iniziale del sostantivo
al quale si riferiscono: se la parola comincia per vocale si usa *an*, se
comincia per consonante si usa *a*.

Vediamo qualche esempio!

| Una bilancia | *A scale* [a scheil] | Una mela | *An apple* [an eppol] |
| Un treno | *A train* [a trein] | Un esercizio | *An exercise* [an egsersais] |

Plurale dei sostantivi

Un'altra regola facile facile! In genere il plurale dei sostantivi
inglesi si costruisce aggiungendo una -S finale. Ma ci sono alcune
eccezioni…

* Quando la parola singolare termina per -S, -SH, -SS, -CH o -Z,
  si aggiunge -ES (*ash*, *ashes*).
* Quando la lettera finale è una Y preceduta da vocale si aggiunge
  -S (*toy*, *toys*), mentre se è preceduta da consonante la Y diventa
  I e si aggiunge -ES (*party*, *parties*).

69

...vi che terminano in -F o -FE la desinenza è sostituita ...ife, knives).

...con qualche altro esempio:

	SINGOLARE	PLURALE
Bilancia	Scale	Scales
Automobile	Car	Cars
Ciglio	Lash	Lashes
Chiesa	Church	Churches
Ragazzo	Boy	Boys
Studio	Study	Studies
Mensola	Shelf	Shelves

Infine, esistono alcuni plurali irregolari che non seguono una vera e propria regola.

	SINGOLARE	PLURALE
Persona	Person	People
Bambino	Child	Children
Uomo	Man	Men
Donna	Woman	Women
Topo	Mouse	Mice
Pesce	Fish	Fish
Pecora	Sheep	Sheep
Piede	Foot	Feet
Dente	Tooth	Teeth

Congiunzioni e preposizioni indispensabili

Cominciamo ad arricchire le frasi con alcuni elementi che ti permetteranno di legare insieme i verbi e i sostantivi che conosci. Ovviamente l'inglese, come l'italiano, ha molte congiunzioni e preposizioni con sfumature diverse. Ma vedrai che con questa «dotazione minima» arriverai già molto lontano…

And

Questa è la congiunzione più comune: si pronuncia [end] e significa «e» (*I like apples and oranges*, Mi piacciono le mele e le arance).

Because

Because [bicos] significa «perché» e si usa nelle frasi affermative o negative, per spiegare un motivo (*I study English because I want to travel*, Studio inglese perché voglio viaggiare). Nelle interrogative, come vedremo più avanti, si usa *why* [uai] (*Why do you study English?* Perché studi inglese?).

But

But [bat] significa «ma» (*I love you, but I must leave*, Ti amo, ma devo partire).

With e without

With [uid] significa «con» (*I come with you*, Vengo con te).

Without [uidaut] significa «senza» (*I want to leave without you*, Voglio partire senza di te).

Pronomi personali complemento

Ieri abbiamo visto i pronomi personali soggetto. Ma i pronomi servono anche a indicare, senza ripeterne il nome, tutte le persone e le cose che «stanno intorno al soggetto»: quelli che nell'analisi logica si chiamano complementi.

Qui di seguito ti proponiamo un prospetto con i pronomi personali soggetto (ripassali!) affiancati da quelli complemento: usali tutte le volte che ti serve un pronome con funzione diversa dal soggetto (Egli lavora per lui = *He works for him*).

PRONOMI PERSONALI SOGGETTO	PRONOMI PERSONALI COMPLEMENTO
I	*Me* [mi]
You	*You* [iu]
He	*Him* [him]
She	*Her* [her, con la E molto chiusa]
It	*It* [it]
We	*Us* [as]
You	*You* [iu]
They	*Them* [dem]

VOCABULARY

La famiglia

	SCRITTURA	PRONUNCIA	RISCRIVI
Famiglia	*Family*	[femili]	
Madre/mamma	*Mother*/*mom*	[mada]/[mam]	
Padre/papà	*Father*/*dad*	[fada]/[ded]	
Figlio	*Son*	[s(a)n]	
Figlia	*Daughter*	[douter]	

Fratello	*Brother*	[brad(a)r]	
Sorella	*Sister*	[sist(a)r]	
Zio	*Uncle*	[ancol]	
Zia	*Aunt*	[ant] per gli inglesi o [ent] per gli americani	
Nonno	*Grandfather*	[grandfada]	
Nonna	*Grandmother*	[grandmada]	
Genitori	*Parents*	[perents]	
Nonni	*Grandparents*	[grandperents]	
Nipote (di nonni)	*Grandchild*	[grandciaild]	
Nipote femmina (di nonni)	*Granddaughter*	[granddouter]	
Nipote maschio (di nonni)	*Grandson*	[grands(a)n]	
Nipote femmina (di zii)	*Niece*	[nis]	
Nipote maschio (di zii)	*Nephew*	[nefiu]	
Cugino	*Cousin*	[casin]	
Moglie	*Wife*	[uaif]	
Marito	*Husband*	[hasband]	
Parente	*Relative*	[relativ]	

Per i parenti acquisiti da un matrimonio si utilizzano gli stessi termini dei consanguinei, aggiungendo *in-law* [in lou].

Suocero	*Father-in-law*
Suocera	*Mother-in-law*
Cognato	*Brother-in-law*
Cognata	*Sister-in-law*
Genero	*Son-in-law*
Nuora	*Daugther-in-law*

Matrigne, figliastri e così via invece vengono preceduti da *step* [step]: *stepmother*, *stepson* ecc.

Le parole del giorno

	SCRITTURA	PRONUNCIA	RISCRIVI
Automobile	*Car*	[car]	
Così/allora	*So*	[sʊ]	
Oggi	*Today*	[tudei]	
Giardino	*Garden*	[garden]	
Fiore	*Flower*	[flauer]	
Cane	*Dog*	[dog] (G dura)	
Mela	*Apple*	[eppol]	
Animale domestico	*Pet*	[pet]	
Legge	*Law*	[lou]	
Buono/carino/ piacevole	*Nice*	[nais]	
Bambino/bambini	*Child*/*children*	[ciaild]/[cildren]	
Persona/persone	*Person*/*people*	[person]/[pipol]	
Pioggia	*Rain*	[rein]	
Vacanza	*Holiday*	[holidei]	
Dire	*To tell, told, told*	[tu tell, told, told]	
Giocare/suonare (uno strumento)	*To play* (regolare)	[tu plei]	
Lavorare	*To work* (regolare)	[tu uork]	

Memorizziamo alcune di queste parole insieme.

Car [car] = automobile

Automobile: la tua automobile.

[Car]: il cartone animato della Pixar *Cars*.

Esempio di associazione: la tua macchina si scontra contro Saetta McQueen, l'auto rossa protagonista di *Cars*.

Lo stesso metodo funziona per i verbi:

To work [tu uork] = lavorare

Lavorare: cartello stradale dei lavori in corso.

[Uork]: un orco.

Esempio di associazione: i lavori in corso sono svolti da una squadra di orchi.

In questo caso c'è anche un'associazione meno paradossale che potrebbe funzionare bene: il classico cartello dei lavori in corso con la scritta WORK IN PROGRESS.

IDIOMS

It's raining cats and dogs (letteralmente: «Piovono gatti e cani»)

Pronuncia: [its reinin chets end dogs].

Significato: piove a catinelle.

Esempio: *What's the weather like in London? It's raining cats and dogs.* (Che tempo fa a Londra? Piove a catinelle.)

Per questo *idiom* sfrutta il fatto che oggi hai già imparato che «cane» si dice *dog*, «gatto» si dice *cat* e «pioggia» si dice *rain*, e memorizza il modo di dire anche con le immagini italiane: per esempio immagina che piovano catene (le «catinelle» della nostra espressione) con cani e gatti attaccati alle estremità!

Keep an eye on... (letteralmente: «Tenere un occhio su...»)

Pronuncia: [kiip en ai on].

Significato: tenere d'occhio.

Esempio: *Please, keep an eye on the children while I'm away.* (Per favore, tieni d'occhio i bambini mentre sono via.)

Esercizio 2.1

Inserisci l'articolo indeterminativo adeguato.

_____ *pool*
_____ *dog*
_____ *uncle*
_____ *apple*
_____ *book*
_____ *aunt*
_____ *lash*
_____ *wife*
_____ *holiday* (l'H aspirata è considerata una consonante)

Esercizio 2.2

Inserisci le parole al singolare nell'insieme giusto, in base alla regola del plurale.

| *buzz* | *cousin* | *hobby* | *boy* | *sister* |
| *canary* | *flash* | *lunch* | *bridge* | *holiday* |

-s: _____ _____ _____ _____ _____
-es: _____ _____ _____
-ies: _____ _____

Esercizio 2.3

Completa le frasi con un pronome personale complemento adeguato.

Regali un libro agli zii che ti ospitano in California: *This is a book for _____.*
Dichiari il tuo amore a Mary: *I love _____.*
Trovi una lettera indirizzata a te: *This letter is for _____.*
Descrivi un'amica che lavora per tuo padre: *She works for _____.*
Vedo Lucy e Carl per strada: *I call _____.*
Festeggi il compleanno lo stesso giorno del tuo migliore amico: *Happy birthday to _____!*

Ripassa quello che hai appreso oggi e usalo nelle tue prossime conversazioni!

CONVERSATION TIME

Ieri hai sostenuto la tua prima conversazione: non può essere durata più di qualche secondo. Oggi imparerai una serie di altre frasi per scambiare qualche parola in più.

What do you do? [uot du iu du?] = Che lavoro fai?

How do you spend your free time? [hau du iu spend io(u)r fri taim?] = Come passi il tuo tempo libero?

I work with... [ai uork uid] = Io mi occupo di...

Have you any hobbies? [hev iu eni hobbis?] = Hai degli hobby?

Where are you from? [uer ar iu from?] = Di dove sei?

My mom and dad are from... [mai mam end ded ar from...] = Mia mamma e mio papà sono nati in...

What is your favourite dish? [uot is io(u)r fevorit disc?] (C dolce) = Qual è il tuo piatto preferito?

I love... [ai lov] = Io adoro...

Durante la conversazione tieni a portata di mano un blocco per gli appunti dove segnare tutte le cose che vorresti dire ma non sai come fare; dopo, potrai cercare le traduzioni su Internet.

Da qui in avanti dovrai semplicemente ripetere sempre il processo della prima conversazione, con l'obiettivo di farla durare di volta in volta un po' di più. L'inizio di qualsiasi scambio è praticamente lo stesso, quindi ripassa bene cosa dire nei primi istanti, quando ti presenti e fai la conoscenza di qualcuno, in modo da partire sempre più sciolto e pronto.

Potresti preparare una lista di parole o frasi da dire e tenerla aperta sullo schermo di fronte a te, in modo da poter sbirciare quando ne hai bisogno. Tieni sempre aperto anche WordReference per trovare in fretta il significato di una parola o per capire come si pronuncia un vocabolo che non hai ancora imparato.

DAY THREE

Ripassa ciò che hai imparato ieri e poi, dopo un paio di minuti di rilassamento, affronta lo studio e gli esercizi del terzo giorno.

GRAMMAR RULES

Verbo avere: to have e to have got

Come in italiano, possono esistere due funzioni diverse per il verbo «avere»: verbo ausiliare per formare i tempi composti (in questo caso si usa solo *to have*) e verbo ordinario con il significato di «possedere» (in questo caso si usa sia *to have* sia *to have got*).

To have got si utilizza per sottolineare l'accezione di «possesso» rispetto a *to have*, oppure per tradurre «ottenere»; si usa solo al presente.

Cominciamo dalla forma affermativa.

	SCRITTURA	PRONUNCIA	FORMA CONTRATTA	RISCRIVI
io ho	*I have*	[ai hev]	*I've*	
tu hai	*you have*	[iu hev]	*you've*	
egli/lui/ella/ lei/esso ha	*he/she/it has*	[hi/shi/it hes]	*he/she/it's*	
noi abbiamo	*we have*	[ui hev]	*we've*	
voi avete	*you have*	[iu hev]	*you've*	
essi/esse/loro hanno	*they have*	[dei hev]	*they've*	

Nota che la coniugazione è sempre uguale tranne per la terza persona singolare. Quindi è ancora più semplice del verbo essere!

La forma affermativa completa è composta da:

soggetto + verbo + complemento,

oppure da:

soggetto + *have/has (got)* + complemento.

Inoltre, alcune espressioni che in italiano richiedono l'uso del verbo «fare» in inglese vogliono il verbo avere: per esempio *to have breakfast* (fare colazione) e *to have a shower* (fare una doccia).

Infine, fai attenzione: quando *to have (got)* è seguito dalla preposizione *to* assume il significato di «dovere» (*I have got to go!* Devo andare!).

Leggi gli esempi e completa.

Io ho un cane.	*I have a dog.*
Lui ha una macchina.	*He has a car.*
Noi diamo una festa.	*We have a party.*

Noi abbiamo un computer.   _____

Anna fa una vacanza (*to have a holiday*). _____

Loro hanno gli occhi azzurri (*blue eyes*). _____

Forma negativa, interrogativa e interrogativo-negativa

Occorre distinguere tra *to have got* e *to have*. Se vuoi chiedere a qualcuno se ha (possiede) una bicicletta, la struttura sarà:

have/has + soggetto + *got* + complemento + ?

Nel caso in cui il verbo *to have* non indichi possesso (per esempio *to have a shower* o *to have breakfast*), la frase interrogativa si costruisce con l'ausiliare *to do* [tu du] e il verbo *have* all'infinito:

do/does + soggetto + *have* + complemento + ?

Leggi gli esempi e completa.

Tu hai un cane?	*Have you got a dog?*
Lui ha una macchina?	*Has he got a car?*
Noi diamo una festa?	*Do we have a party?*

Noi abbiamo un computer?   _____

Anna fa una vacanza?   _____

Loro hanno gli occhi azzurri? _____

Per quanto riguarda le *short answers*, devi riprendere sempre l'ausiliare della domanda.

Quindi per rispondere a una domanda con *have got* dirai *Yes, I have* oppure *No, I haven't*, mentre se la domanda è composta con l'ausiliare *to do* userai *Yes, I do* oppure *No, I don't*.

Per la forma negativa basta aggiungere *not* subito dopo l'ausiliare; nel caso di *to have got*, sarà subito dopo *have/has*:

> soggetto + *have/has* + *not* + *got* + complemento.

Nel caso in cui il verbo «avere» non indichi possesso useremo l'ausiliare *to do*, seguito da *not*

> soggetto + *do/does* + *not* + *have* + complemento.

Esercizio 3.3

Leggi gli esempi e completa.

Io non ho un cane.	*I have not got a dog / I haven't got a dog.*
Lui non ha una macchina.	*He has not got a car / He hasn't got a car.*
Noi non diamo una festa.	*We do not have a party / We don't have a party.*

Noi non abbiamo un computer. _____

Anna non fa una vacanza. _____

Loro non hanno gli occhi azzurri. _____

Infine, seguendo le regole viste finora, la forma interrogativo-negativa si può strutturare in due modelli, a seconda dei casi.

Se *to have* indica possesso:

> *have/has* + soggetto + *not* + *got* + complemento + ?

Altrimenti:

do/does + soggetto + *not* + *have* + complemento + ?

ESERCIZIO 3.4

Leggi gli esempi e completa.

Tu non hai un cane?	*Have you not got a dog? /*
	Haven't you got a dog?
Lui non ha una macchina?	*Has he not got a car? /*
	Hasn't he got a car?
Noi non diamo una festa?	*Do we not have a party? /*
	Don't we have a party?

Noi non abbiamo un computer?   _____

Anna non fa una vacanza?   _____

Loro non hanno gli occhi azzurri?   _____

Come al solito, la forma contratta è quella più utilizzata nel linguaggio colloquiale: nei testi formali (incluse tesine e documenti di lavoro importanti) è meglio scrivere sempre tutti i verbi per esteso.

Qui non ci dilungheremo sulle differenze tra inglese britannico e americano: potranno far storcere il naso a qualche madrelingua, ma non inficiano davvero la tua capacità di comunicare… o la sua di comprenderti. Ti facciamo notare, solo per sensibilizzarti a queste «complicazioni», che gli inglesi utilizzano *to have got* più spesso degli americani: te ne accorgi soprattutto nelle interrogative, perché un londinese chiede sempre: *Have you got a pen?*, mentre un newyorchese potrebbe chiederti: *Do you have a pen?*

Inoltre a un americano può suonare strana la forma contratta del verbo «avere» quando non è usato come ausiliare: se dici *I've a new car* (invece di *I have a new car*), potrebbero prenderti per un suddito della regina!

VOCABULARY

House e home

House [haus] e *home* [hom] significano entrambi «casa», anche se con sfumature di significato diverse.

House è la casa intesa come edificio, mentre *home* ha un'accezione più sentimentale: pensa al detto *home sweet home*, che significa «casa dolce casa», dove si fa chiaramente riferimento al focolare domestico, dove si sta bene.

I colori

	SCRITTURA	PRONUNCIA	RISCRIVI
Colore	*Colour* (spelling inglese) o *color* (spelling americano)	[color]	
Blu	*Blue*	[blu]	
Nero	*Black*	[blek]	
Verde	*Green*	[griin]	
Giallo	*Yellow*	[iellou]	
Bianco	*White*	[uait]	
Rosa	*Pink*	[pink]	
Azzurro	*Light blue*	[lait blu]	
Rosso	*Red*	[red]	
Grigio	*Grey* (spelling inglese) o *gray* (spelling americano)	[grei]	
Arancione	*Orange*	[orang] (G dolce)	
Viola	*Violet* o *purple*	[vaiolet] o [parpol]	
Marrone	*Brown*	[braun]	
Rosso	*Red*	[red]	
Marrone	*Brown*	[braun]	

La casa

	SCRITTURA	PRONUNCIA	RISCRIVI
Stanza	Room	[ruum]	
Cucina	Kitchen	[kitcen]	
Sala da pranzo	Dining room	[dainin ruum]	
Soggiorno	Living room	[livin ruum]	
Letto	Bed	[bed]	
Camera da letto	Bedroom	[bedruum]	
Bagno (nella vasca)	Bath	[bath]	
Bagno (stanza)	Bathroom	[bathruum]	
Solaio	Attic	[ettic] [C dura]	
Tetto	Roof	[ruuf]	
Cantina	Cellar	[sellar]	
Garage	Garage	[garag] (G dolce)	
Lavanderia	Laundry room	[loundri ruum]	
Finestra	Window	[uindou]	
Appartamento	Flat (per gli inglesi) o apartment (per gli americani)	[flet] o [apartment]	
Pavimento/piano	Floor	[floor]	
Tavolo	Table	[teibol]	
Sedia	Chair	[cea]	
Divano	Sofa	[sofa]	
Poltrona	Armchair	[armcea]	
Armadio	Wardrobe	[uordrob]	
Scale	Stairs	[stears]	

Le parole del giorno

	SCRITTURA	PRONUNCIA	RISCRIVI
Ogni	*Every*	[evri]	
Festa	*Party*	[parti]	
Città	*City*	[siti]	
Occhio	*Eye*	[ai]	
Colazione	*Breakfast*	[brekfast]	
Doccia	*Shower*	[sciauer]	
Penna	*Pen*	[pen]	
Montagna	*Mountain*	[maunten]	
Scarpa	*Shoe*	[sciu]	
Pranzo	*Lunch*	[lanc] (C dolce)	
Palla	*Ball*	[boll]	
Stella	*Star*	[star]	
Cielo	*Sky*	[skai]	
Poi	*Then*	[den]	
Giorno	*Day*	[dei]	
Piano	*Piano*	[piano]	
Stanco	*Tired*	[taiad]	
Guardare	*To look*	[tu luk]	
Piacere	*To like* (attento a non confonderti con *like*, «come»)	[tu laik]	

To see, to look, to watch

Questi tre verbi hanno a che fare con il senso della vista e possono essere tradotti con «vedere», ma hanno significati leggermente diversi. Prima di tutto è necessario capire se l'azione è attiva o passiva, ovvero se è voluta o se è invece spontanea.

85

- *To see* indica un'azione passiva, ovvero quando vediamo qualcosa non necessariamente perché vogliamo vederlo.

  Esempi:

  I saw your mother at the supermarket yesterday. (Ho visto tua mamma al supermercato ieri.)

  Did you see that ugly mouse in the pool? (Hai visto quel brutto topo in piscina?)

- *To look* viene usato quando è necessario impegnarsi attivamente e prestare attenzione per vedere qualcosa.

  Esempi:

  Look! It's raining! (Guarda! Sta piovendo!)

  Last night we went looking at the stars. (Ieri notte siamo andati a guardare le stelle.)

- *To watch* indica un'azione attiva che richiede ancora più attenzione: si usa per riferirsi a qualcosa che sta accadendo o in movimento, per esempio un programma televisivo, un film o una partita di calcio.

  Esempi:

  Did you watch this film? (Hai visto questo film?)

  I want to watch the game tonight! (Voglio vedere la partita questa sera!)

IDIOMS

To walk on air (letteralmente: «Camminare sull'aria»)

Pronuncia: [tu uóok on ea].

Significato: essere al settimo cielo.

Esempio: *Nina: How is it going with the new job? Darren: I am walking on air!* (Nina: Come va con il nuovo lavoro? Darren: Sono al settimo cielo!)

To go bananas (letteralmente: «Andare banane»)

Pronuncia: [tu go bananas].

Significato: perdere la testa, diventare matti di rabbia o di gioia.

Esempio: *I have a new puppy, the children will go bananas!* (Ho un nuovo cucciolo, i bambini ne andranno matti!)

In a nutshell (letteralmente: «In un guscio di noce»)

Pronuncia: [in a natscel].

Significato: in poche parole.

Esempio: *Mary: How did it go with Sam last night? Kim: In a nutshell, we broke up.* (Mary: Com'è andata con Sam ieri sera? Kim: In poche parole, ci siamo lasciati.)

ESERCIZIO 3.5

Scrivi il verbo nella forma contratta.

She has got _____
It has not got _____
I have not got _____
They have _____
He has not got _____
You have _____

ESERCIZIO 3.6

Usa le parole tra parentesi per dire che hai una cosa oppure che non ce l'hai.

(*camera* = **macchina fotografica**) *I have a camera. I haven't got a camera.*
(*ball* = **palla**) _____
(*book*) _____
(*pair of shoes* = **paio di scarpe**) _____
(*pen*) _____

Esercizio 3.7

Utilizza gli elementi dati per comporre frasi con il *simple present* di *to have*, in forma affermativa contratta e non.

io / grande armadio	*I have* / *I 've got a big wardrobe*
Gioia / occhi azzurri	_____
loro / pranzo	_____
loro / piscina	_____
lei / festa	_____
noi / mela verde	_____
cane / fa il bagno	_____
Carlo / cucina rossa	_____
io e Justin / due fratelli	_____
noi / casa grande	_____

Esercizio 3.8

Ora trasforma le frasi che hai scritto in forma negativa e interrogativa e rispondi con una *short answer* alla domanda.

Negativa	Interrogativa	Short answer
_____	_____	_____
_____	_____	_____
_____	_____	_____
_____	_____	_____
_____	_____	_____
_____	_____	_____
_____	_____	_____
_____	_____	_____
_____	_____	_____
_____	_____	_____

Sei quasi alla fine: ricorda di ripassare gli argomenti della giornata, i vocaboli, le nuove frasi e gli *idioms*!

CONVERSATION TIME

Aggiungi ancora qualche domanda al tuo frasario, e cerca il modo di rispondere:

- *Which is your best quality?* = **Qual è il tuo miglior pregio?**
- *And your worst shortcoming?* = **E il tuo peggior difetto?**
- *How would you describe yourself, in a nutshell?* = **Come ti descriveresti in poche parole?**
- *Do you make friends easily?* = **Fai amicizia con facilità?**
- *What do you do when you go out with your friends?* = **Cosa fai quando esci con gli amici?**
- *Do you do any kind of sport?* = **Pratichi qualche sport?**

Durante le prime conversazioni avrai bisogno di pensare a cosa dire e di cercare un modo per esprimerti in maniera comprensibile. Ricordati che il tuo obiettivo è comunicare, perciò concentrati sul modo più semplice per esprimere quello che in italiano diresti con assoluta disinvoltura ma che in inglese non sai come tradurre.

Supponiamo per esempio che si stia parlando di viaggi, e che tu voglia dire: «A settembre farò un viaggio a Manchester». Visto che non abbiamo ancora studiato il futuro, potresti essere tentato di arrenderti: non farlo! Conosci già i verbi modali, quindi prova a immaginare come sostituire il futuro usando *I want to*: puoi dire «A settembre voglio fare un viaggio a Manchester». Ecco perché i modali sono così utili mentre stai ancora imparando la grammatica: puoi combinarli con qualsiasi verbo all'infinito, senza preoccuparti di tempi, paradigmi o altro.

Se poi non sai come si dice «viaggiare», nessun problema: semplifica ancora e usa il verbo «andare», *to go*; se non sai nemmeno questo, semplifica ancora di più e usa il verbo «essere», e la frase diventa: *I want to be in Manchester in September*. Non è perfetta ma è comprensibile, ed è questo l'importante: stai già facendo enormi progressi!

DAY FOUR

Ripassa ciò che hai imparato ieri, quindi fai un paio di minuti di rilassamento e poniti consapevolmente l'obiettivo di affrontare lo studio e gli esercizi del quarto giorno.

GRAMMAR RULES

Aggettivi e pronomi possessivi

Aggettivi e pronomi possessivi indicano a chi appartiene qualcosa o qualcuno: per esempio *It's my dog* (È il mio cane), oppure *The dog is mine* (Il cane è mio).

Gli aggettivi possessivi sono sempre seguiti dal sostantivo al quale si riferiscono, mentre i pronomi, per definizione, lo sostituiscono.

Ricorda, come abbiamo visto il secondo giorno, che in inglese non si mette mai l'articolo *the* davanti agli aggettivi o ai pronomi possessivi.

Riepiloghiamo di seguito i pronomi già studiati (soggetto e complemento), insieme a questi nuovi vocaboli da memorizzare.

PRONOMI PERSONALI SOGGETTO	PRONOMI PERSONALI COMPLEMENTO	AGGETTIVI POSSESSIVI	PRONOMI POSSESSIVI
I	Me	My [mai]	Mine [main]
You	You	Your [io(u)r]	Yours [io(u)rs]
He	Him	His [his]	His [his]
She	Her	Her [her]	Hers [hers]
It	It	Its [iz]	Its [iz]
We	Us	Our [au(a)r]	Ours [au(a)rs]
You	You	Your [io(u)r]	Yours [io(u)rs]
They	Them	Their [d(e)ir]	Theirs [d(e)irs]

Un consiglio per la memorizzazione: incontrerai questi pronomi e aggettivi davvero spesso, quindi non sarebbe proficuo cercare immagini PAV da associare a ogni singola voce. Prova invece a usare il principio del contrasto-sfondo per evidenziare con colori diversi le differenze tra aggettivi e pronomi.

Aggettivi e pronomi dimostrativi

Aggettivi e pronomi dimostrativi sono identici fra di loro e non variano tra maschile e femminile. Eccoli:

This [dis] Questo, questa
That [det] Quello, quella

These [diis] Questi, queste
Those [doos] Quelli, quelle

Esempi:

This is my dog. Yours is that one.
Is that your dog? No, this is mine.
These aren't my dogs. Those are mine.

Questo è il mio cane. Il tuo è quello.
È quello il tuo cane? No, è questo.
Questi non sono i miei cani. Quelli sono i miei.

Genitivo sassone

Per esprimere una relazione di appartenenza, che può riguardare persone, animali, espressioni di tempo, nazioni o città, si utilizza il genitivo sassone, costruito secondo la seguente struttura:

possessore + 's + cosa posseduta.

Per esempio: «La penna di Lory» non si dice *The pen of Lory* ma *Lory's pen*.

Quando il sostantivo che indica il possessore termina in -S (è il caso della stragrande maggioranza dei plurali), si aggiunge solo l'apostrofo: *The girls' shoes are in their room* (Le scarpe delle ragazze sono nella loro stanza).

Eccezione nell'eccezione, se è un nome proprio a terminare per -S puoi scegliere se aggiungere 'S o solo l'apostrofo. «La moglie di Thomas» si può tradurre con *Thomas' wife* oppure *Thomas's wife*. Ma se dici *I like my house, but Thomas' is better* potrebbe sembrare che tu faccia un paragone tra la tua casa e il tuo amico: in questi casi è meglio aggiungere (e pronunciare) la S in più [ai laik mai haus bat tomasis is better]. Infine, nella costruzione del genitivo sassone alcuni sostantivi si possono sottintendere: se aggiungi solo 'S chi ascolta saprà, in base al discorso, che stai omettendo *house, shop, office, surgery* (studio medico) o *church*.

Per esempio se c'è una festa a casa di Giacomo puoi dire *There is a party at Giacomo's house,* oppure *There is a party at Giacomo's.*

Preposizioni di luogo

At

At [et] significa «a» e indica lo stato in luogo, in un punto preciso nello spazio o in riferimento all'attività che si svolge.

Esempio: *I'm at the bus stop.* (Sono alla fermata dell'autobus.)

At si usa, tra l'altro, per indicare gli indirizzi. Memorizza questo modello:

at + numero civico, via.

Esempio: *Tom lives at 15, Birch Road*. (Tom abita al 15 di Birch Road.)

On

On [on] significa «su» o «sopra», con contatto con ciò che sta sotto.

Esempio: *The glass is on the table.* (Il bicchiere è sul tavolo.)

Above

Above [abov] significa «sopra», senza contatto.

Esempio: *The shelf is above the desk.* (La mensola è sopra la scrivania.)

In

In [in] significa «in» o «dentro», in uno spazio circoscritto (una casa, la città di Londra).

Esempio: *She lives in town.* (Lei vive in città.)

Inside

Inside [insaid] significa «dentro a», «all'interno di».

Esempio: *The hat is inside the box.* (Il cappello è nella scatola.)

Outside, out of

Outside [autsaid] e *out of* [aut of] significano «fuori da», «all'esterno di».

Esempio: *The kids are outside.* (I bambini sono fuori.)

Under
Under [ander] significa «sotto».
Esempio: *The dog is under the chair.* (Il cane è sotto la sedia.)

Behind
Behind [bihaind] significa «dietro».
Esempio: *The pen is behind the sofa.* (La penna è dietro il divano.)

Among
Among [among] significa «fra» e indica una cosa tra tante.
Esempio: *Your socks are among other things in the bag.* (I tuoi calzini sono tra altre cose nella borsa.)

Between
Between [bituin] significa «tra» e indica una cosa tra due.
Esempio: *My office is between the hair salon and the bank.* (Il mio ufficio è tra il parrucchiere e la banca.)

Near
Near [niar] significa «vicino a», senza contatto.
Esempio: *The cinema is near the bus stop.* (Il cinema è vicino alla fermata dell'autobus.)

Next to
Next to [necst tu] significa «vicino a» con contatto, «accanto a».
Esempio: *The cinema is next to the restaurant.* (Il cinema è accanto al ristorante.)

Beside

Beside [bisaid] significa «accanto a», senza contatto.

Esempio: *I keep a glass of water beside my bed.* (Tengo un bicchiere d'acqua accanto al mio letto.)

In front of

In front of [in front of] significa «di fronte a».

Esempio: *My house is in front of the bank.* (La mia casa è di fronte alla banca.)

From

From [from] significa «da».

Esempio: *I'm from Sweden.* (Vengo dalla Svezia.)

Far

Far [faa] significa «lontano».

Esempio: *The train station is not very far from here.* (La stazione dei treni non è molto lontana da qui.)

Un aiuto per ricordare: il *far west* dei film western non è altro che il «lontano Ovest»!

Right

Right [rait] significa «a destra».

Esempio: *The bed is to the right of the wardrobe.* (Il letto è alla destra dell'armadio.)

Left

Left [left] significa «a sinistra».

Esempio: *Turn left.* (Gira a sinistra.)

Preposizioni di scopo

To + verbo

Il fine di un'azione (solitamente introdotto in italiano dalla preposizione «per») si traduce con *to* [tu], seguito dal verbo che indica lo scopo.

Esempio: *I go to the mountains to ski.* (Vado in montagna per sciare.)

For

Se invece di un verbo c'è un sostantivo, si usa la preposizione *for* [for].

Esempio: *I am here for you.* (Sono qui per te.)

Per chiarire la differenza tra queste preposizioni, confronta questi esempi:

I play tennis to have fun. (Gioco a tennis per divertirmi.)

I play tennis for fun. (Gioco a tennis per divertimento.)

VOCABULARY

La città

	SCRITTURA	PRONUNCIA	RISCRIVI
Città	Town	[taun]	Town
Palazzo	Building	[bildin]	Building
Ascensore	Lift	[lift]	Lift
Strada (fisica)	Road	[roud]	Road
Strada (figurata)	Way	[uei]	Way
Metropolitana	Underground	[andergraund]	Underground
Semaforo	Traffic lights	[traffic laits]	Traffic lights
Traffico	Traffic	[traffic] [C dura]	Traffic
Autobus	Bus	[bas]	Bus
Benzinaio	Petrol station	[petrol stescion]	Petrol station

Stazione dell'autobus/ del treno	Bus /train station	[bas]/[trein] [stescion]	Bus Train Station
Centro commerciale	Shopping centre / shopping mall	[scioppin senter]/ [scioppin mol]	Shopping center
Negozio	Shop /store	[sciop]/[stor]	Shop
Ufficio	Office	[offis]	Office
Ufficio postale	Post office	[post offis]	Post Office
Banca	Bank	[benk]	Bank
Albergo/hotel	Hotel	[hotel]	Hotel
Ingresso dell'hotel	Lobby	[lobbi]	Lobby
Mercato/ supermercato	Market /supermarket	[market]/ [supermarket]	Market
Ristorante	Restaurant	[restorant]	Restaurant
Parco	Park	[park]	Park
Parcheggio	Car park	[car park]	Car Parking
Pedone	Pedestrian	[pedestrian]	Pedestrian
Sottopassaggio	Pedestrian subway	[pedestrian sabuei]	Pedestrian subway
Attraversamento pedonale	Pedestrian crossing	[pedestrian crossin]	Pedestrian crossing
Indirizzo	Address	[adres]	Address
Via	Street	[striit]	Street
Corso	Avenue	[eveniu]	Avenue
Piazza	Square	[squer]	Square
Incidente	Accident	[acsident]	Accident
Ospedale	Hospital	[hospital]	Hospital

Le parole del giorno

	SCRITTURA	PRONUNCIA	RISCRIVI
Occhiali da sole	Sunglasses	[sanglassis]	Sunglasses
Asciugamano	Towel	[tauel]	Towel
Osso	Bone	[bo(u)n]	Bone
Chiave	Key	[ki]	Key
Mare	Sea	[sii]	Sea

97

Compleanno	*Birthday*	[b(i)rthdei]	*Birthday*
Uccello	*Bird*	[b(i)rd]	*Bird*
Cellulare/telefono	*Phone*	[fo(u)n]	*Phone*
Bibita	*Drink*	[drink]	*Drink*
Fotografia	*Picture*	[pic(t)cia]	*Picture*
Pochi	*Few*	[fiu]	*Few*
Circa	*About*	[ebaut]	*About*
Albero	*Tree*	[trii]	*Tree*
Cuccia/canile	*Doghouse*	[doghaus]	*Doghouse*
Correre	*To run, ran, run*	[tu ran, ren, ran]	*Run, Ran, Run*
Chiamare	*To call* (regolare)	[tu coll]	*Calling*
Volere	*To want* (regolare)	[tu uont]	*To want*
Scrivere	*To write, wrote, written*	[tu rait, ro(u)t, ritten]	*Write, wrote, written*
Dare	*To give, gave, given*	[tu ghiv, gheiv, ghiven]	*give, gave, given*
Offrire	*To offer* (regolare)	[tu offer]	*to offer*

IDIOMS

To be dying for something (letteralmente: «Morire per qualcosa»)
Pronuncia: [tu bi dain for samthin].
Significato: Morire dalla voglia di…
Esempio: *I'm dying for a biscuit!* (Muoio dalla voglia di un biscotto!)

To miss the boat (letteralmente: «Perdere la barca»)
Pronuncia: [tu miss de bo(u)t].
Significato: Perdere il treno, perdere un'opportunità.
Esempio: *They've just sold the last ticket for the play. I guess I missed the boat.* (Hanno appena venduto l'ultimo biglietto per lo spettacolo. Suppongo di aver perso l'occasione.)

Short but sweet (letteralmente: «Corto ma dolce»)

Pronuncia: [sciort bat suiit].

Significato: Breve ma intenso.

Esempio: *Jim: How was your weekend? Kim: It was short but sweet!*
(Jim: Com'è andato il fine settimana? Kim: È stato breve ma intenso!)

ESERCIZIO 4.1

Inserisci l'aggettivo e il pronome possessivo corretti, come nell'esempio.

1. Is this my pen? Yes, it's yours.
2. Is that (sua, di lei) _her_ ball? No, it's mine (mia).
3. Are these (tuoi) _your_ sunglasses, Lory? Yes, they are mine.
4. Lucy, is this (mio) _my_ drink? No, it's his (suo, di lui).
5. Are these (nostre) _ours_ apples? Yes, they are ours
6. Are those (vostri) _yours_ towels? Yes, they are the ours
7. Is that (suo, del cane) _its_ bone? Yes, they are its
8. Ken, are these (tue) _your_ keys? No, they are hers (sue, di lei).
9. Is this (loro) _theirs_ house? Yes, they are theyrs
10. Is that (suo, di lui) _his_ dog? Yes, they are his.

ESERCIZIO 4.2

Guarda l'albero genealogico nella pagina seguente. Immedesimati in Mark e utilizza il genitivo sassone per scrivere delle frasi sulle relazioni di parentela nella tua famiglia.

1. (Io/figlio/Susy)   I am Susy's son.
2. (Brian/Miranda/zio) _Brian is Miranda's uncle._
3. (Marcus/Miranda/papà) _Marcus is Miranda's dad_
4. (Mary/mia/miei fratelli/nonna) _My Mary is my brother's grandma_
5. (Marcus e Brian/fratelli/Lucy) _M. e M. are Lucy's brother_
6. (Miranda/figlia/Sylvia) _Miranda is S.'s daughter_
7. (Sylvia/moglie/Marcus) _S. is M's bride_
8. (Sylvia/zia/Arthur) _S. is A's aunt_
9. (Philippa/sorella/Arthur) _P is A's sister_
10. (Miranda/cugina/Philippa) _M is P's cousine_

99

Family Tree

ESERCIZIO 4.3

Inserisci le preposizioni *at* o *in* correttamente.

1. There's traffic *in the* town today.
2. Lucy is *at* school.
3. The new office is *at* number 5, Victoria Square.
4. They write about the accident *in* the newspaper **(giornale)**.
5. My office is *in* that building, on the 3rd **(terzo)** floor.
6. We are *at* the park.
7. Charlie is *at* the hospital.
8. The cat is *in* my room.
9. The car is waiting **(sta aspettando)** *at* the traffic lights.

10. Jessica is studying (**sta studiando**) _at_ her desk.
11. Sue works _in_ a shop.
12. Our hotel is _in_ a small street near the station.
13. You look sad _in_ this picture.
14. There are few people _at_ the party.

ESERCIZIO 4.4

Indica la posizione corretta del cane rispetto agli oggetti che vedi in figura.

1. _The dog is in his house._
2. The dog is between the trees
3. " " " on the tree dog house
4. " " " near at the left of the dog house
5. " " " under the tree
6. " " " next to the three

ESERCIZIO 4.5

Completa le frasi con _for_ o _to_.

1. They go to the shopping centre _to_ work.
2. I go to the beach _for_ my holiday.
3. She goes to the park _to_ write.
4. I play with my dog _to_ make him happy (**farlo felice**).
5. I'm here (**qui**) _to_ buy a drink for my friends.

101

6. He goes in his room ~~to~~ study.
7. I need to go shopping ~~for~~ shoes.

ESERCIZIO 4.6

Traduci le seguenti frasi facendo attenzione a utilizzare la preposizione corretta.

1. L'uccello è sul vostro tetto. *The bird is on ~~the~~ your roof*
2. Sono a casa per le vacanze. *I'm at home for holidays*
3. Il gatto è sotto il nostro letto. *The cat is under our bed*
4. Andiamo al parco per correre. *We go to the park to run*
5. Loro vanno al centro commerciale di fronte all'hotel.
They go to the supermarket in front of the hotel

CONVERSATION TIME

Oggi vediamo alcune formule per descrivere qualcosa in modo positivo: due o tre espressioni particolarmente importanti per le tue prime occasioni di conversazione perché vanno bene in tantissime circostanze e ti permettono di comunicare in modo lineare.

Fine

Fine [fain] è una delle parole che sentirai ripetere più spesso. Puoi usarla ogni volta che devi dire che qualcosa è «ok»: se una persona è carina, la giornata procede bene, il vino è pregiato... Ricordati solo che come tutti gli aggettivi va messo prima del sostantivo al quale si riferisce.

Nice

Anche *nice* [nais] è un aggettivo positivo che può riferirsi praticamente a qualunque cosa. Negli Stati Uniti ti augureranno in continuazione *Have a nice day!* (Buona giornata!)

Very good

Anche con *very good* [veri guud] puoi sostituire una quantità enorme di aggettivi positivi. Certo, più arricchisci il tuo vocabolario e più potrai essere preciso, ma se all'inizio ti limiti a dire *A very good meal* (Un pasto molto buono) invece che *A delicious meal* (Un pasto delizioso) nessuno chef si offenderà. Il tuo obiettivo è quello di riuscire a comunicare: penserai strada facendo a come migliorare le tue descrizioni e i tuoi racconti.

Aggiungiamo anche qualche altra domanda al tuo frasario:

- *Where did you spend your best holiday?* = Dove hai trascorso la vacanza più bella che hai fatto?
- *Why was it your best holiday?* = Perché è stata la tua miglior vacanza?
- *Which places have you visited in the world?* = Che parti del mondo hai visitato?

Prova a rispondere anche tu!

Prima di chiudere il libro, ricorda di ripassare quello che hai imparato oggi.

DAY FIVE

Ripassa ciò che hai imparato ieri. Quando hai finito fai un paio di minuti di rilassamento e poniti consapevolmente l'obiettivo di affrontare lo studio e gli esercizi del quinto giorno.

GRAMMAR RULES

Numeri ordinali

I numeri ordinali si formano aggiungendo il suffisso -TH ai corrispondenti numeri cardinali, con alcune variazioni che troverai nella tabella.

	SCRITTURA	PRONUNCIA		SCRITTURA	PRONUNCIA
1st	first	[f(i)rst]	11th	eleventh	[ileventh]
2nd	second	[second]	12th	twelfth	[tuelth]
3rd	third	[th(i)rd]	13th	thirteenth	[th(i)rtiinth]
4th	fourth	[foorth]	14th	fourteenth	[foo(r)tiinth]
5th	fifth	[fifth]	15th	fifteenth	[fiftiinth]
6th	sixth	[sicsth]	16th	sixteenth	[sicstiinth]
7th	seventh	[seventh]	17th	seventeenth	[seventiinth]
8th	eighth	[eitth]	18th	eighteenth	[eitiinth]
9th	ninth	[nainth]	19th	nineteenth	[naintiinth]
10th	tenth	[tenth]	20th	twentieth	[tuentith]

	SCRITTURA	PRONUNCIA		SCRITTURA	PRONUNCIA
21st	twenty-first	[tuenti-f(i)rst]	**40**	fortieth	[fo(r)tieth]
22nd	twenty-second	[tuenti-second]	**50**	fiftieth	[fiftieth]
23rd	twenty-third	[tuenti-th(i)rd]	**60**	sixtieth	[sicstieth]
24th	twenty-fourth	[tuenti-foorth]	**70**	seventieth	[seventieth]
25th	twenty-fifth	[tuenti-fifth]	**80**	eightieth	[eitieth]
26th	twenty-sixth	[tuenti-sicsth]	**90**	ninetieth	[naintieth]
27th	twenty-seventh	[tuenti-seventh]	**100**	hundredth	[handredth]
28th	twenty-eighth	[tuenti-eitth]	**1000**	thousandth	[thausen(d)th]
29th	twenty-ninth	[tuenti-nainth]	**1000000**	millionth	[milionth]
30th	thirtieth	[th(i)rtieth]			

Pronomi interrogativi

I pronomi interrogativi, utili a formulare domande a risposta aperta, in inglese si chiamano *question words*: i più importanti sono *who*, *what*, *why*, *where*, *when* (le cosiddette «5W»), *how* e *which*.

Le *question words* rifiutano gli ausiliari come *to do* (che vedremo più avanti) quando hanno funzione di soggetto nell'interrogativa, e vanno sempre all'inizio della frase. Il modello da seguire è questo:

question word + *am/are/is* + soggetto + aggettivo/sostantivo.

Who [hu] Chi?	*Who is he?*	Chi è lui?
What [uot] Cosa?/Quale?	*What's your name? What's your favourite colour?*	Come ti chiami? Qual è il tuo colore preferito?
Why [uai] Perché?	*Why are you going to the bank?*	Perché stai andando in banca?
Where [uer] Dove?	*Where are you?*	Dove sei?
When [uen] Quando?	*When is your birthday?*	Quand'è il tuo compleanno?
How [hau] Come?	*How are you? How old are you?*	Come stai? Quanti anni hai?
Which [uic] (C dolce) Quale?	*Which one of them?*	Quale di loro?

Data

Per chiedere «Che giorno è oggi?» in inglese ci sono due modi equivalenti: *What's the date today?* oppure *What date is it today?*

La data si legge e si pronuncia sempre con un numero ordinale, ma si può scrivere anche con i numeri cardinali.

Prendiamo per esempio la data di Natale, il 25 dicembre:

LINGUA SCRITTA	LINGUA ORALE
25/25th December	*the twenty-fifth of December*
December 25/25th	*December the twenty-fifth*

Tempo

In inglese, a differenza dell'italiano, i nomi dei giorni della settimana e dei mesi si scrivono sempre con la lettera maiuscola.

	SCRITTURA	PRONUNCIA
lunedì	*Monday*	[mandei]
martedì	*Tuesday*	[ciusdei]
mercoledì	*Wednesday*	[uensdei]
giovedì	*Thursday*	[thuursdei]
venerdì	*Friday*	[fraidei]
sabato	*Saturday*	[saturdei]
domenica	*Sunday*	[sandei]

Davanti ai giorni e alle date si utilizza sempre la preposizione *on*.

Esempi:
See you on Saturday! (Ci vediamo sabato!)
The party is on August 15th. (La festa è il 15 agosto.)

Se parli di un'azione abituale che ripeti tutte le settimane lo stesso giorno, ti basta aggiungere la -S finale al nome del giorno, come per formarne il plurale.

Esempio: *I wash my dog on Sundays.* (Lavo il mio cane ogni domenica.)

Davanti ai nomi dei mesi e delle stagioni si usa la preposizione *in* senza l'articolo.

	SCRITTURA	PRONUNCIA
gennaio	*January*	[gianueri]
febbraio	*February*	[februeri]
marzo	*March*	[marc] (C dolce)
aprile	*April*	[eprol]
maggio	*May*	[mei]
giugno	*June*	[giun]
luglio	*July*	[giulai]
agosto	*August*	[ogust]
settembre	*September*	[septemba]
ottobre	*October*	[octoba]
novembre	*November*	[novemba]
dicembre	*December*	[disemba]

primavera	*spring*	[spring] (G dura)
estate	*summer*	[samm(e)r]
autunno	*autumn*	[otumn]
inverno	*winter*	[uinter]

Ora vediamo le varie parti del giorno e le preposizioni che si usano con esse:

alle 5.30	*at 5.30*	di notte	*at night*
al mattino	*in the morning*	a mezzogiorno	*at midday*
al pomeriggio	*in the afternoon*	a mezzanotte	*at midnight*
alla sera	*in the evening*	all'alba	*at dawn*

Ora

Per chiedere l'ora si dice *What time is it?* oppure *What's the time?* Ovviamente puoi anche aggiungere *please*, come forma di cortesia.

Per rispondere a chi ti pone questa domanda (o per capire la risposta che ti viene data), devi sapere che di solito inglesi e americani non usano 24 ore ma solo 12, che si ripetono due volte: nel linguaggio scritto si aggiunge all'ora AM (che sta per *ante meridiem*) prima di mezzogiorno o PM (*post meridiem*) dopo. Nel linguaggio parlato si può aggiungere *in the morning, in the afternoon* o *in the evening* a seconda dei casi.

Si usa l'espressione *o'clock* per indicare l'ora «intera»: *It's seven o' clock* significa che sono le sette in punto.

Per indicare i minuti passati dall'ora si usa *past* prima della mezz'ora (*It's ten past seven*); dopo si usa il *to* per indicare i minuti che mancano all'ora successiva (*It's ten to eight*).

La mezz'ora si indica con *half past* (*It's half past seven*), e ci sono anche i quarti d'ora: *It's a quarter past seven* sono le sette e un quarto, *It's a quarter to eight* sono le sette e tre quarti (ovvero manca un quarto alle otto).

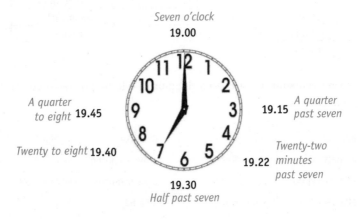

Seven o'clock
19.00

A quarter to eight **19.45**

A quarter **19.15** past seven

Twenty to eight **19.40**

Twenty-two **19.22** minutes past seven

19.30
Half past seven

Per memorizzare tutto, pensa che *ante* e *post* sono preposizioni latine dal significato facile da intuire: *ante* (che puoi associare all'immagine di un'anta aperta) vuol dire «prima» e *post* (un post-it) «dopo». *Meridiem* significa «mezzogiorno», perciò è ovvio che AM sia da mezzanotte a mezzogiorno e PM sia da mezzogiorno a mezzanotte.

Per ricordare *past* e *to* puoi immaginare l'orologio a lancette con a destra un bel piatto di pasta fumante (per *past*) e a sinistra un telefono che suona libero: «tuu tuu» (per *to*, che si pronuncia [tu]).

Qualche esempio per aiutarti: se pensi di aver capito, copri la colonna di destra e prova a leggere l'ora in inglese!

10.00	It's ten o'clock in the morning
18.15	It's a quarter past six in the evening
22.30	It's half past ten in the evening
12.35	It's 25 to one in the afternoon
05.05	It's five past five in the morning

Ti sembra complicato? In effetti nel linguaggio comune, e soprattutto negli Stati Uniti, ormai spesso l'ora viene letta indicando semplicemente ore e minuti di seguito (*It's seven ten*, *It's seven fifteen*, *It's seven thirty* ecc.).

VOCABULARY

Il lavoro

Oggi consideriamo l'area tematica del lavoro: i mestieri e i luoghi o le azioni a essi collegate.

A questo punto ti può essere utile fare una riflessione su come si formano le parole inglesi a partire da una stessa radice etimologica. È facile identificare alcune desinenze che di solito modificano il lemma originale nello stesso modo.

-ER per esempio indica un comparativo di maggioranza se unito a un aggettivo (per esempio *bigger* = «più grande»), ma dopo un verbo indica il soggetto che svolge l'azione. Per esempio *to work* significa «lavorare» e *worker* significa «operaio», «lavoratore»; *to sell* significa «vendere» e *seller* significa «venditore», «commesso».

Un'altra desinenza ricorrente nei mestieri è -IST.

Per questo ti consigliamo di memorizzare i tipi di negozi o di lavori raggruppandoli in base alle loro caratteristiche linguistiche.

Lemma di origine	SCRITTURA	PRONUNCIA	Mestiere	SCRITTURA Job	PRONUNCIA [giob]
Fattoria	Farm	[farm]	Agricoltore	Farmer	[farmer]
Costruire	To build, built, built	[tu bild, bilt, bilt]	Impresario edile	Builder	[bilder]
Falegnameria	Carpenter shop	[carpenter sciop]	Falegname	Carpenter	[carpenter]
Panetteria	Bakery	[beikeri]	Panettiere	Baker	[beiker]
Farmacia	Pharmacy	[farmasi]	Farmacista	Pharmacist	[farmasist]
Edicola	News-stand	[nius stend]	Edicolante	Newspaper seller	[niuspeipa seller]
Pulire	To clean (regolare)	[tu clin]	Addetto alle pulizie	Cleaner	[cliner]
Macelleria	Butcher's	[baccers]	Macellaio	Butcher	[baccer]
Pescheria	Fish shop	[fisc sciop] (C dolce)	Pescivendolo	Fish seller	[fisc seller] (C dolce)
Fioraio	Florist shop	[florist sciop]	Fioraio	Florist	[florist]
Gioielleria	Jeweller's	[giuellers]	Gioielliere	Jeweller	[giueller]
Vela	Sail	[seil]	Marinaio	Sailor	[seilor]
Fuoco	Fire	[faie(r)]	Vigile del fuoco	Fireman	[faie(r)men]
Barbiere (negozio)	Barber shop	[barber sciop]	Barbiere	Barber	[barber]
Vivaio	Garden centre	[garden senter]	Giardiniere	Gardener	[gardener]
Fruttivendolo (negozio)	Greengrocer's	[gringrosers]	Fruttivendolo	Greengrocer	[gringroser]

Le parole del giorno

	SCRITTURA	PRONUNCIA	RISCRIVI
Novità/nuovo	New	[niù]	New
Uomo	Man	[men]	Man — MEN
Donna	Woman	[uoman]	Woman
Ragazza	Girl	[g(i)rl]	Girl
Fidanzata/ fidanzato	Girlfriend/boyfriend	[g(i)rlfrend]/ [boifrend]	Boyfriend
Capelli	Hair	[hea]	hairs
Numero	Number	[namba]	Number
Giornale	Newspaper	[niuspeipa]	Newspaper
Scusa	Sorry	[sorri]	Sorry
Mal di testa	Headache	[hedeic] (C dura)	Headhoke
Preferito	Favourite	[fevorit]	Favourite
Anche (congiunzione)	Also	[olso]	Also
Domanda	Question	[question]	Question
Risposta	Answer	[ansa]	Answer
Ora	Hour	[au(a)r]	Ouhr
Altri	Other	[ather]	Others
Comprare	To buy, bought, bought	[tu bai, bout, bout]	buy bought bought
Vendere	To sell, sold, sold	[tu sell, sold, sold]	Sell sold sold
Lavare	To wash (regolare)	[tu uosc] (C dolce)	wash
Vedere	To see, saw, seen	[tu sii, sou, siin]	see saw seen
Aspettare	To wait for (regolare)	[tu ueit for]	wait

IDIOMS

A piece of cake (letteralmente: «Un pezzo di torta»)
Pronuncia: [a pis of cheik].
Significato: Un gioco da ragazzi.
Esempio: *That test was a piece of cake!* (Quell'esame è stato un gioco da ragazzi!)

Icing on the cake (letteralmente: «La glassa sulla torta»)
Pronuncia: [aisin on de cheik].
Significato: La ciliegina sulla torta.
Esempio: *I'm happy to help you: getting paid for it is just icing on the cake!* (Sono felice di aiutarti: essere pagato per farlo è solo la ciliegina sulla torta!)

Actions speak louder than words (letteralmente: «Le azioni parlano più forte delle parole»)
Pronuncia: [ecscions spik lauder den uords].
Significato: I fatti valgono più delle parole.
Esempio: *You keep saying that you'll take care of the dogs. Remember that actions speak louder than words!* (Continui a dire che ti prenderai cura dei cani. Ricordati che i fatti valgono più delle parole!)

Esercizio 5.1

Traduci queste frasi per esercitarti a porre le domande nel modo corretto:

1. Chi sono (loro)? *How are they?*
2. Chi è quella donna? *How are that woman?*
3. Qual è il tuo indirizzo? *What's your address*
4. Qual è il tuo numero di telefono (*phone number*)? *What's your phone number?*
5. Di dove sei? *Where are you from?*
6. Dove sono le mie fotografie? *Where are my photographs?*
7. Quand'è il suo (di lei) compleanno? *When is your birthday?*

113

8. Quand'è la festa? *When is the party?*
9. Come stanno gli animali? *How are ~~the~~ animals?*
10. Quanto sei alto? ~~How~~ *What size are you?*
11. Perché sei qui (*here*)? *Why are you here?*
12. Perché lui è triste? *Why he is sad?*

ESERCIZIO 5.2

A una festa Paul ti presenta John. Completa la conversazione.

Paul: John, this is my friend (il tuo nome) *Chiara.*
John: Hi C. ___ .
You: *Nice to meet you J.*
John: *Where are you from?*
You: I'm from *Nebraska*.
John: Where is it?
You: *In the USA*. *And where are you from?*
John: I'm from Paris.
You: *What's your job, J.?*
John: I'm a fireman. Oh, look! There's my cousin near that table.
You: Your cousin? Oh, he's a nice boy! *What's his Name?*
John: His name is Luke.
You: There's a beautiful girl with him. *Is she his girlfriend?*
John: No, she is not his girlfriend. She's mine...
You: Oh, I'm sorry...

ESERCIZIO 5.3

Traduci le frasi come nell'esempio, prestando particolare attenzione alle *question words* e a inserire nel modo corretto l'articolo determinativo *the*.

Esempio:
Dove si trova il giardiniere? Il giardiniere è in garage.
Where is the gardener? The gardener is in the garage.

How is Andrea? Andrea has got a headache. Why? Because he is tired.
Who is he?
1. Come sta Andrea? Andrea ha mal di testa. Perché? Perché è stanco.
2. Chi è? È il Signor Erman. Che lavoro fa? Fa il fruttivendolo.
3. Qual è il tuo colore preferito? Il mio colore preferito è il rosso.
4. Qual è il tuo animale domestico preferito? Il mio animale domestico preferito è il gatto.

Esercizio 5.4

Scrivi le date prima in forma abbreviata e poi per esteso (cioè come le pronunceresti a voce).

25/4	_25th of April_ _____
1/5	_1st of May_ _____
10/8	_10th of August_ _____
14/1	_14 of Gennuary_ _____
2/6	_2nd of June_ _____
30/11	_30th of November_ _____
6/9	_6th of September_ _____

Esercizio 5.5

Scrivi la preposizione corretta davanti alle seguenti espressioni.

_of_ August 12th   _at_ a quarter past eight

_at_ Monday evening   _at_ 15.30

in the 1986   _in_ spring

_at_ the week   _at_ Tuesday night

at the midday   _of_ March

in the the morning _in of_ summer

_of_ December 25th   _at_ dawn

Esercizio 5.6

Forse conosci già questa filastrocca, o forse no. Completala con i mesi:

30 days in _February_, _April, giune_
with _April_, _June, september_
28 there is one, (_February_)
all the others are 31 (_gen___, _f_____, _____,
_____, _____, _____, _____).

115

What time is it? Scrivi la risposta completa, come nell'esempio.

12.20	*It's twenty past twelve p.m. / in the afternoon.*
8.50	It's ten to eight
10.30	half past ten
21.00	
5.08	
22.35	
11.15	
15.45	
23.30	

UN PO' DI PRATICA A OGNI ORA...

Cerca di inserire l'inglese nella vita di tutti i giorni: per esempio potresti abituarti a pensare in inglese ogni volta che leggi l'ora o ti chiedi che giorno è.

CONVERSATION TIME

I primi tempi è tutto lecito, soprattutto sbagliare: è così che si impara, a patto di correggersi! Per questo ti consigliamo di prendere sempre nota di ciò che non sai, o di come si dice correttamente ciò che hai sbagliato. Crea delle flashcard (come ti abbiamo spiegato nel Capitolo 2) e ripassa continuamente il frasario; ripeti mentalmente le risposte che hai dato la volta prima in modo da acquisire sempre più confidenza nel parlare. Se noti nuove frasi che vengono usate più spesso di altre, segnatele e studiale.

Adesso che sei ancora all'inizio puoi creare un vero e proprio *script* (copione) da seguire durante le conversazioni, ma più vai avanti e più affidarsi a schemi fissi può essere improduttivo. La strategia deve cambiare con i progressi che fai nell'apprendimento della lingua.

In questa prima settimana, a mano a mano che rileggi e riascolti le frasi e studi i vocaboli e le strutture grammaticali, cominci a «fare l'orecchio» ai suoni di questa nuova lingua. È un primo passo fondamentale, continua così!

Oggi cerca sul nostro sito i link ai frasari più ricchi che si possono trovare online e scegli a tuo piacere cinque o sei frasi per arricchire le tue conversazioni.

Infine ricordati di ripassare tutto quello che hai studiato oggi.

DAY SIX

Ripassa ciò che hai imparato ieri. Quando hai finito fai un paio di minuti di rilassamento e poniti consapevolmente l'obiettivo di affrontare lo studio e gli esercizi del sesto giorno.

GRAMMAR RULES

Per capire al meglio l'argomento di oggi è necessaria una breve premessa.

Countables e uncountables

I sostantivi inglesi si dividono in due categorie: *countables* (numerabili) e *uncountables* (non numerabili).

I primi sono quelli che si possono contare, come *dog* e *pencil*, davanti ai quali si può usare l'articolo indeterminativo singolare (*a dog*, *a pencil*).

I secondi, invece, sono quelli che non si possono contare, come liquidi (*milk*, *water*), materiali (*wood*, *iron*), alcuni alimenti (*bread*, *sugar*) e molti altri. Davanti a questi sostantivi non possiamo porre un numero, se non aiutandoci con altre unità di misura: non posso contare il latte, ma posso contare i bicchieri di latte (*a glass of milk*).

Some e any

Una quantità imprecisata di una determinata cosa si indica con *some* [sam] (*some milk* significa «del latte») se la frase è un'affermazione o un'offerta (*There is some milk on the table*, *Would you like some milk?*) oppure con *any* [eni] se la frase è negativa (*I haven't got any milk*) o interrogativa (*Have you got any milk?*).

Some può essere utilizzato come aggettivo prima di un sostantivo, che se *countable* dev'essere messo al plurale (*I have some pens in my bag*). Quando è pronome ovviamente resta da solo e sostituisce il sostantivo.

Esempi:

Would you like some bread? No, thank you, I have some. (Vuoi del pane? No grazie, ne ho.)

Can I have some coffee, please? Of course, take some, it's on the table. (Posso avere un po' di caffè? Certo, prendine un po', è sul tavolo.)

Anche *any* può essere aggettivo o pronome, e se è seguito da un nome *countable* quest'ultimo dev'essere messo al plurale.

Esempi:

Is there any coffee in the cup? There isnt' any. (C'è del caffè nella tazza? No, non ce n'è.)

Inoltre, nelle frasi affermative *any* assume il significato di «qualunque» o «qualsiasi». In questo caso è aggettivo ed è seguito da un sostantivo singolare.

Esempio:

Which day do you prefer for our date? Any date, as soon as possible! (Che giorno preferisci per il nostro appuntamento? Uno qualsiasi, il prima possibile!)

Quanti? Quanto? Quanto costa?

Ora possiamo affrontare il nuovo argomento… sarà una lezione particolarmente apprezzata dagli amanti dello shopping! Impariamo a chiedere i prezzi e le quantità.

How many?

How many…? [hau meni] significa «quanti…?» e si usa con i sostantivi *countables* (al plurale).

Esempio: *How many students are there in your class?* (Quanti studenti ci sono nella tua classe?)

How much?

Quando dobbiamo chiedere (frase interrogativa) la quantità di qualcosa usiamo *How much…?* [hau mac (C dolce)], che significa «quanto…?» Si usa solo con i sostantivi *uncountables* (al singolare).

Esempio: *How much water do you want?* (Quanta acqua vuoi?)

Quando nella domanda non si utilizza il verbo «essere», come nell'esempio precedente, occorre l'ausiliare *to do*, che vedremo meglio domani.

How much…? si usa anche per chiedere il prezzo di qualcosa.
Esempi:

How much is this car? How much does it cost? (Quanto costa quest'auto?)

How much are these apples? How much do they cost? (Quanto costano queste mele?)

Tanto, troppo… o non abbastanza!

Ci sono molti modi per dire se una quantità è troppa o troppo poca. Vediamo come distinguere l'uso di queste espressioni.

Much

Much [mac (C dolce)] significa «molto» e si usa nelle frasi negative e interrogative con i sostantivi *uncountables*.

Esempi:

Is there much milk? (C'è molto latte?)

No, there isn't much milk. (No, non c'è molto latte.)

Many

Many [meni] significa «molti» e si usa nelle frasi negative e interrogative con i sostantivi *countables*.

Esempi:

Are there many pencils on the table? (Ci sono molte matite sul tavolo?)

No, there aren't many pencils on the table. (No, non ci sono molte matite sul tavolo.)

Too much

Too much [tuu mac (C dolce)] significa «troppo» e si usa davanti ai nomi *uncountables* (al singolare).

Esempi:

There is too much traffic on the road at five! (C'è troppo traffico per strada alle cinque!)

There is too much sugar in this cake. (C'è troppo zucchero in questa torta.)

Too many

Too many [tuu meni] significa «troppi» e si usa davanti ai nomi *countables* (al plurale).

Esempi:

There are too many pens on this desk. (Ci sono troppe penne su questa scrivania.)

There are too many presents to wrap! (Ci sono troppi regali da incartare!)

Too

Too [tuu] davanti a qualsiasi aggettivo significa «troppo».
Esempi:

I'm too angry with you! (Sono troppo arrabbiato con te!)

That boy is too fat! (Quel ragazzo è troppo grasso.)

It's too good to be true. (È troppo bello per essere vero.)

Attento: alla fine di una frase, *too* significa «anche» (*I like you too* = Anche tu mi piaci).

A lot of

A lot of [a lot of] significa «tanto» o «tanti» e si usa nelle frasi affermative con sostantivi sia *countables* (al plurale) sia *uncountables* (al singolare).

Esiste anche l'espressione *lots of* [lots of]: si usa allo stesso modo, ma è più informale (*There are lots of words to learn today!* Ci sono molte parole da imparare oggi!).

Esempi:

There is a lot of milk in the fridge. (C'è molto latte in frigo.)

There are a lot of pencils on the table. (Ci sono molte matite sul tavolo.)

Not enough

Not enough [not enaf] significa «non abbastanza» e si utilizza come *too much* e *too many*, con il verbo essere.

Esempi:

There isn't enough sugar. (Non c'è abbastanza zucchero.)

There are not enough oranges. (Non ci sono abbastanza arance.)

Very, really

Very [veri] e *really* [rilli] vengono inseriti davanti a un aggettivo per rafforzarne l'intensità.

Very significa «molto»: *very important* per esempio significa «molto importante».

Really fa diventare l'aggettivo un superlativo assoluto: *really important* significa «importantissimo».

Esempi:

It is hot. (È caldo.)

It is very hot. (È molto caldo.)

It is really hot. (È caldissimo.)

Verona is nice. (Verona è carina.)

Verona is very nice. (Verona è molto carina.)

Verona is really nice. (Verona è carinissima.)

There is/there are

There is [der is] e *there are* [der ar] significano «c'è» e «ci sono» e indicano l'eventuale presenza di persone o cose.

Esempi:

There is a bike in the car park. (C'è una bici nel parcheggio.)

Is there a bike in the car park? (C'è una bici nel parcheggio?)

Are there any bikes in the car park? (Ci sono delle bici nel parcheggio?)

There isn't a bike in the car park. (Non c'è una bici nel parcheggio.)

VOCABULARY

Altri mestieri

	SCRITTURA	PRONUNCIA	RISCRIVI
Parrucchiere	*Hairstylist*	[heastailist]	
Agente immobiliare	*Estate agent*	[esteit eigent]	
Ottico	*Optician*	[optiscian]	
Dentista	*Dentist*	[dentist]	
Medico	*Doctor*	[doctor]	
Infermiere	*Nurse*	[ne(r)s]	
Veterinario	*Veterinary*	[veterineri]	
Guardia di sicurezza	*Security guard*	[sechiuriti gard]	
Soldato	*Soldier*	[solger]	
Poliziotto	*Policeman*	[polismen]	
Avvocato	*Lawyer*	[loier]	
Pescatore	*Fisherman*	[fiscermen]	
Cuoco	*Cook*	[cuuk]	
Barista	*Barman*	[barmen]	
Cassiere	*Cashier*	[cascir]	
Cliente	*Customer*	[castomer]	
Meccanico	*Mechanic*	[mecanic] (C dura)	
Elettricista	*Electrician*	[electriscian]	
Idraulico	*Plumber*	[plamber]	
Lavori stradali	*Roadworks*	[rouduorks]	

Le parole del giorno

	SCRITTURA	PRONUNCIA	RISCRIVI
Classe	Class	[class]	
Studente	Student	[stiudent]	
Farmaco	Drug /medicine	[drag]/[medisin]	
Qui	Here	[hiar]	
Tutto	All	[oll]	
Sterlina	Pound	[paund]	
Confezione	Package	[pekig] (G dolce)	
Succo	Juice	[gius]	
Concerto	Concert	[consert]	
Albicocca	Apricot	[epricot]	
Biscotto	Biscuit	[bischit]	
Pesca	Peach	[piic] (C dolce)	
Frigo	Fridge	[fridg] (G dolce)	
Matita	Pencil	[pensil]	
Latte	Milk	[milk]	
Caldo	Hot	[hot]	
Freddo	Cold	[cold]	
Sacco	Sack	[sak]	
Cosa	Thing	[thin]	
Qualcosa	Something	[samthin]	
Zucchero	Sugar	[sciugar]	
Bene	Well	[uell]	
Soldi	Money	[mani]	
Litro	Litre	[liter]	
Informazione	Information	[informescion]	
Bene/buono	Good	[guud]	
Regalo	Present	[present]	
Leggere	To read, read, read	[tu riid, red, red]	
Partire/lasciare	To leave, left, left	[tu liiv, left, left]	
Imparare	To learn, learnt, learnt	[tu l(e)rn, l(e)rnt, l(e)rnt]	
Potere	Can, could, could	[chen, cuud, cuud]	

124

IDIOMS

To kill two birds with one stone (letteralmente: «Uccidere due uccelli con un sasso»)

Pronuncia: [tu kil ciu b(i)rds uid uan ston].

Significato: Prendere due piccioni con una fava.

Esempio: *I was in Paris for a meeting, so I killed two birds with one stone and I visited the Eiffel Tower.* (Ero a Parigi per una riunione, quindi ho preso due piccioni con una fava e ho visitato la Torre Eiffel.)

Not for all the tea in China (letteralmente: «Non per tutto il tè della Cina»)

Pronuncia: [not for oll de tii in ciaina].

Significato: Neanche per tutto l'oro del mondo, neanche per sogno.

Esempio: *I wouldn't miss that concert for all the tea in China!* (Non perderei quel concerto neanche per tutto l'oro del mondo!)

To make up your mind (letteralmente: «Formare la tua mente»)

Pronuncia: [tu meik ap io(u)r maind].

Significato: Decidersi.

Esempio: *I can't make up my mind whether to have a sandwich or a salad.* (Non riesco a decidere se prendere un panino o un'insalata.)

It's in the bag! (letteralmente: «È nella borsa!»)

Pronuncia: [its in de beg] (G dura).

Significato: È fatta!

Esempio: *Alan: How did the job interview go? Marcus: It's in the bag!* (Alan: Com'è andato il colloquio? Marcus: È fatta!)

Esercizio 6.1

Riscrivi i vocaboli inserendoli correttamente sotto la voce *countable* o *uncountable*.

class	student	water
drug	pound	juice
milk	carton (confezione)	apricot
biscuit	money	time
peach	piece	advice (consiglio)
cake	pencil	sugar
sack	litre	information

COUNTABLE	UNCOUNTABLE
_____	_____
_____	_____
_____	_____
_____	_____
_____	_____
_____	_____
_____	_____
_____	_____
_____	_____
_____	_____
_____	_____

Esercizio 6.2

Scrivi la domanda corretta per la risposta, come nell'esempio.

1. *How much are the apples? They are 6 pounds a sack.*
2. _____? *There are five pens.*
3. _____? *My computer was 930 pounds.*
4. _____? *I have got three cartons of orange juice.*

5. _____? I have a lot of orange juice.
6. _____? There are 3,000 people at the concert.
7. _____? We want ten apricots.
8. _____? She has seven biscuits.
9. _____? The peaches are 4.50 pounds a kilo.
10. _____? He has three pieces of cake.

ESERCIZIO 6.3

Completa le frasi con il termine o l'espressione corretti tra *much, many* e *a lot of*.

1. There is _____ cheese in the fridge.
2. There isn't _____ time!
3. Are there _____ families in this block of flats **(condominio)**?
   Yes, there are 60.
4. Have we got some sugar? We've got some but not _____.
5. There are _____ people today.
6. He has not _____ peaches in his bag.

ESERCIZIO 6.4

Ora trasforma le frasi da positive in negative e viceversa.

1. *There isn't much cheese in the fridge.*
2. _____
3. _____
4. _____
5. _____
6. _____

ESERCIZIO 6.5

Traduci queste frasi usando *many, much, a lot of, too, not enough, very* o *really*.

1. **Non ci sono abbastanza studenti in classe.**
   There aren't enough students in class.
2. **Ci sono troppe persone sull'autobus.**

   _____

3. Sono troppi!

_____

4. È una persona felicissima!

_____

5. Non abbiamo abbastanza soldi per comprare il regalo.

_____

6. Il frigo è molto freddo.

_____

7. Il mio tè è troppo caldo.

_____

8. Noi siamo molto stanchi.

_____

9. Nostro figlio sta molto bene!

_____

10. Vedo troppe persone in questa stanza.

_____

CONVERSATION TIME

Finora ci siamo focalizzati molto su cosa puoi dire e cosa puoi chiedere per fare conversazione, ma la comunicazione è fatta di scambi e probabilmente ti è successo di non capire niente di quello che gli altri ti hanno risposto! Avrai provato una certa frustrazione: non è semplice capire quelli che sembrano suoni inarticolati, senza il minimo significato.

È assolutamente normale che sia così, bisogna metterlo in conto e accettarlo. Per di più una cosa è ascoltare un file audio registrato in sala da uno _speaker_ professionista nel più assoluto silenzio, un'altra è avere a che fare con persone comuni, che parlano con un forte accento o con la voce rauca attraverso il microfono di un computer su Skype.

All'inizio per capire dovrai fare affidamento sulle parole che riconosci all'interno delle frasi: questi vocaboli ti permetteranno di indovinare il significato generale del discorso o della domanda. Se in questi primi giorni sono ancora pochi, non ti scoraggiare: continuando a far pratica, il tuo vocabolario si arricchirà sempre di più.

Per finire, ricordati di ripassare quello che hai imparato oggi.

DAY SEVEN

Ripassa ciò che hai imparato ieri. Quando hai finito fai un paio di minuti di rilassamento e poniti consapevolmente l'obiettivo di affrontare lo studio e gli esercizi del settimo giorno.

GRAMMAR RULES

Simple present

Finora nella maggior parte degli esempi e degli esercizi abbiamo cercato di usare, per semplicità, il presente indicativo o *simple present*.

Si tratta del tempo verbale inglese utilizzato per esprimere il concetto che l'azione di cui si parla, pur svolgendosi nel presente, non è limitata al momento in cui si sta parlando. In questo senso è molto diverso dall'italiano.

Il *simple present* si deve utilizzare in una serie di casi ben precisi.

1. Quando si descrive un fatto permanente, come per esempio *I'm a man* o *I'm a teacher*: è una caratteristica stabile, che non si può o non si prevede di modificare.
2. Quando si esprime un'azione che viene ripetuta con una certa

frequenza. Se un madrelingua dice *I read*, non intende che in quel momento sta leggendo ma che è solito leggere. Spesso l'azione è accompagnata da un'espressione di tempo come *in the morning*, *in the evening*, *usually*, *every day* o da un avverbio di frequenza, cioè quelli che rispondono alla domanda: «Quanto spesso?»

Elenchiamo qui i più comuni.

	SCRITTURA	PRONUNCIA	RISCRIVI
Sempre	*Always*	[olueis]	
Di solito	*Usually*	[iusualli]	
Spesso	*Often*	[offen]	
A volte/ ogni tanto	*Sometimes/ seldom*	[samtaims]/ [seldom]	
Raramente	*Rarely*	[rearli]	
Quasi mai	*Hardly ever*	[hardli eva]	
Mai	*Never*	[neva]	
Mai (nelle interrogative)	*Ever*	[eva]	

Le espressioni di tempo vanno messe a inizio o fine frase nelle affermazioni, e sempre alla fine nelle interrogative e negative.

Esempi:

I go to my favourite restaurant every month.
Every month I go to my favourite restaurant.
Do you go to your favourite restaurant every month?

Il verbo «essere» fa eccezione per quanto riguarda la costruzione delle frasi affermative perché richiede che l'avverbio sia sempre dopo il verbo stesso:

She is often late. (Lei è spesso in ritardo.)

130

3. Per esprimere il presente dei verbi che in inglese non formano mai tempi progressivi (come il *present continuous*, il tempo delle azioni che avvengono nel momento in cui si parla, che vedremo domani). I principali verbi di questo tipo sono:

a) verbi che indicano sentimenti, come *to like* (piacere), *to love* (amare), *to hate* [tu heit] (odiare);

b) *to want* (volere);

c) verbi che indicano attività intellettuali, come *to know* (sapere), *to understand* (capire);

d) verbi che indicano possesso, come *to have* (avere), *to own* [tu o(u)n] (possedere), *to get* (ottenere);

e) verbi di percezione, come *to hear* [tu hiar] (udire), *to see* (vedere).

Prima di memorizzare la coniugazione e i singoli verbi, assicurati di aver capito bene la differenza concettuale che c'è tra l'utilizzo del *simple present* in inglese e l'utilizzo del presente indicativo in italiano. Prendiamo alcune parole chiave che richiamino i concetti espressi nelle regole della grammatica, le trasformiamo in immagini e le associamo:

Simple present: un presente, un dono

Permanente: un uomo con la permanente

Frequenza: frequenza cardiaca o frequenza della radio

Sentimenti: una canzone napoletana

Volere: una voliera

Intellettuale: degli occhialini o un monocolo, come quelli dei letterati dell'Ottocento

Possesso: sesso

Percezione: le tre scimmiette che non vedono, non sentono, non parlano

Esempio di associazione: apro un dono e trovo dentro un piccolo uomo con la permanente, che sta ascoltando una radio sintonizzata sulla mia frequenza preferita. Dalla radio proviene una dolcissima canzone napoletana. Prendo l'omino e lo chiudo in una voliera, dove si mette a leggere con degli occhialini da intellettuale un libro con le figure delle tre scimmiette che fanno sesso.

Per quanto riguarda la coniugazione del presente, come abbiamo già detto, è uguale per tutte le persone tranne che per la terza singolare, a cui basterà aggiungere una -S.

Esempio:

I write	Io scrivo
You write	Tu scrivi
He/she/it writes	Egli/Ella/Esso scrive
We write	Noi scriviamo
You write	Voi scrivete
They write	Essi scrivono

Fai attenzione ai casi in cui, come abbiamo visto può succedere con il plurale, bisogna aggiungere -ES (per esempio *She watches*, lei guarda) o trasformare la Y in -IES (per esempio *He tries*, lui prova).

In generale una frase affermativa si struttura così:

soggetto + verbo + complemento.

ESERCIZIO 7.1

Leggi gli esempi e completa.

Io gioco a tennis.
Joe lavora in un supermercato.
Ai gatti piace il latte.

I play tennis.
Joe works in a supermarket.
Cats like milk.

Mangi sempre la pizza il venerdì. _____
Anna scrive raramente email. _____
Loro amano la loro città. _____

Forma negativa, interrogativa e interrogativo-negativa

Per la forma negativa, quella interrogativa e quella interrogativo-negativa, il *simple present* utilizza il verbo ausiliare *to do* (che diventa *does* per la terza persona singolare, senza bisogno di aggiungere un'altra -S dopo il verbo principale).

L'interrogativa si struttura in questo modo:

do/does + soggetto + infinito senza *to* + complemento + ?

ESERCIZIO 7.2

Leggi gli esempi e completa.

Giochi a tennis?	*Do you play tennis?*
Joe lavora in un supermercato?	*Does Joe work in a supermarket?*
Ai gatti piace il latte?	*Do cats like milk?*

Tu mangi sempre la pizza il venerdì? _____

Anna scrive raramente email? _____

Loro amano la loro città? _____

Le *short answers* funzionano più o meno come per il verbo essere e avere, utilizzando però l'ausiliare *to do*.

Esempi:

Does she have a job? Yes, she does.

Do you want to marry (**sposare**) *me? Yes, I do.*

Do they travel often? No, they don't.

Per la forma negativa si utilizza sempre l'ausiliare *to do*: basta aggiungere *not* subito dopo, tenendo presente l'eccezione per i verbi *to be* e *to have got*:

soggetto + *do/does* + *not* + infinito senza *to* + complemento.

Leggi gli esempi e completa.

Io non gioco a tennis.	*I don't play tennis.*
Joe non lavora in un supermercato.	*Joe doesn't work in a supermarket.*
Ai gatti non piace il latte.	*Cats don't like milk.*

Tu non mangi sempre la pizza
il venerdì.   _____

Anna non scrive raramente email.   _____

Loro non amano la loro città.   _____

Infine, la forma interrogativo-negativa:

do/does + not + soggetto + infinito senza *to* + complemento + ?

Double object

Alcuni verbi transitivi, quando oltre che da un complemento oggetto sono seguiti da un complemento indiretto (di termine, con *to*, o di favore, con *for*), possono avere due costruzioni:

a) *Why don't you give me a glass of water?* (detta *double object*, con il complemento indiretto subito dopo il verbo, senza preposizione).

b) *Why don't you give a glass of water to me?*

Reggono la costruzione con il *double object*, per esempio, i seguenti verbi:

	SCRITTURA	PRONUNCIA
Dare	*To give, gave, given*	[tu ghiv, gheiv, ghiven]
Mandare	*To send, sent, sent*	[tu send, sent, sent]
Offrire	*To offer* (regolare)	[tu offer]
Comprare	*To buy, bought, bought*	[tu bai, bout, bout]
Vendere	*To sell, sold, sold*	[tu sell, sold, sold]
Mostrare	*To show, showed, shown*	[tu sciou, scioud, scioun]

Dire	To tell, told, told	[tu tell, told, told]
Trovare	To find, found, found	[tu faind, faund, faund]
Scrivere	To write, wrote, written	[tu rait, rout, ritten]
Leggere	To read, read, read	[tu riid, red, red]

La costruzione con il *double object* è preferibile in generale, a eccezione dei seguenti casi:

1. Il complemento di termine o di favore è composto da più attributi o apposizioni rispetto al complemento oggetto (*Dora offers a bone to her funny dog Guglielmo*).

2. Si vuole dare maggiore evidenza al complemento indiretto (*She always shows her paintings to Micky, not to me*).

3. Il complemento oggetto è un pronome (*Why do we sell it to them?*).

4. Si sta utilizzando un verbo che non ammette questa costruzione, tra cui:

	SCRITTURA	PRONUNCIA
Confessare	To confess (regolare)	[tu confess]
Consegnare	To deliver (regolare)	[tu d(e)liva]
Descrivere	To describe (regolare)	[tu discraib]
Dettare	To dictate (regolare)	[tu dicteit]
Spiegare	To explain (regolare)	[tu icsplein]
Presentare	To introduce (regolare)	[tu introdius]
Rispondere	To reply (regolare)	[tu riplai]
Riportare	To report (regolare)	[tu ripo(r)t]
Dire	To say, said, said	[tu sei, sed, sed]

Per esempio non puoi dire *He always introduces his friends me*: «Mi presenta sempre ai suoi amici» si traduce *He always introduces me to his friends*.

VOCABULARY

Lo sport

Prima di tutto vediamo gli sport che non hanno bisogno di una traduzione:

American football	*Golf*
Baseball	*Hockey*
Basketball	*Rafting*
(abbreviato in italiano	*Rollerblading*
con *basket*)	*Rugby*
Bowling	*Surfing*
Bungee jumping	*Tennis*
Cricket	*Windsurfing*

Come puoi notare, molti nomi di sport sono formati aggiungendo la desinenza -ING all'azione svolta (*swimming*) o all'oggetto usato (*skateboarding*).

	SCRITTURA	PRONUNCIA	SPORT	SCRITTURA	PRONUNCIA
Correre (con un mezzo: in bici, a cavallo ecc.)	*To ride, rode, ridden*	[tu raid, ro(u)d, ridden]	Equitazione	*Horse riding*	[hors raidin]
Nuotare	*To swim, swam, swum*	[tu suim, suem, suam]	Nuoto	*Swimming*	[suimin]
Pescare	*To fish*	[tu fisc] (C dolce)	Pesca	*Fishing*	[fiscin]

Andare in barca a vela	To sail	[tu seil]	Vela (sport)	Sailing	[seilin]
Sciare	To ski	[tu ski]	Sci	Skiing	[skiin]
Motocicletta	Motorbike	[motorbaik]	Motociclismo	Motorbike racing	[motorbaik reisin]
Pattini a rotelle	Roller skates	[roller skeits]	Pattinaggio a rotelle	Roller skating	[roller skeitin]
Skateboard	Skateboard	[skeitbord]	Andare sullo skateboard	Skateboarding	[skeitbordin]
Scalare	To climb	[tu claim]	Scalata	Climbing	[claimin]
Tirare di scherma	To fence	[tu fens]	Scherma	Fencing	[fensin]

Ancora qualche vocabolo utile da memorizzare in quest'area tematica:

	SCRITTURA	PRONUNCIA	RISCRIVI
Palestra	Gym	[gim]	
Esercizio	Exercise	[egsersais]	
Calcio	Soccer (negli Stati Uniti) o football (nel Regno Unito)	[soccher] o [fuutbol]	
Attrezzatura	Equipment	[iquipment]	
Atletica	Athletics	[atletics]	
Ginnastica	Gymnastics	[gimnastics]	
Tiro con l'arco	Archery	[arcieri]	
Biliardo	Pool	[puul]	
Gara	Race	[reis]	
Allenarsi	To train (regolare)	[tu trein]	

Le parole del giorno

	SCRITTURA	PRONUNCIA	RISCRIVI
Svegliarsi	*To wake, woke, woken up*	[tu ueik, uo(u)k, uo(u)ken ap]	
Bere	*To drink, drank, drunk*	[tu drink, drenk, drank]	
Mangiare	*To eat, ate, eaten*	[tu it, eit, iten]	
Vivere	*To live* (regolare)	[tu liv]	
Prendere/ portare	*To take, took, taken*	[tu teik, tuuk, teiken]	
Pensare	*To think, thought, thought*	[tu think, thout, thout]	
Padrone	*Owner*	[ouner]	
Aereo	*Airplane*	[eaplein]	
Cavallo	*Horse*	[hors]	
Presto	*Early*	[(e)rli]	
Tè	*Tea*	[tii]	
Università	*University*	[iuniv(e)rsiti]	
Pinguino	*Penguin*	[penguin]	
Gelato	*Ice cream*	[ais crim]	
Appena	*Just*	[giast]	
Attraverso	*Through*	[thru]	
Compiti	*Homework*	[homuork]	
Verso/in direzione di	*Towards*	[touords]	

IDIOMS

A storm in a teacup (letteralmente: «Una tempesta in una tazza da tè»)

Pronuncia: [a storm in a tiicap].

Significato: Tanto rumore per nulla.

Esempio: *Don't worry if the dog growls at you. It's just a storm in a teacup!* (Non preoccuparti se il cane ti ringhia contro. È solo tanto rumore per nulla!)

To get the message (letteralmente: «Cogliere il messaggio»)

Pronuncia: [tu ghet de messag] (G dolce).

Significato: Ci siamo intesi?

Esempio: *This is my new computer, be careful when you use it. Do you get the message?* (Questo è il mio computer nuovo, stai attento quando lo usi. Ci siamo intesi?)

Better safe than sorry (letteralmente: «Meglio salvo che dispiaciuto»)

Pronuncia: [better seif den sorri].

Significato: Meglio prevenire che curare.

Esempio: *Could you hold the ladder for me while I climb up? Better safe than sorry.* (Potresti tenermi la scala mentre salgo? Meglio prevenire che curare.)

ESERCIZIO 7.4

Descrivi quello che fai abitualmente nella tua giornata usando le espressioni elencate di seguito. Poi, per esercitarti ancora di più, parla anche della routine di qualche tuo amico o famigliare, prestando attenzione a scrivere la frase in modo corretto quando il soggetto è alla terza persona singolare.

Wake up early
Catch the bus
Buy a newspaper
Have lunch at home
Drink tea at 5 o'clock
Call a friend from the office
Read a book
Watch television
Study English
Drink a lot of water
Go to school/work
Go to the gym

Esempio base: *I sometimes wake up early in the morning.*
Esempio avanzato: *I sometimes wake up early in the morning, but my friend Mark always wakes up early.*

ESERCIZIO 7.5

Inserisci correttamente i verbi, coniugati al *simple present* nella forma affermativa.

go	*prefer*	*run*	*pass*	*study*
speak	*like*	*play*	*eat*	*live*

1. *Sylvia _____ at university.*
2. *He _____ football.*
3. *I _____ English and French.*
4. *George _____ to school.*
5. *The road _____ through the woods.*
6. *I _____ with my friends.*
7. *We _____ all animals, but he _____ dogs.*
8. *Clare _____ ice cream very often.*
9. *Children always _____ in the garden.*
10. *Penguins _____ at the South Pole.*

Esercizio 7.6

Trasforma le frasi dell'esercizio precedente nella forma negativa e interrogativa, poi rispondi con una *short answer* a tua scelta.

Negativa	Interrogativa	Short answer
_____	_____	_____
_____	_____	_____
_____	_____	_____
_____	_____	_____
_____	_____	_____
_____	_____	_____
_____	_____	_____
_____	_____	_____
_____	_____	_____

Esercizio 7.7

In questa prima settimana hai già imparato molti vocaboli e regole. Metti alla prova la tua memoria traducendo queste frasi dall'italiano all'inglese.

1. Quand'è il tuo compleanno? Il 7 gennaio. Di solito dai una festa? Sì. Pranzo con la mia famiglia ed esco (*to go out*) con i miei amici la sera. È carino!
2. Dove abitano i Merton? Abitano qui vicino, in quella via a destra. Hanno una bella casa, con un tetto blu e due grossi cani in giardino.
3. Bob non fa mai i compiti al pomeriggio: studia sempre la sera e al mattino di solito è stanco.
4. Che ore sono, per favore? Sono le 10.05. Davvero? Voglio andare a comprare un regalo per Clare.
5. La festa d'estate è il 21 giugno. Non vedo l'ora di andarci: ci sono sempre molte persone ed è una bella festa!
6. A che ora parte l'aereo? Alle 13.25. Devo comprare il giornale. Prendine uno anche per lui. Ok?
7. Ti piacciono gli sport? Sì, di solito quando vado al mare faccio vela e quando ho voglia di scalare vado in montagna.

141

8. Quanto tempo ci vuole per andare a Londra da Milano? Lei pensa circa un'ora.

9. Perché non telefoniamo a Ted? Qual è il suo numero di telefono? Lui va sempre in quel centro commerciale.

CONVERSATION TIME

Consulta un frasario per estrapolarne nuove frasi per descrivere te stesso, da utilizzare durante le tue conversazioni online. Scrivi le nuove espressioni sia sulle flashcard sia su un file da tenere aperto davanti a te sullo schermo del computer.

Riporta anche tutti i vocaboli che hai memorizzato finora su un file, evidenziando quelli che ritieni più utili e quelli che fai più fatica a richiamare, per effettuare ogni giorno un ripasso aggiuntivo.

Mentre parli in inglese su Skype, tieni aperto WordReference. Se durante la conversazione non capisci una parola chiedi che te la scrivano in chat, in modo da poterla cercare subito.

Il tuo primo obiettivo deve essere quello di non demordere, e proseguire nella conversazione anche se hai ancora bisogno di ripetere diverse volte *Again please*, *Slowly please*, o *I don't understand*.

In ogni caso ormai sei quasi pronto ad affrontare la tua prima conversazione dal vivo!

Prima di chiudere il manuale ripassa tutto quello che hai studiato oggi.

DAY EIGHT

La prima settimana è passata in fretta e hai imparato tantissimi vocaboli e regole grammaticali: oggi prenditi un attimo per congratularti con te stesso!

Molti studi, tra cui quelli di Tony Buzan, l'inventore delle mappe mentali, si soffermano sull'importanza dei ripassi per apprendere nuove conoscenze in modo duraturo. In particolare sembrano fondamentali i ripassi effettuati dopo un'ora, un giorno e una settimana.

Da oggi in poi, proprio perché sono trascorsi 7 giorni dall'inizio del programma, oltre a fare il ripasso del giorno precedente dovrai prenderti il tempo necessario per rivedere velocemente quello che hai studiato lo stesso giorno della settimana scorsa.

Prima di andare avanti, ripassa quello che abbiamo fatto il primo giorno e poi riguarda ciò che hai imparato ieri. Quando hai finito fai un paio di minuti di rilassamento e poniti consapevolmente l'obiettivo di affrontare lo studio e gli esercizi dell'ottavo giorno.

GRAMMAR RULES

Present continuous

Il *present continuous* o presente progressivo si usa per esprimere un'azione che:

a) si sta svolgendo nel momento in cui si parla (ti capiterà spesso di utilizzare questo tempo verbale al telefono, o in altre situazioni in cui tu e il tuo interlocutore non potete semplicemente vedere cosa sta facendo l'altro!);

b) si sta svolgendo in questo periodo (*I am cooking and cleaning for my family this week*, **Questa settimana cucino e pulisco per la mia famiglia**: significa che queste non sono attività che fai sempre, abitualmente, ma solo in questi giorni);

c) è programmata in modo preciso nel futuro (*We are going to Rome next Saturday!*, **Sabato prossimo andiamo a Roma!**);

d) è abituale e... irritante! (*He is always looking at other girls...* Guarda sempre le altre ragazze...).

Ricorda che con alcuni verbi non si può formare il *present continuous* («volere» e verbi legati a sentimenti, percezione, attività intellettuale, possesso): li abbiamo memorizzati ieri studiando il *simple present*.

Facciamo ancora qualche esempio.
Kevin is doing his homework. (Kevin sta facendo i compiti.)
I'm working at a shop in the city centre at the moment. (In questo periodo lavoro in un negozio in centro.)
Why are you always interrupting me? (Perché mi interrompi sempre?)
I'm going out with Mary tomorrow. (Esco con Mary domani.)

Avrai già intuito che la forma affermativa si costruisce con:
soggetto + ausiliare *to be* al *simple present* + verbo in -ING.

La forma in -ING dei verbi inglesi corrisponde al nostro gerundio (il modo che finisce in -ando o -endo).

Per aggiungere correttamente questa desinenza occorre studiare qualche regola, come per la -S del *simple present*.

1. I verbi monosillabici che terminano in consonante preceduta da vocale raddoppiano la consonante prima di aggiungere -ING: *to stop* diventa *stopping*, *to run* diventa *running*…

   Per ricordarlo, evidenzia con un colore acceso il dettaglio sfruttando il principio del contrasto-sfondo, e leggi a voce alta la forma in -ING di questi verbi come se le consonanti non fossero solo doppie ma triple, quadruple, moltiplicate per venti! Intanto, visualizza te stesso nell'atto di compiere l'azione corrispondente al verbo.

2. I verbi che terminano con -E muta la perdono prima di aggiungere -ING. Per fare degli esempi con verbi che già conosci: la -E cade in *having* e *writing* ma non in *being* e *seeing*!

   Anche in questo caso ti consigliamo di usare il principio del contrasto-sfondo per evidenziare l'eccezione. *To be* e *to see*, peraltro, sono verbi così frequenti che ti capiterà di leggerli moltissime volte nella loro forma in -ING: avendo memorizzato in modo corretto questa regola ogni volta farai un ripasso naturale.

3. Il suffisso -IE diventa -Y prima di aggiungere -ING. Non sono tanti i verbi che seguono questa regola, ma due sono molto frequenti: *to die*, «morire» (*dying*) e *to lie*, che significa «mentire» o «stare sdraiato» (*lying*).

   Per memorizzare quest'eccezione puoi prendere l'immagine di una iena (-IE) che viene schiacciata da un enorme yacht (Y) mentre gioca a ping-pong (la forma in -ING del verbo).

4. I verbi che terminano in -L preceduta da una sola vocale raddoppiano la -L: *to control* («controllare») diventa *controlling*, *to cancel* («annullare») diventa *cancelling* e così via.

Purtroppo qui c'è un'eccezione nell'eccezione, perché anche *to fuel* («alimentare») e *to dial* («comporre», «chiamare») – nonostante abbiano due vocali prima della -L – aderiscono a questa regola e diventano *fuelling* e *dialling*.

Usa la tua creatività per memorizzare anche questo dettaglio della grammatica.

Esercizio 8.1

Leggi gli esempi e completa.

Io sto camminando.	*I am walking.*
Il sole sta splendendo.	*The sun is shining.*
I leoni stanno correndo veloci.	*The lions are running fast.*

Stiamo andando ad aiutarlo.	_____
Lui sta noleggiando un'auto.	_____
Stai ascoltando l'insegnante.	_____

Forma negativa, interrogativa e interrogativo-negativa

Per la forma negativa del *present continuous* basta inserire la negazione *not* tra l'ausiliare *to be* al *simple present* e la forma in -ING del verbo:

soggetto + *to be* al *simple present* + *not* + verbo in -ING.

Esercizio 8.2

Leggi gli esempi e completa.

Io non sto camminando.	*I am not walking.*
Il sole non sta splendendo.	*The sun is not shining.*
I leoni non stanno correndo veloci.	*The lions are not running fast.*

Non stiamo andando ad aiutarlo.	_____
Lui non sta noleggiando un'auto.	_____
Non stai ascoltando l'insegnante.	_____

La forma interrogativa del *present continuous* si costruisce secondo il modello:

to be al *simple present* + soggetto + verbo in -ING + ?

ESERCIZIO 8.3

Leggi gli esempi e completa.

Stai camminando?	*Are you walking?*
Il sole sta splendendo?	*Is the sun shining?*
I leoni stanno correndo veloci?	*Are the lions running fast?*

Stiamo andando ad aiutarlo?	_____
Lui sta noleggiando un'auto?	_____
Stai ascoltando l'insegnante?	_____

Infine, per la forma interrogativo-negativa:

to be al *simple present* + *not* + soggetto + verbo in -ING + ?

ESERCIZIO 8.4

Leggi gli esempi e completa.

Non stai camminando?	*Aren't you walking?*
Il sole non sta splendendo?	*Isn't the sun shining?*
I leoni non stanno correndo veloce?	*Aren't the lions running fast?*

Non stiamo andando ad aiutarlo? _____

Lui non sta noleggiando un'auto? _____

Non stai ascoltando l'insegnante? _____

To make, to do

Sia *to make* sia *to do* significano «fare» con una differenza sottile.

To make si usa quando si intende che qualcosa è stato creato dove prima non c'era, come una torta, un disegno, una presentazione ecc.

Per esempio: *To make an omelet.* (Fare una frittata.)

To do, invece, significa «fare» nel senso di «agire».

Per esempio: *To do push-ups.* (Fare le flessioni.)

To wait

Per evitare spiacevoli malintesi fai attenzione quando usi o senti usare questo verbo.

To wait on someone significa «servire qualcuno» e *to wait tables* significa «fare il cameriere» (*waiter*, appunto).

Con la preposizione *for*, invece, *to wait* significa «aspettare»: *I'm waiting for you!* (Ti sto aspettando!)

VOCABULARY

Le vacanze

	SCRITTURA	PRONUNCIA	RISCRIVI
Viaggio	*Journey*	[gio(u)rnei]	
Viaggio corto/gita	*Trip*	[trip]	
Bagaglio	*Luggage*	[laggig] (G dolce)	
Bagaglio a mano	*Hand luggage*	[hend laggig] (G dolce)	

Aeroporto	*Airport*	[eapot]	
Volo	*Flight*	[flait]	
Atterraggio	*Landing*	[lendin]	
Check-in/out	*Check-in/out*	[cek in/aut]	
Posto	*Seat*	[siit]	
Carta d'imbarco	*Boarding pass*	[bordin pass]	
Barca	*Boat*	[bo(u)t]	
Nave	*Ship*	[scip]	
Porto	*Port*	[pot]	
Costa	*Coast*	[co(u)st]	
Comandante	*Captain*	[capten]	
Personale di bordo	*Crew*	[criu]	
Autostrada	*Motorway*	[motoruei]	
Passeggero	*Passenger*	[passenger]	
Biglietto/scontrino	*Ticket*	[tiket]	
Decollo	*Take off*	[teik off]	
Ritardo	*Delay*	[dilei]	
Tassa	*Tax*	[tacs]	
Deposito bagagli	*Left luggage office*	[left laggig offis] (G dolce)	
Binario	*Platform*	[platform]	

Le parole del giorno

	SCRITTURA	PRONUNCIA	RISCRIVI
Viaggiare	*To travel* (regolare)	[tu travel]	
Ascoltare	*To listen* (regolare)	[tu lissen]	
Stare/rimanere	*To stay* (regolare)	[tu stei]	

149

Confermare	*To confirm* (regolare)	[tu conf(i)rm]	
Cancellare	*To cancel* (regolare)	[tu cans(o)l]	
Cambiare	*To change* (regolare)	[tu ceing] (G dolce)	
Arrivare	*To arrive* (regolare)	[tu eraiv]	
Noleggiare	*To rent* (regolare)	[tu rent]	
Prenotare	*To book* (regolare)	[tu buk]	
Scendere	*To get, got, got down*	[tu ghet, got, got daun]	
Salire (su un mezzo)	*To get, got, got on*	[tu ghet, got, got on]	
Incontrare	*To meet, met, met*	[tu miit, met, met]	
Visitare	*To visit* (regolare)	[tu visit]	
Pianificare	*To plan* (regolare)	[tu plen]	
Posto	*Place*	[pleis]	
Cena	*Dinner*	[dinna]	
Nuvola	*Cloud*	[claud]	
Domani	*Tomorrow*	[tumorrou]	
Veloce	*Fast*	[fast]	
Lento	*Slow*	[slou]	
Vita	*Life*	[laif]	
Dio	*God*	[god]	
Nessuno	*No one*	[no uan]	
Ora (avverbio)	*Now*	[nau]	
Dopo	*After*	[after]	
Ogni	*Each*	[iic] (C dolce)	

IDIOMS

To be all ears (letteralmente: «Essere tutto orecchi»)
Pronuncia: [tu bi oll i(a)rs].

Significato: Essere tutto orecchi.

Esempio: *Tell me what happened at the party last night! I'm all ears!* (Dimmi cos'è successo alla festa ieri sera! Sono tutto orecchi!)

To keep someone posted (letteralmente: «Tenere qualcuno informato»)
Pronuncia: [tu kiip samuan post(i)d].
Significato: Tenere qualcuno al corrente, aggiornato.
Esempio: *Keep me posted on anything that happens while I'm away.* (Tienimi aggiornato su quello che succede mentre sono via.)

People person (letteralmente: «Persona da gente»)
Pronuncia: [pipol person].
Significato: Persona socievole, che ama stare in compagnia.
Esempio: *Jacob likes to have parties at his house, he is a people person!* (A Jacob piace dare feste a casa sua, è una persona che ama stare in compagnia!)

A pain in the neck (letteralmente: «Un dolore al collo»)
Pronuncia: [a pein in de nek].
Significato: Una rottura di scatole.
Esempio: *Stop complaining! You are a pain in the neck!* (Smettila di lamentarti! Sei un rompiscatole!)

Seeing is believing (letteralmente: «Vedere è credere»)
Pronuncia: [siin is bilivin].
Significato: Vedere per credere, se non vedo non credo.
Esempio: *It's real silk, seeing is believing!* (È vera seta, vedere per credere!)

Esercizio 8.5

Inserisci i verbi all'infinito nell'insieme giusto, in base alla regola da seguire per la forma in -ING.

to arrive	to cancel	to change	to buy
to think	to plan	to lie	to swim
to stay	to travel	to speak	to take

Perdono la -E: _____ _____ _____
Raddoppiano la consonante: _____ _____ _____ _____
Aggiungono -YING: _____
Aggiungono solo -ING: _____ _____ _____ _____

Esercizio 8.6

Descrivi che cosa stai facendo in questo momento: se l'azione proposta non è qualcosa che stai svolgendo tu, di' chi altri la sta svolgendo (un famigliare, un amico, il cane...).

1. (work) *I'm not working. My mom is working.*
2. (watch/TV) _____
3. (talk/phone) _____
4. (do/homework) _____
5. (read/book) _____
6. (play/garden) _____
7. (wash/car) _____
8. (study/English) _____
9. (listen/radio) _____
10. (go/university or school) _____

Esercizio 8.7

Coniuga i verbi tra parentesi al tempo e alla forma corretti.

1. Where (be) Mr Benson? (He/be) at home? No, he (be) in Vienna on a two-week vacation. He (often/travel) around Europe. What (he/do) now? (he/take) a picture.
2. (The Mertons/be) in the kitchen? Yes, Mrs Merton (cook), and her husband (always/help) her in the kitchen. Their cat (play) on the floor.

3. What (you/do), Carl? (I/watch) TV. You are (always/watch) TV! I don't understand you.
4. (I/think) about a trip with my wife. Where (you/think) about going? We (often/say) we want to see the USA!
5. (Mrs Tompson/make) a cake every Saturday, because her (children/want) dessert. Today (they/leave) for a trip, but (she/wake up) early to make it. (She/is) a very good mom!
6. What (you/wait) for? (I/be) at the platform, (I/wait) to get my luggage.

ESERCIZIO 8.8

Traduci in inglese questa breve storia.

John abita vicino a Milano. Ogni sabato va in città e porta con sé la sua borsa preferita, un piccolo bagaglio a mano.

Di solito va in bici (*by bicycle*) ma oggi sta piovendo molto, così decide di prendere il treno alle 9. Sta arrivando a Milano quando incontra un vecchio amico. Parlano delle loro vite e John si dimentica di scendere dal treno.

Dopo circa un'ora, il suo amico dice: «Ciao John, piacere di averti incontrato. Io sono alla mia fermata!»

John gli chiede: «Dove siamo?» e il suo amico risponde: «Stiamo arrivando a Torino!»

CONVERSATION TIME

Le tue conversazioni online hanno l'obiettivo di rendere più vera la tua full immersion, e non dovrebbero lasciare alcuno spazio all'italiano. Hai bisogno di abituarti a ragionare direttamente in inglese, perché tradurre mentalmente – non importa quanto tu sia veloce – non è un metodo efficace a lungo termine. Se vai a lezione da un insegnante chiedi che ti parli sempre in inglese, senza eccezioni.

Se invece parli con qualcuno che è interessato a imparare o praticare l'italiano puoi essere un po' meno categorico. Dividete la conversazione in due metà della stessa durata e nettamente distinte: una in cui ascolti e aiuti, e una in cui parli e ti fai aiutare. Nella «tua» metà non permettere che il tuo interlocutore ti risponda in italiano.

Come sempre, ripassa subito tutto quello che hai imparato oggi.

DAY NINE

Ripassa con attenzione quello che hai imparato il secondo giorno della prima settimana, e poi dedicati a ciò che hai imparato ieri.

Alla fine, dopo un paio di minuti di rilassamento, poniti consapevolmente l'obiettivo di affrontare lo studio e gli esercizi del nono giorno.

GRAMMAR RULES

Futuro semplice

Ci sono due modi per esprimere il futuro semplice in inglese: con *will* [uill] oppure con *to be going to* [tu bi goin tu].

In alcune situazioni le due forme sono intercambiabili, mentre in altre esprimono concetti diversi. La differenza potrà apparirti astratta in un primo momento ma diventerà più chiara quando acquisirai una certa sensibilità per le sfumature della lingua inglese.

Come abbiamo fatto per gli altri tempi verbali, vediamo quando si usa il *simple future*:

1. Per esprimere la decisione, presa nel momento in cui si parla, che si farà una data cosa (un'azione non prestabilita ma volontaria) si usa *will*: *I will go to the gym on Thursday.* (Andrò in palestra giovedì.)

   Fa eccezione il verbo *to be*, che può essere reso con *will* anche se l'azione era prestabilita: *I'll be there at nine o'clock.* (Sarò lì alle nove in punto.)

2. Se prevedi che succederà qualcosa, usa il *simple future* nella forma che preferisci: *I think it will be sunny next week* o *I think it's going to be sunny next week* sono entrambe corrette se vuoi dire «Penso che ci sarà il sole la prossima settimana».

3. Per offrirti di fare qualcosa nell'immediato futuro o per fare una promessa usa *will*.

   Esempi:

   I will bring you a cup of coffee. (Ti porto una tazza di caffè.)
   I will buy you a motorcycle this summer. (Ti comprerò una moto quest'estate.)

Per quanto riguarda la costruzione delle frasi, ti basta sapere che *to be going to* non è altro che il *present continuous* del verbo *to go* abbinato all'infinito del verbo che ti serve coniugare al futuro. Letteralmente, è come se dicessi che «ti stai avviando» a fare qualcosa. Il *simple future* costruito con questa forma è detto «futuro intenzionale» perché indica l'intenzione di fare qualcosa che però non è imminente.

Esempi:

I'm going to buy a house. (Ho intenzione di comprarmi/mi comprerò una casa.)
What are you going to do? (Che cosa hai intenzione di fare?)

I am not going to go with you. (Non ho intenzione di venire con te.)
Aren't you going to say anything? (Non hai intenzione di dire niente?)

Con *will*, invece, la forma affermativa si struttura così:

soggetto + *will* + infinito senza *to* + complemento.

La forma contratta di *will* è *'ll* ed è molto utilizzata nel linguaggio verbale e informale. Pronunciare *will* «per intero» farà suonare le tue promesse molto serie e importanti!

ESERCIZIO 9.1

Leggi gli esempi e completa

Io giocherò a football.	*I'll play football.*
Tu mangerai la pasta.	*You'll eat pasta.*
Lei suonerà il piano.	*She'll play the piano.*

Cucineremo delle uova (*eggs*). _____

Lui camminerà veloce. _____

Partiranno presto. _____

Forma negativa, interrogativa e interrogativo-negativa

Il modello da seguire per la forma negativa del *simple future* costruito con *will* è:

soggetto + *will* + *not* + infinito senza *to* + complemento.

Will not si può contrarre e diventa *won't*. Anche in questo caso è la forma più utilizzata.

Leggi gli esempi e completa.

Io non giocherò a football.	*I won't play football.*
Tu non mangerai la pasta.	*You won't eat pasta.*
Lei non suonerà il piano.	*She won't play the piano.*

Non cucineremo delle uova.   _____

Lui non camminerà veloce.   _____

Non partiranno presto.   _____

La forma interrogativa segue questo modello:

will + soggetto + infinito senza *to* + complemento + ?

Le *short answers* si formano usando *will* e *will not* o *won't* in questo modo: *Yes, I will*, *No, I won't* o *No, I will not*. Non si può usare la forma contratta di *will* nella risposta breve positiva.

Leggi gli esempi e completa.

Giocherò a football?	*Will I play football?*
Mangerai la pasta?	*Will you eat pasta?*
Suonerà il piano?	*Will she play the piano?*

Cucineremo delle uova?   _____

Camminerà veloce?   _____

Partiranno presto?   _____

Infine la forma interrogativo-negativa si costruisce così:

won't + soggetto + infinito senza *to* + complemento + ?

Potresti sentire questa forma per fare richieste «disperate», quasi delle suppliche: *Baby, won't you please come home* (Piccola, ti prego, torna a casa) è una bellissima canzone blues!

VOCABULARY

Gli animali

	SCRITTURA	PRONUNCIA	RISCRIVI
Animale	*Animal*	[enimol]	
Coniglio	*Rabbit*	[rabbit]	
Pollo	*Chicken*	[ciken]	
Tartaruga	*Turtle*	[tartol]	
Pesce rosso	*Goldfish*	[goldfisc] (C dolce)	
Maiale	*Pig*	[pig] (G dura)	
Mucca	*Cow*	[cau]	
Volpe	*Fox*	[focs]	
Topo	*Mouse*	[maus]	
Tigre	*Tiger*	[taigher]	
Aquila	*Eagle*	[igol]	
Orso	*Bear*	[be(a)r]	
Ape	*Bee*	[bii]	
Rana	*Frog*	[frog] (G dura)	
Ragno	*Spider*	[spaider]	
Mosca	*Fly*	[flai]	
Pappagallo	*Parrot*	[perrot]	
Anatra	*Duck*	[dak]	

Hobby, luoghi e divertimenti

	SCRITTURA	PRONUNCIA	RISCRIVI
Teatro	*Theatre*	[thiat(e)r]	
Gioco	*Game*	[gheim]	
Scacchi	*Chess*	[cess]	
Gioco da tavolo	*Board game*	[bord gheim]	
Pittura	*Painting*	[peintin]	
Collezione	*Collection*	[collecscion]	
Strumento	*Instrument*	[instrument]	
Canzone	*Song*	[song] (G dura)	
Campeggio	*Camping*	[chempin]	
Tenda	*Tent*	[tent]	
Escursionista	*Hiker*	[haiker]	
Fare campeggio	*To camp* (regolare)	[tu chemp]	
Cucinare	*To cook* (regolare)	[tu cuuk]	
Cantare	*To sing, sang, sung*	[tu sing, seng, sang] (G dura)	
Perdere	*To lose, lost, lost*	[tu lus, lost, lost]	
Vincere	*To win, won, won*	[tu uin, uon, uon]	
Dipingere	*To paint* (regolare)	[tu peint]	
Mostrare	*To show, showed, shown*	[tu sciou, scioud, scioun]	

Le parole del giorno

	SCRITTURA	PRONUNCIA	RISCRIVI
Venire	*To come, came, come*	[tu cam, cheim, cam]	
Dormire	*To sleep, slept, slept*	[tu sliip, slept, slept]	
Aver bisogno di	*To need (regolare)*	[tu niid]	
Divertirsi	*To have fun/ enjoy*	[tu hev fan]/ [engioi]	
Probabilmente	*Probably*	[probabli]	
Uovo	*Egg*	[egg] (G dura)	
Pieno	*Full*	[full]	
Ombrello	*Umbrella*	[ambrella]	
Presto	*Soon*	[suun]	
Pesante	*Heavy*	[hevi]	
Scherzo	*Joke*	[giok]	

IDIOMS

To have half a mind (letteralmente: «Avere mezza mente»)

Pronuncia: [tu hev haf a maind].

Significato: Avere una mezza idea.

Esempio: *I've half a mind to go to the gym tomorrow.* (Ho una mezza idea di andare in palestra domani.)

To take someone for a ride (letteralmente: «Portare qualcuno per una corsa»)

Pronuncia: [tu teik samuan for a raid].

Significato: Prendere in giro, ingannare qualcuno.

Esempio: *I trusted him, but I found out he was only taking me for a ride.* (Mi fidavo di lui, ma ho scoperto che mi stava solo prendendo in giro.)

To keep it under your hat (letteralmente: «Tenerlo sotto al cappello»)

Pronuncia: [tu kiip it ander io(u)r het].

Significato: Tenere qualcosa segreto.

Esempio: *I'm going to ask her to marry me, but keep it under your hat.* (Sto per chiederle di sposarmi, ma non dirlo a nessuno.)

To see red (letteralmente: «Vedere rosso»)

Pronuncia: [tu sii red].

Significato: Essere accecati dalla rabbia, non vederci più dalla rabbia.

Esempio: *When she talks to me like that I see red!* (Quando mi parla in quel modo non ci vedo più dalla rabbia!)

To deliver the goods (letteralmente: «Consegnare la merce»)

Pronuncia: [tu del(i)va de guuds].

Significato: Soddisfare le aspettative, mantenere una promessa.

Esempio: *My husband delivered the goods and took me to the restaurant last night.* (Mio marito ha mantenuto la promessa e mi ha portato al ristorante ieri sera.)

ESERCIZIO 9.4

Completa ogni frase con *I think I'll* oppure *I don't think I'll* + il verbo indicato.

have   take   climb   go   make   go

1. This luggage is very heavy. I think I'll take it with me.
2. It's hot today. _____ out.
3. My daughter wants some biscuits. _____ them, because _____ time.
4. It will be sunny next weekend. _____ camping.
5. I'm a hiker, but _____ this afternoon.

ESERCIZIO 9.5

Completa le frasi con *will*, *'ll* **oppure** *won't*.

1. It's Kevin's birthday next Sunday. He _____ be 18!
2. She wants to win the game. She _____ need some help.
3. I _____ cook an omelet for dinner.
4. We're short on petrol. I _____ go to the petrol station.
5. It's not going to rain. I _____ take an umbrella with me.

ESERCIZIO 9.6

Scrivi dove sarai nel momento indicato.

1. This evening I'll probably be out with my boyfriend.
2. Three years from now _____
3. At midday _____
4. Five minutes from now _____
5. Tomorrow _____

ESERCIZIO 9.7

Utilizza i suggerimenti per completare le frasi come nell'esempio.

1. This hotel is full. (another one) We'll book another one.
2. We're lost. (policeman) _____
_____
3. I'm painting a butterfly. (it/beautiful) _____
_____
4. I love this singer. (we/concert) _____
5. The circus is in town! (tickets/tomorrow) _____
_____
6. I'm buying some great wine. (you/dinner) _____

162

7. My uncle is leaving tonight. (at home/tomorrow) _____

_____

8. We like to play chess. (soon) _____

9. I want to speak to Linda. (think here/soon) _____

_____

10. He is cancelling the flight. (call you) _____

_____

Esercizio 9.8

Ora trasforma le frasi dell'esercizio precedente nella forma negativa e interrogativa. Rispondi alla domanda con una *short answer*.

Negativa	Interrogativa	Short answer
_____	_____	_____
_____	_____	_____
_____	_____	_____
_____	_____	_____
_____	_____	_____
_____	_____	_____
_____	_____	_____
_____	_____	_____
_____	_____	_____
_____	_____	_____

CONVERSATION TIME

Spesso ottenere i primi risultati concreti ci motiva ad andare avanti e migliorare ancora di più. Altre volte, dopo tanto duro lavoro, cominciamo a impigrirci con la scusa che va già bene così. Sappiamo che potresti anche essere tentato di interrompere il tuo viaggio e accontentarti degli ottimi progressi fatti finora, ma ricordati che è in questi momenti che puoi fare una grande differenza nella tua vita: scegli se mollare o puntare all'eccellenza. Ascolta la parte migliore di te: ha sempre la risposta giusta!

Se andrai avanti con il programma ti renderai conto che stavi per rinunciare proprio alla parte più motivante di tutte, quella che ti dà la possibilità di interagire davvero con un altro essere umano.

Organizza un incontro con un madrelingua. Magari puoi invitare qualcuno che hai contattato su Facebook a prendere un caffè in cambio di una breve chiacchierata. Preparati per le prime battute della conversazione e rilassati! Noterai con piacere quanto può essere più facile capire le persone dal vivo, invece che attraverso un telefono o un computer: dopo tutto il tuo duro «allenamento», la «partita» sarà più facile del previsto!

Se non trovi nessuno su Facebook, cerca un insegnante madrelingua inglese oggi stesso o domani al massimo. Se anche questo ti è impossibile, chiama la nostra sede più vicina e organizzati per incontrare uno dei nostri tutor!

DAY TEN

Dopo aver ripassato quello che hai imparato il terzo giorno e quello che abbiamo fatto ieri, fai un paio di minuti di rilassamento e poniti consapevolmente l'obiettivo di affrontare lo studio e gli esercizi del decimo giorno.

GRAMMAR RULES

Simple past

Il *simple past* è il tempo verbale che esprime il concetto di un'azione che si è ormai svolta e non ha più alcun rapporto con il presente. Le condizioni per mettere un verbo al *simple past* sono quindi due:

1. L'azione deve essersi svolta nel passato ed essere finita nel momento in cui si sta parlando: per esempio *I moved last year* (Ho traslocato l'anno scorso). Se si fa riferimento a un periodo ancora in corso, occorre usare il *present perfect*: *I have moved this month* (Ho traslocato questo mese).

2. Il tempo in cui l'azione si è svolta dev'essere espresso nella frase o comunque deve essere chiaro dal contesto, diversamente va usato il *present perfect*. Per esprimere il momento del passato in cui l'azione si colloca puoi usare:

a) avverbi di tempo come *yesterday* (ieri);
b) proposizioni temporali come *when he was young* (quando era giovane);
c) complementi di tempo come *a few days ago* (qualche giorno fa), *last year* (l'anno scorso) o *during the Renaissance* (durante il Rinascimento).

Puoi usare il *simple past* anche se manca un'espressione di tempo in alcuni casi che fanno eccezione:

a) nelle domande, quando si presuppone che l'azione sia collocata in un momento preciso nel passato e che si sia conclusa: *When did you buy your first car?* (Quando comprasti la tua prima macchina?);
b) nelle preposizioni temporali introdotte da *when*: *When I looked into your eyes...* (Quando guardai nei tuoi occhi...);
c) quando fai riferimento a una persona che non c'è più: *Napoleon was a great conqueror* (Napoleone fu un grande conquistatore).

Ora passiamo a come si forma questo tempo verbale: torneranno finalmente utili i paradigmi dei verbi irregolari che hai memorizzato finora.

I verbi regolari sono tutti quelli ai quale basta aggiungere -ED alla fine dell'infinito: per esempio *to want* diventa *wanted* (*I wanted a new car*).

La -E muta cade (*to love* diventa *loved*), la -Y preceduta da consonante diventa -IED (*to cry*, *cried*), la -L finale preceduta da vocale raddoppia (*to travel*, *travelled*). Ormai queste regole di scrittura ti saranno familiari…

Per i verbi irregolari, invece, non puoi fare altro che imparare a memoria il paradigma! La tecnica più efficace è sempre la stessa: trova immagini di riferimento per ogni voce verbale e poi associale in modo creativo, chiudi gli occhi e visualizza tutto nel dettaglio.

Facciamo un esempio insieme.

To eat, ate, eaten = mangiare

Mangiare: stiamo mangiando il nostro piatto preferito

Eat [it]: il Cugino It della famiglia Addams, oppure il terribile clown del libro *It* di Stephen King

Ate [eit]: l'A-Team

Eaten [iten]: la parola «(r)iten(ta)»

Esempio di associazione: mentre gusti il tuo piatto preferito noti dei lunghi capelli dentro il cibo… sono del Cugino It! Disgustato, chiami l'A-Team perché lo eliminino ma loro rifiutano l'ingaggio. Con il suo solito sigaro in bocca, Hannibal ti dice: «Ritenta e sarai più fortunato».

La forma affermativa del *simple past* segue il solito modello:

soggetto + verbo + complemento.

Esercizio 10.1

Leggi gli esempi e completa.

L'anno scorso ho navigato (*to surf*, regolare) spesso su Internet.	*I often surfed the Internet last year.*
Quando era bambino John ha rotto (*to break, broke, broken*) la bambola di Cristina.	*When he was a child, John broke Cristina's doll.*
Avete cenato insieme ieri sera.	*You had dinner together last night.*

167

Lui ha dimenticato il leone in classe. _____

Hai aiutato i bambini. _____

Hanno dato una festa una _____
settimana fa.

Forma negativa, interrogativa e interrogativo-negativa

Come per il *simple present*, le forme diverse dalla semplice affermativa si compongono con l'ausiliare *to do*: quest'ultimo è coniugato al passato (attenzione, è irregolare: *to do, did, done* [tu du, did, dan]), mentre il verbo che esprime l'azione resta all'infinito senza il *to*.

Il modello per la forma negativa è questo:

soggetto + *did* + *not* + infinito senza *to* + complemento.

ESERCIZIO 10.2

Leggi gli esempi e completa.

L'anno scorso non ho navigato spesso su Internet.	*I didn't often surf the Internet last year.*
Quando era bambino John non ha rotto la bambola di Cristina.	*When he was a child John didn't break Cristina's doll.*
Non avete cenato insieme ieri sera.	*You didn't have dinner together last night.*

Lui non ha dimenticato il leone in
classe. _____

Non hai aiutato i bambini. _____

Non hanno dato una festa una _____
settimana fa. _____

Per la forma interrogativa:

did + soggetto + infinito senza *to* + complemento + ?

Leggi gli esempi e completa.

Hai navigato spesso su Internet l'anno scorso?	*Did you often surf the Internet last year?*
Quando era piccolo, John ha rotto la bambola di Cristina?	*Did John break Cristina's doll when he was a child?*
Avete cenato insieme ieri sera?	*Did you have dinner together last night?*

Lui ha dimenticato il leone in classe?	_____
Hai aiutato i bambini?	_____
Hanno dato una festa una settimana fa?	_____

Infine, la forma interrogativo-negativa!

did + *not* + soggetto + infinito senza *to* + complemento + ?

Leggi gli esempi e completa.

Non hai navigato spesso su Internet l'anno scorso?	*Didn't you often surf the Internet last year?*
John non ha rotto la bambola di Cristina quando era piccolo?	*Didn't John break Cristina's doll when he was a child?*
Non avete cenato insieme ieri sera?	*Didn't you have dinner together last night?*

Non ha dimenticato il leone in classe?	_____
Non hai aiutato i bambini?	_____
Non hanno dato una festa una settimana fa?	_____

Le *short answers* riprendono l'ausiliare *to do*: *Yes, I did*, *No, I didn't* (o *No, I did not*) e così via per tutte le persone.

And/then

Nella maggior parte dei casi *and* («e») e *then* («poi») si usano nello stesso modo.

Ovviamente basta che ci siano due verbi o proposizioni (*I'll go to my mom's, then I will call you*, Vado da mia madre, poi ti chiamo) per usare questi termini; se c'è un elenco più lungo, il loro utilizzo prima dell'ultimo elemento non è indispensabile, ma aiuta a indicare il termine della successione.

Esempio:

Today I woke up, ate pancakes, drank a cup of tea, and had a shower; then you called me. (Oggi mi sono svegliato, ho mangiato dei pancake, ho bevuto una tazza di tè e fatto una doccia; poi tu mi hai chiamato.)

VOCABULARY

Verbi

	SCRITTURA	PRONUNCIA	RISCRIVI
Dimenticare	*To forget, forgot, forgotten*	[tu foghet, fogot, fogotten]	
Rompere	*To break, broke, broken*	[tu breik, brouk, broken]	
Ridere	*To laugh* (regolare)	[tu laf]	
Aprire/aperto (aggettivo)	*To open* (regolare)/ *open*	[tu open]/[open]	
Chiudere/chiuso (aggettivo)	*To close* (regolare)/ *close*	[tu clo(u)s]/ [clo(u)s]	
Tenere	*To keep, kept, kept*	[tu kiip, kept, kept]	

Cercare	To look for	[tu luk for]	
Portare	To bring, brought, brought	[tu brin, bro(u)t, bro(u)t]	
Baciare	To kiss (regolare)	[tu kiss]	
Sposarsi	To marry (regolare)	[tu merri]	
Amare	To love (regolare)	[tu lov]	
Odiare	To hate (regolare)	[tu heit]	
Asciugare	To dry (regolare)	[tu drai]	
Cominciare	To start (regolare)	[tu start]	
Cadere	To fall, fell, fallen	[tu fol, fel, follen]	
Sognare	To dream, dreamt, dreamt	[tu drim, dremt, dremt]	
Chiedere	To ask (regolare)	[tu ask]	
Sedersi	To sit, sat, sat	[tu sit, set, set]	
Stare in piedi	To stand, stood, stood	[tu stend, stuud, stuud]	

Le parole del giorno

	SCRITTURA	PRONUNCIA	RISCRIVI
Fa (riferito al tempo)	Ago	[egò]	
Intensamente	Intensely	[intensli]	
Scorsa	Last	[last]	
Solo	Only	[onli]	
Via (da qui)	Away	[euei]	
Ieri	Yesterday	[iesterdei]	
Orologio	Watch	[uotc] (C dolce)	

Prima	*Before*	[bifor]	
Arrabbiato	*Angry*	[engri]	
Niente	*Nothing*	[nathin]	
Patate fritte	*Chips* (per gli inglesi) o *French fries* (per gli americani)	[cips] o [frenc frais] (C dolce)	
Fine	*End*	[end]	
Ultimamente	*Lately*	[leitli]	
Vaso	*Vase*	[vahs]	
Chitarra	*Guitar*	[ghitar]	
Insieme	*Together*	[tughed(a)]	
Fino a	*Until*	[antil]	
Tramonto	*Sunset*	[sanset]	
Cognizione	*Sense*	[sens]	

IDIOMS

In the doghouse (letteralmente: «Nella cuccia del cane»)
Pronuncia: [in de doghaus].
Significato: In castigo, in punizione.
Esempio: *Yesterday I got home late, so now I'm in the doghouse.*
(Ieri sono tornato a casa tardi, così adesso sono in punizione.)

Head in the clouds (letteralmente: «Testa nelle nuvole»)
Pronuncia: [hed in de clauds].
Significato: Testa tra le nuvole, essere distratti.

Esempio: *Sorry, I wasn't listening to you, I had my head in the clouds!* (Scusa, non ti stavo ascoltando, avevo la testa tra le nuvole!)

To face the music (letteralmente: «Affrontare la musica»)
Pronuncia: [tu feis de miusic] (C dura).
Significato: Prendersi le proprie responsabilità.
Esempio: *I lost the keys to the car and my dad is very angry. So now I'm going home to face the music.* (Ho perso le chiavi della macchina e mio papà è molto arrabbiato. Quindi adesso vado a casa e mi prendo le mie responsabilità.)

To lose the sense of time (letteralmente: «Perdere il senso del tempo»)
Pronuncia: [tu lus de sens of taim].
Significato: Perdere la cognizione del tempo.
Esempio: *I was so focused that I lost the sense of time and missed the bus.* (Ero così concentrato che ho perso la cognizione del tempo e ho perso l'autobus.)

A cash cow (letteralmente: «Una mucca da contanti»)
Pronuncia: [a chesc cau] (C dolce).
Significato: Una vacca da mungere, una gallina dalle uova d'oro.
Esempio: *Nowadays, the Internet is becoming a cash cow for a lot of people.* (Al giorno d'oggi Internet sta diventando una vacca da mungere per molta gente.)

ESERCIZIO 10.5

Coniuga i verbi (regolari e irregolari) al *simple past* e usali per completare le frasi.

sleep	be	marry	make	do
kiss	work	take	break	lose

1. You _____ really well at your driving test.

2. Linda only _____ for three hours last night.
3. He _____ all the money and ran away.
4. Last year she _____ 17, so now she is 18.
5. George _____ in a bank from 1990 to 2013.
6. He _____ me intensely.
7. Yesterday I _____ my watch.
8. I _____ a really good cake!
9. You _____ the window with a ball!
10. They _____ about one year ago.

Esercizio 10.6

Rispondi alle domande utilizzando i suggerimenti tra parentesi.

1. What did you do last night? (go/cinema/Clare)
2. Where did Tommy live last year? (Scotland/six/month)
3. Did they find their child? (be/bedroom)
4. What happened to you? (fall)
5. How much was a sack of potatoes? (they/not/know)
6. Why was she so angry? (want/buy/shoes)
7. When did Bennie travel there? (three/month)
8. Didn't they buy a new armchair? (not/find)
9. Why were you late this morning? (traffic)
10. Didn't you sit down next to your mom? (sit/Carl)

Esercizio 10.7

Mark sta facendo un bel viaggio in Florida. Completa le frasi inserendo *he was*, *he's* **oppure** *he'll be***.**

1. Tomorrow _____ in Port St. Lucie.
2. At the moment _____ in Sarasota.
3. Yesterday _____ in Tampa.
4. Last week _____ in Jacksonville.
5. Four days ago _____ in Orlando.
6. Next week _____ in Miami.
7. At the end of his trip _____ very tired but happy too!

Traduci le seguenti frasi in inglese.

1. Vi siete divertiti alla festa.
2. Giovedì eravamo a casa.
3. Il film di ieri sera era bello.
4. Abbiamo trovato le mie chiavi.
5. Ho aperto il negozio alle 16 oggi pomeriggio.
6. Il cane ha corso tutto il giorno.
7. Hai mangiato troppe patate fritte.
8. La scuola è cominciata venerdì.
9. Ho cambiato auto.
10. Avevi una domanda da fare.

ESERCIZIO 10.9

Ora trasformale nella forma negativa e interrogativa, poi rispondi con una *short answer*.

Negativa	Interrogativa	Short answer

CONVERSATION TIME

Sembra incredibile che siano passati solo 10 giorni da quando hai cominciato questo percorso. Siamo sicuri che, se hai seguito le nostre indicazioni, sarai stupito anche tu di quanti progressi hai già fatto.

Finora abbiamo usato un metodo orientato a fornirti da una parte le

175

fondamenta necessarie – grammatica, vocaboli e modi di dire utili – e dall'altra un approccio totalmente interattivo, spingendoti a metterti in gioco cercando occasioni di conversare online o di persona. Questo perché crediamo fortemente che l'unico modo per appassionarsi allo studio di qualunque materia consista nel vederne immediatamente un'applicazione reale. Comunicare più facilmente con oltre 850 milioni di persone nel mondo ci sembra un risultato molto concreto!

A questo punto però è ora di immergerti sempre più nell'ascolto della lingua per allenare la comprensione, mentre continuiamo a progredire nella lettura e nella scrittura.

Puoi cominciare a riguardare film o serie TV che hai già visto in italiano, magari anche più di una volta: conoscere le battute o quantomeno i personaggi ti aiuterà senz'altro a capire meglio e ad arricchire il tuo vocabolario. Quando incontri termini o espressioni che ritieni utili, segnali sulle flashcard e memorizzali con il metodo PAV.

Una nota importante: guardare un film serve solo se lo fai con la massima attenzione, non in modo passivo. Ricordati che non stai guardando la televisione per rilassarti ma per migliorare il tuo inglese, un obiettivo che richiede un totale coinvolgimento. Meglio un quarto d'ora fatto con assoluta attenzione che tenere la radio accesa tutto il giorno facendo altro.

I file audio sono comodissimi da ascoltare mentre corri, ti alleni in palestra o guidi. Usa però solo pezzi che già conosci e su cui ti sei già soffermato abbastanza da estrapolare vocaboli e modi di dire: non puoi pretendere niente di più di un ripasso, per quanto efficace, se mentre ascolti stai facendo altro (ecco un termine inglese che sicuramente conosci: *multitasking*!).

Per concludere, ricorda di ripassare quello che hai studiato oggi.

DAY ELEVEN

Congratulazioni! Hai superato i primi 10 giorni del programma e ora sei al giro di boa. Continua con ancora più grinta!

Prenditi un po' di tempo per ripassare tutto quello che hai imparato il quarto giorno e che abbiamo fatto ieri. Quando hai finito, fai un paio di minuti di rilassamento e poniti consapevolmente l'obiettivo di affrontare lo studio e gli esercizi di questo undicesimo giorno.

GRAMMAR RULES

Past continuous

Il *past continuous* ha la stessa struttura del *present continuous*: indica un'azione che è «in corso» nel passato. L'unica differenza a livello grammaticale è che l'ausiliare *to be* va coniugato al passato: ricorda che è irregolare (*to be*, *was*, *been*). Poi al verbo principale basta aggiungere -ING secondo le regole che abbiamo visto.

I he she it	*was*	do**ing** watch**ing** meet**ing** ...
we you they	*werè*	

Esempi:

Present continuous: *I am making a cake.* (Sto facendo una torta.)

Past continuous: *I was making a cake.* (Stavo facendo una torta.)

Questo tempo verbale si usa spesso quando l'azione passata è stata interrotta da qualcos'altro: *You called me while I was playing the guitar* (Mi hai chiamato mentre stavo suonando la chitarra). Per questo troverai spesso il *past continuous* in frasi secondarie introdotte da *when* ([uen], quando) o *while* ([uail], mentre).

Preposizioni, aggettivi e verbi seguiti da -ING

Se le seguenti preposizioni sono seguite da un verbo, questo deve essere coniugato al gerundio (-ING) e non all'infinito come in italiano:

After (dopo)

Before (prima)

Without (senza)

Instead of ([inste(a)d of], invece di)

Esempi:

He always calls me after arriving. (Mi chiama sempre dopo che è arrivato.)

Before sitting down, take the glass! (Prima di sederti, prendi il bicchiere!)

I can't live without singing. (Non posso vivere senza cantare.)

Why don't you go study instead of playing? (Perché non vai a studiare invece di giocare?)

Esistono anche alcuni aggettivi, utili per descrivere abitudini e preferenze, che devono essere seguiti da una preposizione e dal verbo in -ING.

Qui ne trovi alcuni:

Tired of (stanco di)

Sick of ([sik of], stufo di)

Afraid of ([afreid of], aver paura di)

Fond of ([fond of], appassionato di)

Used to ([iusd tu], abituato a)

Esempi:

I am tired of waiting for you. (Sono stanco di aspettarti.)

You are sick of running. (Sei stufo di correre.)

We are afraid of driving fast. (Abbiamo paura di guidare veloce.)

I am fond of gardening. (Sono appassionato di giardinaggio.)

She is used to getting up early. (Lei è abituata ad alzarsi presto.)

Infine esistono anche verbi che, se seguiti da un altro verbo, lo vogliono in -ING:

To start (iniziare a)

To stop ([tu stop], smettere di)

To finish ([tu finisc, C dolce], finire di)

Esempi:

I need to start doing something. (Ho bisogno di iniziare a fare qualcosa.)

Stop talking! (Smettete di parlare!)

I will call you when I finish running. (Ti chiamerò quando avrò finito di correre.)

To say/to tell

To say e *to tell* si traducono entrambi con «dire», ma hanno significati (e utilizzo) leggermente diversi.

To tell serve a dare un ordine, informare o raccontare; regge il complemento di termine senza preposizione *to* (ricordi il *double object*?).

To say è il verbo delle conversazioni in generale e di solito lo troverai seguito da complemento oggetto e di termine (introdotto da *to*) o da *that* (che introduce il discorso indiretto).

Esempi:

I'm telling you something. (Ti sto dicendo una cosa.)

Tell me a story. (Raccontami una storia.)

I'm saying something to you. (Ti sto dicendo qualcosa.)

She said that I can't go to the cinema. (Ha detto che non posso andare al cinema.)

VOCABULARY

L'ufficio

	SCRITTURA	PRONUNCIA	RISCRIVI
Cartellina	*File*	[fail]	
Portapenne	*Desk organizer*	[desk organaiser]	
Agenda	*Planner*	[pla(e)na]	
Blocco note	*Notepad*	[noutpad]	
Etichetta	*Label*	[leibol]	
Tastiera	*Keyboard*	[kibord]	

Cassetto	*Drawer*	[droua]	
Cassettiera	*Drawer unit*	[drouaiunit]	
Busta	*Envelope*	[envelop]	
Lavagna a fogli mobili	*Flipchart*	[flipciart]	
Sala riunioni	*Meeting room*	[miitingrum]	
Relatore	*Speaker*	[spika]	
Appuntamento	*Appointment*	[appointment]	
Stampante	*Printer*	[printa]	
Nastro adesivo	*Sticky tape*	[stiki teip]	
Graffetta	*Paper clip*	[peipa clip]	
Archivio	*Archive*	[arkaiv]	
Cestino	*Wastebasket*	[ueistbasket]	
Porta	*Door*	[doo]	

Le parole del giorno

	SCRITTURA	PRONUNCIA	RISCRIVI
Storia	*Story*	[stori]	
Serratura	*Lock*	[lok]	
Tazza	*Cup*	[cap]	
Ladro	*Burglar*/*thief*	[bargla]/[thif]	
Ancora (avverbio)	*Still*	[still]	
Frase	*Sentence*	[sentens]	
Dritto/diretto	*Straight*	[streit]	
Urlo	*Scream*	[scriim]	
Campanello	*Bell*	[bell]	
Manzo	*Beef*	[biif]	
Una volta	*Once*	[uans]	

Inutile	*Useless*	[iusless]	
Strano	*Weird*	[uiird]	
Non più	*Not anymore*	[not enimor]	

Altri verbi utili

	SCRITTURA	PRONUNCIA	RISCRIVI
Tagliare	*To cut, cut, cut*	[tu cat, cat, cat]	
Cercare/provare	*To try* (regolare)	[tu trai]	
Ricordare	*To remember* (regolare)	[tu rimemba]	
Stampare	*To print* (regolare)	[tu print]	
Vestirsi	*To get, got, got dressed*	[tu ghet, got, got dressed]	
Rubare	*To steal, stole, stolen*	[tu stiil, stol, stolen]	
Arrestare	*To arrest* (regolare)	[tu arest]	
Avere paura	*To be, was, been afraid*	[tu bi, uos, biin afreid]	
Guidare	*To drive, drove, driven*	[tu draive, dro(u)v, driven]	
Sentire/provare	*To feel, felt, felt*	[tu fiil, felt, felt]	
Prestare	*To lend, lent, lent*	[tu lend, lent, lent]	
Indossare	*To wear, wore, worn*	[tu uea(r), uo(r), uo(r)n]	
Tradurre	*To translate* (regolare)	[tu transleit]	
Suonare	*To ring, rang, rung*	[tu ring, reng, rang]	
Controllare	*To check* (regolare)	[tu cek]	
Sprecare	*To waste* (regolare)	[tu ueist]	

Fare ordine	To tidy up (regolare)	[tu taidi ap]	
Slacciare	To untie (regolare)	[tu antai]	
Sentire/udire	To hear, heard, heard	[tu hiar, h(e)rd, h(e)rd]	

IDIOMS

To ask for trouble (letteralmente: «Chiedere guai»)
Pronuncia: [tu ask for trabol].
Significato: Essere in cerca di guai, andarsele a cercare.
Esempio: *Get down from that tree, Michael! You're just asking for trouble!* (Scendi da quell'albero, Michael! Te le vai proprio a cercare!)

To see eye to eye (letteralmente: «Vedere occhio a occhio»)
Pronuncia: [tu sii ai tu ai].
Significato: Vedere le cose allo stesso modo.
Esempio: *I see eye to eye with John.* (La vedo come John.)

My foot! (letteralmente: «Il mio piede!»)
Pronuncia: [mai fuut!].
Significato: Un corno!
Esempio: *He says his phone is not working. Not working my foot, he just doesn't want to answer!* (Dice che il suo telefono non funziona. Non funziona un corno, è solo che non vuole rispondere!)

Rome was not built in a day (letteralmente: «Roma non è stata costruita in un giorno»)
Pronuncia: [rom uosen't bilt in a dei].
Significato: Ci vuole tempo per creare qualcosa di importante.

Esempio: *Just be patient… Rome wasn't built in a day.* (Abbi solo pazienza… ci vuole tempo per queste cose.)

ESERCIZIO 11.1

Descrivi che cosa stava facendo Annie ieri pomeriggio negli orari indicati nelle vignette.

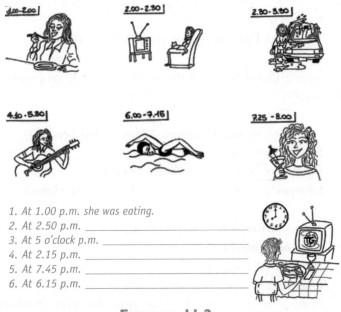

1. *At 1.00 p.m. she was eating.*
2. *At 2.50 p.m.* _____
3. *At 5 o'clock p.m.* _____
4. *At 2.15 p.m.* _____
5. *At 7.45 p.m.* _____
6. *At 6.15 p.m.* _____

ESERCIZIO 11.2

Pensa a cosa stavi facendo ieri sera alle 20 e descrivi cosa stava o non stava facendo in quel momento il tuo amico Luca. Confronta le due azioni.

1. *(eat/at home) Luca was eating at home while I went out for a drink.*
2. *(open/door)* _____
3. *(watch/television)* _____
4. *(read/paper)* _____

184

5. (cut/some beef) _____
6. (wear/t-shirt) _____
7. (drink/wine) _____

Esercizio 11.3

Completa le frasi con i verbi corretti, coniugandoli al *simple past* o al *past continuous*.

steal   get   be   go   write
see   put   send   drive   arrest
arrive   try   check   waste

Luke _____ back home when he _____
burglars in his garden.
One of them _____ the house, while the other one
_____ to open the lock on the front door. Luke (not)
_____ any time: he _____ into his
sports car and _____ to the police station.
The policeman _____ down Luke's address and
_____ two policemen there straight away. The
two burglars _____ still in the house when the police _____. One _____ picture and
the other _____ jewellery in a sack. The policemen
_____ them.

Esercizio 11.4

Traduci dall'italiano all'inglese.

1. Stavo guardando Michael Jordan in TV quando sei arrivato.
2. Cosa ti è successo? Sono caduto mentre andavo in bici.
3. Stavo pulendo i cassetti dell'ufficio quando sono cominciate le urla.
4. Ho smesso di studiare solo quando sei entrata, mamma. Davvero!
5. Stavi pulendo la cucina, prima di uscire.
6. Smetti di fumare! La tua salute ti ringrazierà!
7. Avevo paura di dimenticare l'appuntamento, quando ho trovato l'agenda.
8. Invece di perdere tempo, finisci i compiti!
9. Stavo traducendo queste frasi, quando è suonato il campanello!
10. La mamma ci stava raccontando una storia, quando è entrato il papà
    in camera per dire buonanotte.

185

CONVERSATION TIME

At work

La globalizzazione ci porta sempre più spesso a contatto con diverse culture, anche per lavoro, e se hai a che fare con clienti, colleghi o partner stranieri è quasi certo che comunicherete in inglese (sarà sempre più semplice che imparare ogni volta una lingua diversa, no?). A chiunque di noi può capitare di ricevere o di dover mandare una email in inglese, di dover fare una videoconferenza con qualcuno dall'altra parte del mondo, o di incontrare un cliente o un fornitore che non parlano italiano. In questi casi è importante farsi trovare preparati.

Ricorda innanzitutto che essere formali non significa essere rigidi e seriosi. Non importa che livello di *fluency* avrai raggiunto: apparire sciolto e disinvolto ti farà guadagnare sempre dei punti! Esercitati immaginando più volte queste situazioni come se stessero accadendo davvero: vedrai che poi ti sarà più facile mantenere la lucidità e accedere a tutte le conoscenze che hai acquisito.

Abbiamo già detto che in inglese non si usano forme di cortesia particolari come il nostro «dare del lei»: usa sempre *you*, ma chiama le persone per cognome, anteponendo il titolo Mr [mister] per un uomo, Mrs [missiz] per una donna sposata o Miss [m(i)ss] per una donna non sposata. Di solito sul lavoro le donne preferiscono Ms [miz], che non fa distinzione tra signora e signorina.

Se ricevi un ospite straniero per la prima volta, accoglilo in modo caloroso dicendo: *Hello Mr. English, I'm _____ and I'm very pleased to meet you!* (Buongiorno signor English, sono _____ e sono davvero felice di conoscerla!).

Se invece vi siete già conosciuti in precedenza puoi dirgli: *Hello Mr. English, I'm very pleased to see you again* (Buongiorno signor English, sono davvero felice di rivederla).

Ricorda che nella comunicazione non contano solo le parole che utilizzi: tono, timbro, volume della voce, abbigliamento, postura, gestualità e mimica hanno un impatto ben più importante sul rapporto che crei con il tuo interlocutore.

Prima di iniziare a parlare di lavoro con il tuo *visitor* è bene rompere il ghiaccio utilizzando quelli che gli inglesi chiamano, appunto, *ice-breakers*:

So, how was your flight? (Allora, com'è andato il volo?)
Have you ever been to Milan? (È già stato a Milano?)

186

Can I get you anything? (Posso offrirle qualcosa?)

I love London/New York/Dubai, I would like to spend more time there.
(Io adoro Londra/New York/Dubai, mi piacerebbe passarci più tempo.)

In italiano usiamo spesso l'espressione «prego» quando permettiamo a qualcuno di entrare in una stanza o in ascensore prima di noi o quando vogliamo esprimere in modo molto educato un comando (per esempio quando vogliamo che il nostro interlocutore prenda da bere o si sieda). In inglese in questi casi si usa *please* (per favore), ma va sempre accompagnato da un comando specifico (per esempio *Please, go ahead* o *Please, have a seat*). Da solo si usa come esclamazione (*Oh, please!*), come noi diciamo «Ma per favore!» o «Fammi il piacere».

Per lasciare il passo a qualcuno l'espressione più usata è *After you!* (Dopo di te!).

Se qualcuno ti dice *thank you*, rispondi *you're welcome* (letteralmente: «Sei il benvenuto»).

Se invece sei tu a presentarti da qualcuno per un appuntamento, il tuo primo incontro sarà probabilmente con un portiere o una segretaria: *I have an appointment with Mr English, can you let him know that Mr/Ms _____ is here?* (Ho un appuntamento con il signor English, può avvisarlo che il signor/la signora _____ è qui?).

Se vuoi lasciargli il tuo biglietto da visita: *Here is my business card* (Ecco il mio biglietto da visita).

Una nota importante: al momento dei saluti evita il classico *bye bye* da bambini! Lascerai un ottimo ricordo se ti lancerai, piuttosto, in frasi del tipo:

It was a pleasure to meet you, and I hope you enjoy your stay in our city. (È stato un piacere incontrarla e spero che il soggiorno nella nostra città sia piacevole.)

Goodbye, and have a nice week, Mr English. (Arrivederci, e passi una buona settimana, signor English.)

Let me walk you out, this way... (Lasci che la accompagni fuori, da questa parte...)

Vedrai che a fine appuntamento potrai dire: *That went very well!* (È andata proprio bene!)

DAY TWELVE

Ripassa tutto quello che hai imparato il quinto giorno e nella giornata di ieri, poi rilassati e poniti consapevolmente l'obiettivo di affrontare lo studio e gli esercizi del dodicesimo giorno.

GRAMMAR RULES

Preposizioni e avverbi utili

Oggi l'approfondimento di grammatica si concentra su regole e vocaboli che forse hai già notato o acquisito «a orecchio».

Prima di tutto: in inglese esistono solo le preposizioni semplici (ecco che torna l'idea che sia una lingua facile!). Per formare quelle articolate basta mettere l'articolo tra la preposizione e il sostantivo.

Per quanto riguarda l'ordine delle parole nella frase, invece, ti facciamo notare una particolarità: nelle interrogative introdotte da una *question word* (*who*, *when*, *where* ecc.) la preposizione viene posta in fondo alla frase.

Esempi:

Who were you with? (Con chi eri?)
Where are you from? (Di dove sei?)

Infine elenchiamo alcune preposizioni utili, che si aggiungono a quelle già viste nei giorni precedenti:

Preposizioni di luogo
By ([bai], vicino a)
In front of ([in front of], davanti a)
Over ([ova], sopra, senza contatto)
Upstairs ([apstears], al piano di sopra)
Downstairs ([daunstears], al piano di sotto)
In the middle of ([in de middol of], nel mezzo di)
Across ([acros], dall'altra parte in linea retta)
Against ([eghenst], contro)
Beyond ([biiond], al di là di)

Preposizioni di tempo
At introduce orari precisi (*at 10 o'clock*), età (*Mary could write at five years old*) o periodi di festa come quello pasquale o natalizio (*at Christmas* significa «intorno a Natale»).

On introduce i giorni della settimana, le date e le ricorrenze (*on Christmas* significa «il giorno di Natale»).

In introduce i mesi, gli anni, le stagioni, i lunghi periodi (*in the last few years*) e le parti del giorno (*in the morning*).

After (dopo)
Before (prima)
During ([diurin], durante)
Since ([sins], da: *since 1990* significa «dal 1990»; attenzione perché può anche voler dire «poiché», «dato che»: *Since we are friends, let's help each other*, Dato che siamo amici, aiutiamoci l'un l'altro)

For (per, indica la durata: *Jack cried for an hour*)

In (fra: *I'll see you in two weeks*)

By (da, indica una scadenza finale precisa: *by next Tuesday*)

Within ([uitin], entro, indica un periodo di «validità»: *within a month*)

Till/until (fino a)

Then (poi)

Preposizioni di moto

Come avrai notato, la particella *to* ha molti significati! Si usa anche per tradurre «a» nel moto a luogo (*I'm going to the movies* Vado al cinema), con l'eccezione del verbo *to arrive* che vuole la preposizione *at*

Into ([intu], a, in, dentro: indica il movimento da fuori a dentro)

Onto ([ontu], verso sopra: è simile a *into* ma si usa per indicare il movimento da sotto a sopra)

From (da, moto da luogo)

Out of (da, fuori da)

Off (da, giù da, indica un movimento intenso di allontanamento: *Get off the couch*).

Across ([ecross], attraverso, in movimento generico da un punto all'altro)

Through (attraverso, come nel caso di un proiettile che entra ed esce da un corpo)

Over (sopra una superficie: *I walked over the bridge*)

Round (attorno)

Along [elon] (lungo)

Towards (verso)

Up to ([ap tu], fino a)

Up ([ap], verso l'alto)
Down ([daun], verso il basso)

Preposizioni di mezzo

A parte «a piedi», che si traduce *on foot* [on fuut], quando devi dire con quale mezzo ti sei spostato devi usare *by*: *I came by car*, *taxi*, *boat*, *bus*, *bicycle*, *airplane* ecc.

Se invece devi dire che sei in auto o in bici, fai attenzione: usa *in* per *car*, *taxi*, *boate* *on* per *bus*, *bicycle*, *airplane*.

Altre preposizioni

About (riguardo a)
Like (come, simile a)
Unlike ([anlaik], a differenza di)
Plus ([plas], in più)
Despite ([despait], nonostante)
Except (eccetto)
With (con)
Without (senza)

VOCABULARY

Il cibo

	SCRITTURA	PRONUNCIA	RISCRIVI
Vitello	*Veal*	[viil]	Veal
Affumicato	*Smoked*	[smokt]	Smoked
Carne	*Meat*	[mit]	Meat
Bistecca	*Steak*	[steik]	Steak
Ghiaccio	*Ice*	[ais]	Ice
Tonno	*Tuna*	[tuna]	Tuna

Trota	Trout	[traut]	Trout
Finocchio	Fennel	[fennel]	Fennel
Sedano	Celery	[seleri]	Sedan
Cipolla	Onion	[onion]	Onion
Peperoncino	Chili pepper	[cili peppa]	Chili Pepper
Peperone, pepe	Pepper	[peppa]	Pepper
Cavolfiore	Cauliflower	[coliflauer]	Cauliflower
Spinaci	Spinach	[spinac] (C dolce)	Spinach
Fungo	Mushroom	[masc-rum]	Mushroom
Aglio	Garlic	[garlic] [C dura]	
Riso	Rice	[rais]	Rice
Sale	Salt	[solt]	Salt
Burro	Butter	[batter]	Butter
Melanzana	Aubergine	[obergin]	Aubergine
Gamberetto	Schrimp	[scrimp] (C dolce)	Schrimp
Verdura	Vegetable	[vegetabol]	Vegetable Salat
Cioccolata	Chocolate	[ciocoleit]	Ciocolate
Dolce	Dessert	[desser]	Sweet
Forno	Oven	[aven]	Oven
Piatto	Dish	[disc] (C dolce)	Dish
Bottiglia	Bottle	[battol]	Bottle
Conto	Bill	[bill]	Bill

Le parole del giorno

	SCRITTURA	PRONUNCIA	RISCRIVI
Affamato	Hungry	[hangri]	Hungry
Licenza	Licence	[laisens]	Licence
Spiaggia	Beach	[biic] (C dolce)	Beach

Guerra	War	[uor]	*War* (handwritten)
Gabbia	Cage	[cheig] (G dolce)	*Cage* (handwritten)
Pericolo	Danger	[deingia]	*Danger* (handwritten)
Astuccio	Case	[cheis]	
Vestiti	Clothes	[cloths]	*Clothes* (handwritten)
Giacca	Jacket	[gièchet]	*Jacket* (handwritten)
Voto	Grade	[greid]	*Wind* (handwritten)
Curiosa	Inquiring	[inquairin]	*INQUIRING* (handwritten)
Diventare	To become, became, become	[tu bicam, bicheim, bicam]	*Become, Became, Became* (handwritten)
Ordinare	To order (regolare)	[tu orda]	to *Order* (handwritten)
Piangere	To cry (regolare)	[tu crai]	to *Cry* (handwritten)
Attraversare	To cross (regolare)	[tu cross]	to *Cross* (handwritten)
Appartenere	To belong (regolare)	[tu bilon]	to *BELONG* (handwritten)
Credere	To believe (regolare)	[tu biliv]	to *Believe* (handwritten)
Abbaiare	To bark (regolare)	[tu bark]	to *BARK* (handwritten)
Evitare	To avoid (regolare)	[tu avoid]	to *AVOID* (handwritten)
Permettersi	To afford (regolare)	[tu afford]	to *AFFORD* (handwritten)
Combattere	To fight, fought, fought	[tu fait, fout, fout]	*Fought, Fought, Fought* (handwritten)
Emozionare	To excite (regolare)	[tu icsait]	to *excite* (handwritten)
Permettere	To permit (regolare)	[tu permit]	to *permit* (handwritten)
Bollire	To boil (regolare)	[tu boil]	to *Boil* (handwritten)
Cuocere al forno	To bake (regolare)	[tu beik]	to *bake* (handwritten)
Essere in disaccordo	To disagree (regolare)	[tu disagrii]	to *disagree* (handwritten)
Morire	To die (regolare)	[tu dai]	to *die* (handwritten)
Ingannare	To deceive (regolare)	[tu disiiv]	to *DECEIVE* (handwritten)
Rispondere	To answer (regolare)	[tu ansa]	to *answer* (handwritten)
Essere d'accordo	To agree (regolare)	[tu agrii]	to *agree* (handwritten)

IDIOMS

To eat like a horse (letteralmente: «Mangiare come un cavallo»)
Pronuncia: [tu it laik a hors].
Significato: Mangiare come un lupo, mangiare molto.
Esempio: *I eat like a horse, but I eat healthy food.* (Mangio come un cavallo, ma mangio cibo sano.)

To sell like hot cakes (letteralmente: «Vendere come torte calde»)
Pronuncia: [tu sell laik hot cheiks].
Significato: Andare via come il pane.
Esempio: *I must have a copy of that book. It's selling like hot cakes!* (Devo avere una copia di quel libro. Va via come il pane!)

I'll eat my hat (letteralmente: «Mangerò il mio cappello»)
Pronuncia: [ai'll it mai het].
Significato: Ci scommetto la testa (che non andrà così), mi mangio il cappello.
Esempio: *I'll eat my hat if he passes the exam.* (Se passa l'esame, mi mangio il cappello.)

First come, first served (letteralmente: «Primo arrivato, primo servito»)
Pronuncia: [f(i)rst cam, f(i)rst serv(e)d].
Significato: Chi primo arriva, meglio alloggia.
Esempio: *We have only a few computers on offer. It's first come, first served.* (Abbiamo solo pochi computer in offerta. Chi primo arriva, meglio alloggia.)

ESERCIZIO 12.1

Descrivi la tua stanza ideale! Mobili, quadri, libri e altro: dove sono?

Esercizio 12.2

Descrivi il percorso che segui per andare da casa tua a scuola o al lavoro.

Esercizio 12.3

Rispondi alle domande utilizzando le preposizioni, come nell'esempio:

1. *Where is she?* (in salotto) *She is in the living room.*
2. *Where is the bottle?* (sul tavolo) It's on the table
3. *Where are the rabbits?* (nella gabbia) They're in the cage
4. *Where are the biscuits?* (in forno) _____
5. *Where is the pen?* (davanti all'astuccio) _____
6. *Where is the meeting room?* (al piano di sotto) _____
7. *Where are you?* (alla fermata dell'autobus) _____
8. *Where is my dress?* (sotto la giacca) _____
9. *Where are your friends?* (in piscina) _____
10. *Where are her shoes?* (vicino all'armadio) _____

Esercizio 12.4

Concludi le seguenti frasi con un'espressione di tempo coerente con il testo, come nell'esempio.

- *Santa Claus brings children presents on Christmas Day.*
- *Italian children begin to attend primary school* _____
- *Easter* (Pasqua) *is usually* on Sunday
- *During the summer holidays, Italian students stay home from school*
  _____
- *Valentine's day is* _____
- *People generally get dressed* (al mattino) _____
- *I eat dessert* _____
- *People eat chocolate eggs* _____
- *In Italy you get your driver's license* _____
- *Employees* (impiegati) *go to work* (dalle 9 alle 18) _____

Esercizio 12.5

Inserisci *then* o *after* in modo adeguato.

When Linda's dad comes home _____ *work at about seven o'clock, he is often tired. First he takes a shower and changes his clothes,* _____ *he reads the paper, and* _____ *he has dinner with the family.*

_____ *Linda and her little brother take their dog Argo out for a walk. While the children are getting ready for bed, Linda's mum washes the dishes and* _____ *she tells her brother a goodnight story.*

Argo is always tired _____ *the walk, so it goes straight to its doghouse. Linda's dad relaxes in front of the TV, but not for long.* _____ *he goes to bed.*

Esercizio 12.6

Traduci le seguenti frasi.

1. Sabato prossimo è il mio compleanno. Io e mia figlia usciamo sempre il giorno del mio compleanno. Vuoi venire con noi?
   Next Saturday is my birthday. My daughter and I always go out on my birthday. Do you want to come with us?
2. Ogni domenica andiamo a trovare la nonna prima di pranzo e restiamo là fino all'ora del tè.
3. Vengo a trovarti per alcuni giorni.
4. Mary starà a Verona qualche giorno.
5. In questo momento Philip sta suonando la chitarra. Suona sempre a quest'ora.
6. Devi essere qui entro le 13.00, abbiamo programmato un bel pranzo. Prima mangeremo pasta con zucchine e gamberetti, riso con le verdure, poi una grande bistecca con patate fritte e insalata. Alla fine, una torta al cioccolato! Sarà buonissimo!
7. Mio nonno era in Russia durante la guerra.
8. Aspettiamo Max e Jack prima di ordinare.
9. Il luna park ci sarà dal 3 agosto al 5 settembre.
10. I miei amici andranno in vacanza per due settimane a Natale.

Esercizio 12.7

Inserisci una preposizione o un avverbio adeguato.

1. *I rarely go to work by car.*
2. *Mr and Mrs Marfin are travelling* _____ *a luxury cruise ship.*

3. Ted is going to the park _____ bike.
4. I always take a plane _____ go abroad.
5. I would like to go _____ a boat in Venice.
6. They ran _____ the woods up to the lake.
7. Why doesn't Lucy go _____ school on her scooter?
8. The ship goes _____ the island.
9. Every morning my grandparents walk _____ the beach.
10. Ghosts pass _____ walls!
11. Tom flies _____ Rome to see his girlfriend.
12. Luke is going to school _____ his new bicycle.
13. She went to the city centre _____ foot.
14. They will come _____ Mexico to celebrate your graduation here.
15. The children slide _____ of the slide.

Ripassa ciò che hai studiato oggi prima di andare in pausa.

CONVERSATION TIME

Le email

Oggi le email vengono utilizzate per ogni genere di messaggio: personale, pubblicitario o professionale. Sono un mezzo di comunicazione agile e veloce, e questo ci aiuta perché non dobbiamo più scrivere mille convenevoli che portavano via preziosissimo tempo!

Le email professionali devono essere brevi e concise: si usa uno stile prettamente colloquiale e senza inutili fronzoli, anche perché se l'email è chiara e facile da leggere chi la riceve non dovrà perdere tempo per capirla e potrà rispondere rapidamente.

Quando siamo andati in Florida, la moglie di Luca si è messa alla ricerca di una baby-sitter: i primi contatti sono stati tutti via email, dopo aver trovato i riferimenti su Internet. Ci siamo prodigati a scrivere papiri per spiegare mille cose… mentre le risposte erano di due righe in croce, facili e veloci, con la *nanny* di turno che tagliava corto con un *Ok, great, when can we meet?*

Intesta le email di lavoro a *Dear Mr English* o *Dear Ms English*, per esempio, se conosci il cognome del destinatario; altrimenti inizia con *Dear sir* o *madam* (suona pomposo ma è la forma usata comunemente).

Già alla prima risposta puoi omettere l'intestazione e partire direttamente con quello che vuoi dire o rispondere.

I saluti possono essere i più vari, ma in un contesto professionale restano piuttosto formali:

- *Sincerely* si usa per far capire che ci tieni davvero, è un modo per dire «ho preso a cuore questa situazione» (doveroso usarlo nelle email di scuse!).

- *Regards* è il minimo indispensabile per non sembrare maleducati: è giusto un freddo «saluti». Se ci aggiungi un aggettivo, il significato ovviamente cambia: *best regards* è «con i migliori saluti»; *kind regards* è traducibile con «cordiali saluti» ed è adatto soprattutto se vuoi che l'altra persona ti dia qualcosa o faccia qualcosa per te; *warm regards* («calorosi saluti») riservalo alle persone con le quali hai almeno un po' di confidenza: è il saluto più affettuoso che si possa usare in un'email professionale!

- *Take care!* è informale ma gentile: non significa «stammi bene» ma «prenditi cura di te».

- *Speak soon* («sentiamoci presto») è perfetto se vuoi mettere un po' di fretta alla persona che ti deve rispondere!

Non farti trarre in inganno dalla rapidità del mezzo e dalla proverbiale cortesia degli inglesi (o dalla giovialità degli americani): mantieni sempre un tono professionale e ti saranno perdonati gli errori di grammatica che potrai fare. Purtroppo alcune email sono spiacevoli, non importa in quale lingua sono scritte. Ricorda di essere cortese, di non «sparare a zero», di non essere critico o negativo: se ci sono dei problemi spesso è meglio discuterne di persona, o almeno a voce, piuttosto che inviare un'email che rischia di essere fraintesa perché troppo asciutta.

Ricordati che la comunicazione scritta non permette né di guardare l'altra persona negli occhi né di sentire il suo tono di voce. E, se devi dire qualcosa di spiacevole, mettila come il prosciutto in un panino: tra due fette di messaggi positivi! Immagina per esempio di aver acquistato questo libro su Internet e di aver aspettato già una settimana quando lo spedizioniere ti scrive questa email:

Dear Mr Italian,

I have just finished preparing your new shipment order with an enclosed complementary gift for you.

We had a problem with your shipment which has now been resolved. We are sending the package out today. We apologize for the delay, and I can assure you that this will not happen again.

Please feel free to call me if you have any questions or for any details concerning your order.

Once again we apologize for the inconvenience that this might have caused and we look forward to working with you again.

Sincerely,

John Smith

Il signor Smith non può tornare indietro nel tempo ed evitarti il fastidio del ritardo, ma ti ha scritto un'email che leggi con piacere (il problema è stato risolto e riceverai anche un piccolo regalo) e avrai un ricordo positivo di come ha gestito il problema. Quello che più conta: probabilmente la prossima volta che avrai bisogno di uno spedizioniere chiamerai volentieri lo stesso corriere.

DAY THIRTEEN

Ripassa ciò che hai imparato il sesto giorno e quello che abbiamo fatto ieri, poi fai un paio di minuti di rilassamento e poniti consapevolmente l'obiettivo di affrontare lo studio e gli esercizi del tredicesimo giorno.

GRAMMAR RULES

If

If significa «se» e serve per esprimere possibilità, probabilità o ipotesi nelle subordinate ipotetiche. Si può mettere in posizione iniziale o intermedia nella frase, invertendo subordinata e principale (*I'll take my umbrella if it rains* oppure *If it rains I'll take my umbrella*).

Le ipotetiche si distinguono in quattro tipi, a seconda del grado di probabilità dell'evento introdotto da *if* e delle sue conseguenze. Ogni tipo richiede l'utilizzo di tempi verbali adeguati.

- Ipotetica di tipo zero:

È la più semplice e serve a esprimere certezza assoluta che al verificarsi di una condizione ci sarà una determinata conseguenza:

si usa per i fatti scientifici, i dati di fatto, le verità assolute. Richiede l'uso del *simple present* sia nella subordinata sia nella principale.

SUBORDINATA	PRINCIPALE
if + **soggetto** + *simple present*	**soggetto** + *simple present*

Esempio:
If I touch a flame, I get a burn.
Se tocco una fiamma mi brucio (è sempre così, non ci sono alternative!).

- Ipotetica del primo tipo:

Esprime la possibilità reale e concreta che un evento si possa verificare, e la certezza che in quel caso ci sarà una determinata conseguenza.

SUBORDINATA	PRINCIPALE
if + **soggetto** + *simple present*	**soggetto** + *simple future* (*will*)

Esempio:
If I get up early, I will go to the gym.
Se mi alzo presto (e c'è una concreta possibilità che questo accada) andrò in palestra (ed è certo che lo farò, a condizione di essermi alzato presto).

- Ipotetica del secondo tipo:

Si usa per esprimere una pura ipotesi o il desiderio che un dato evento si verifichi.

SUBORDINATA	PRINCIPALE
if + **soggetto** + *simple past*	**soggetto** + *would*/*could* + **infinito senza** *to*

Esempio:

If I woke up early, I would go to the gym.

Se mi svegliassi presto (e mi piacerebbe, ma andando a letto molto tardi è improbabile) andrei in palestra.

- **Ipotetica del terzo tipo:**

L'ultimo tipo di ipotetica si riferisce a eventi che avrebbero potuto verificarsi, ma che ormai fanno parte del passato e che quindi non si possono più cambiare.

SUBORDINATA	PRINCIPALE
if + **soggetto** + *past perfect*	**soggetto** + *would/ could* + *have* + **participio**

Purtroppo questo tipo di ipotetica ci costringe ad anticipare qualche argomento di grammatica che vedremo meglio nei prossimi giorni.

Per ora ti basti sapere che il participio è l'ultima forma (la terza) del paradigma di un verbo (per esempio in *to be, was, been* è *been*), e che il *past perfect* si compone con ausiliare al *simple past* + participio (per esempio: *She had been to New York twice*, Era stata a New York due volte; *I had eaten that dish already*, Avevo già mangiato quel piatto).

Esempio:

If I had woken up early, I would have gone to the gym.

Se mi fossi svegliato presto (ma non è successo e ormai non ci posso fare nulla) sarei andato in palestra.

Affronteremo nel dettaglio il *past perfect* e l'uso di *would* più avanti.

VOCABULARY

Le relazioni

	SCRITTURA	PRONUNCIA	RISCRIVI
Rapporto/relazione	*Relationship/ relation*	[relescionscip]/ [relescion]	
Amicizia	*Friendship*	[frendscip]	
Coppia	*Couple*	[capol]	
Fidanzati (che hanno deciso di sposarsi)	*Engaged*	[engheigd] (G dolce)	
Fidanzato	*Fiancé*	[fiansei]	
Fidanzata	*Fiancée*	[fiansei]	
Appena sposato	*Just married*	[giast merrid]	
Matrimonio (istituzione)	*Marriage*	[merrig] (G dolce)	
Matrimonio (cerimonia)	*Wedding*	[ueddin]	
Vicino di casa	*Neighbour*	[neiba]	
Amico di penna	*Pen friend*	[pen frend]	
Conoscente	*Acquaintance*	[equeintans]	
Capo	*Manager*	[menager]	
Assistente	*Assistant*	[assistant]	
Partner d'affari	*Business partner*	[bisness partner]	
Datore di lavoro	*Employer*	[imploia]	
Dipendente	*Employee*	[emploii]	
Collega	*Colleague*	[colig] (G dura)	
Divorzio	*Divorce*	[divors]	

Le parole del giorno

	SCRITTURA	PRONUNCIA	RISCRIVI
Sfida	*Challenge*	[cialleng] (G dolce)	
Enorme	*Enormous*	[inormous]	
Ciliegia	*Cherry*	[cerri]	
Indicazioni	*Directions*	[dairecscions]	
Pianeta	*Planet*	[plenet]	
Astronave	*Spaceship*	[speis-scip]	
Sciogliere	*To melt* (regolare)	[tu melt]	
Tradire	*To cheat* (regolare)	[tu ciit]	
Portafoglio	*Wallet*	[uollet]	
Ballo di beneficienza	*Foundraising dance*	[faundreisin dens]	
Geloso	*Jealous*	[geles]	
Sconto	*Discount*	[discaunt]	
Decidere	*To decide* (regolare)	[tu disaid]	
Sbrigarsi	*To hurry up* (regolare)	[tu harri ap]	

IDIOMS

Mixed feelings (letteralmente: «Sentimenti misti»)

Pronuncia: [micsd fiilings].

Significato: Avere sentimenti contrastanti, provare incertezza.

Esempio: *I have mixed feelings about my trip to London. I can't wait to be there, but I'm sorry to leave!* (Ho dei sentimenti contrastanti sul mio viaggio a Londra. Non vedo l'ora di essere lì, ma mi dispiace partire!)

To be in the same boat (letteralmente: «Essere sulla stessa barca»)
Pronuncia: [tu bi in de seim bo(u)t].
Significato: Essere sulla stessa barca, essere nella stessa situazione.
Esempio: *We are in the same boat, team work will help us get over the crisis.* (Siamo sulla stessa barca, il lavoro di squadra ci aiuterà a superare la crisi.)

To get the green light (letteralmente: «Ottenere la luce verde»)
Pronuncia: [tu ghet de griin lait].
Significato: Avere via libera.
Esempio: *I'm waiting for my mom to give me the green light to go to the cinema.* (Sto aspettando che mia mamma mi dia il via libera per andare al cinema.)

Fast and furious (letteralmente: «Veloce e furioso»)
Pronuncia: [fast end fiurios].
Significato: Molto veloce ed energico, frenetico.
Esempio: *Everything has been fast and furious at work lately.* (Ultimamente al lavoro è tutto molto frenetico.)

Dead man walking (letteralmente: «Uomo morto che cammina»)
Pronuncia: [ded men uokin].
Significato: Morto che cammina, condannato a morte.
Esempio: *He made the boss angry! Dead man walking.* (Ha fatto arrabbiare il capo! È un morto che cammina).

ESERCIZIO 13.1

Scrivi accanto a ogni frase quale tipo di ipotetica è (0, 1, 2, 3) e quale tempo verbale è stato utilizzato.

	tipo + tempo verbale subordinata	tempo verbale principale
If she leaves early, she will get to school on time.		
If you boil water, it evaporates.		
If he goes to sleep now, he will be on time tomorrow.		
If Maggie had come yesterday, we would have done our homework together.		
If she had known him better, she wouldn't have married him.		
If I wasn't so tired, I would come to the gym with you.		
If you loved me, you would come here.		
If you were engaged, you would be very happy!		

ESERCIZIO 13.2

Collega le subordinate a sinistra con le principali a destra nel modo corretto.

1. If I'm late this evening,
2. If you pass the exam,
3. If John eats too much chocolate,
4. If you're hungry,
5. If we go to the cinema,
6. If I need a telephone number,

a. I wouldn't be so bored.
b. you'll get a degree.
c. I can find it in the phone book.
d. he'll be sick.
e. they would agree.
f. we'll watch a great movie.

206

7. If he didn't have to work,	g. it would have been repaired by now.
8. If you had taken an umbrella,	
9. If you had taken our car to that mechanic,	h. you wouldn't have got wet.
	i. go eat something.
10. If she talked to him,	j. don't wait for me.
11. If I had something to do,	k. I wouldn't have believed it.
12. If I hadn't seen it with my eyes,	l. he would go on holiday.

ESERCIZIO 13.3

Traduci questi brevi monologhi facendo attenzione a utilizzare i tempi verbali giusti. Nota che le ipotetiche sono state messe in ordine proprio perché tu possa imparare velocemente la costruzione corretta delle frasi.

Jake: Se ho un lavoro guadagno dei soldi!
Se guadagno tanti soldi potrò comprarmi una casa!
Se avessi anche una casa all'estero, andrei in vacanza lì!
Se ci avessi pensato prima avrei cominciato a lavorare prima!

Susy: Io e Frederick ci siamo fidanzati!
Se la damigella è Ilary, sarò felice.
Se fosse domani, sarei ancora più felice.
Se l'avessi saputo quando ho spedito la lettera, l'avrei scritto a Rosy, la mia amica di penna.

Clare: Se hai 18 anni, puoi prendere la patente.
Se studi, la prenderai in tre mesi.
Se Jo domani avesse tempo, chiederebbe informazioni alla scuola guida.
Se Jo avesse avuto voglia di prendere la patente si sarebbe già iscritta.

Matthew: Se Tommy apre tutte le finestre c'è troppo vento.
Se Tommy apre una sola finestra, staremo bene.
Se Tommy tirasse le tende sarebbe fantastico (*awesome*).
Se fossimo andati tutti fuori a fare una passeggiata (*to go out for a walk*), avremmo fatto anche un pic-nic.

Traduci le seguenti frasi utilizzando il periodo ipotetico corretto, come nell'esempio.

1. Se ti vedo, sono felice! *If I see you, I am happy!*
2. Se riscaldi il ghiaccio si scioglie.
3. Se vivessimo in un'astronave voleremmo da un pianeta all'altro.
4. Se studi, il test andrà bene!
5. Se segui le indicazioni di questo libro imparerai l'inglese in 21 giorni.
6. Se fossimo usciti con loro ci saremmo divertiti un sacco.
7. Se mangio troppe ciliegie sto male.
8. Se avessi una casa enorme metterei un cinema nel mio salotto.
9. Se Sue fosse stata più determinata (*determined*) avrebbe vinto la sfida.

CONVERSATION TIME

Al telefono

Quando farai la tua prima telefonata ti renderai conto che le frasi che dovrai ripetere più spesso saranno:

Could you repeat? [cuud iu ripit?] = Può ripetere?

Again, please! [eghein plis!] = Come, scusi? (letteralmente: Di nuovo, per favore!)

Can you speak slower, please? [chen iu spik sloue plis?] = Puoi parlare più lentamente, per favore?

Purtroppo al telefono molti parlano a una velocità incredibile e si mangiano anche le parole. Non fingere di aver capito se non è così: insisti e chiedi di ripetere, perché è anche nell'interesse della persona che stai ascoltando far sì che alla fine tu comprenda cosa ti sta dicendo. Magari troverà un modo più semplice di formulare la frase: l'importante è che riusciate ad andare avanti nel discorso!

Capire un madrelingua al telefono è un traguardo importante: sarà la dimostrazione di quanti progressi hai fatto!

Bisogna ovviamente distinguere tra telefonate formali e informali, perché richiedono un linguaggio completamente diverso.

In una chiamata formale la prima cosa da dire è chi sei: *Good morning, it's* (nome e cognome) *here, could I speak to Mr English, please?*

A quel punto potresti scoprire che stai già parlando con Mr English, che potrebbe rispondere *Speaking!* e magari chiederti di ripetere il tuo nome perché non l'ha capito: *Excuse me, who's calling?*

Se non risponde direttamente la persona che cerchi, potresti sentirti dire qualcosa del genere: *Certainly, one moment please, hold on a minute* (oppure *hold the line*, cioè «resti in linea»). La persona che ti ha risposto potrebbe aggiungere: *I'm verifying if Mr English is in his office. I'll put him on* («glielo passo»).

Dopo aver ascoltato la solita musica d'attesa o il rumore di sottofondo dell'ufficio, se sei fortunato la segretaria ti dirà: *Sorry to keep you waiting. I'll put you through to Mr English. Have a nice day!*

Altrimenti, se il signor English è occupato, potrebbe dirti: *Sorry to keep you waiting. I'm sorry but Mr English is not available at the moment, he is on another call* (È impegnato in un'altra telefonata).

A questo punto potresti chiedere *Can I please leave a message?* ma è molto probabile che sarà la persona che ti ha risposto a offrirsi disponibile: *Would you like to leave a message?* oppure *If you leave your number I'll ask him to call you back* (Se mi lascia il suo numero la farò richiamare).

Non lasciare messaggi troppo lunghi: meglio un semplice *Thank you, that would be great! I'm* (nome e cognome) *from* (la tua azienda) *and this is my phone number:* (il tuo numero). *Could you ask him to call me?*

I nomi italiani possono creare qualche problema agli inglesi, quindi preparati a sentirti chiedere *Excuse me, how do you spell that?* oppure *I'm sorry, could you spell that for me?* Se riesci, non limitarti a pronunciare le lettere: al telefono è facile prendere D per T, M per N e così via. Usa le iniziali di parole semplici che conosci: *Sure, it's spelled A as in apple...* Preparati almeno su nome e cognome, così farai uno spelling velocissimo.

Una telefonata informale sarà molto più semplice. Dopo che risponderanno *Hello?* potrai dire semplicemente: *It's Massimo here* (o *Massimo speaking!*). *Is James there?*

Se c'è te lo passeranno, altrimenti chiedi: *Can I leave a message? Please tell him I called* (Per favore gli dica che ho chiamato) oppure *I'll call back later* (Chiamerò più tardi).

Se devi fare una chiamata a carico del destinatario, comunica al centralino: *I want to make a collect call to...*

Se invece telefoni dall'hotel assicurati di sapere quanto costa: *How much does a phone call cost? A three-minute call is 1 dollar, each extra min-*

ute is 5 dollars! (Una chiamata di tre minuti costa 1 dollaro, poi ogni minuto in più costa 5 dollari!)

Se la risposta è questa, forse preferirai cercare il telefono pubblico più vicino: *Where is the nearest public phone?*

Oppure puoi comprare una tessera telefonica: *I want to buy a telephone card.*

Infine, ecco le frasi utili in caso di problemi con la linea...

It's engaged. (È occupato.)

I've been cut off. (È caduta la linea.)

The connection is bad. (La linea è disturbata.)

The line is breaking up. (Ti sento solo a tratti.)

I've got bad reception. (Non c'è campo.)

DAY FOURTEEN

Ripassa ciò che hai imparato il settimo giorno e quello che abbiamo fatto ieri, poi fai un paio di minuti di rilassamento e poniti consapevolmente l'obiettivo di affrontare lo studio e gli esercizi del quattordicesimo giorno. Sei a due terzi del programma!

GRAMMAR RULES

Tutto o niente

Gli aggettivi e i pronomi indefiniti in inglese vengono espressi con *every*, *some*, *any* e *no* combinati con un sostantivo oppure «fusi» in parole (utilissime da imparare!) come *everyone*, *somebody* ecc.

	SCRITTURA	PRONUNCIA	RISCRIVI
Ogni	*Every*	[evri]	
Tutto (ogni cosa)	*Everything*	[evrithin]	
Tutti (detto di persone)	*Everybody*	[evribadi]	

211

Ognuno (inteso come tutti)	_Everyone_	[evriuan]	
Ciascuno	_Each one_	[iic uan] (C dolce)	
Chiunque	_Anybody_	[enibadi]	
Niente (nessuna cosa)	_Nothing_	[nathin]	
Nessuno (detto di persone)	_Nobody_	[nobadi]	
Qualcosa	_Something_	[samthin]	
Qualcuno (detto di persone)	_Somebody/ someone_	[sambadi]/ [samuan]	

Tutte le parole che abbiamo appena elencato sono pronomi singolari o aggettivi che devono riferirsi a un sostantivo singolare (per esempio, _every house_) con un verbo che di conseguenza sarà coniugato al singolare. Fai attenzione soprattutto con _everyone_ e _everybody_ perché «tutti» in italiano è plurale: _Everyone was at the party_ si traduce «Tutti erano alla festa».

Ordine degli aggettivi

Come abbiamo già visto, in inglese gli aggettivi sono invariabili in genere e numero («bello», «bella», «belli» e «belle» si dice sempre _beautiful_) e precedono il sostantivo al quale si riferiscono: _He lives in a beautiful house_ (Abita in una bella casa).

Se descrivi qualcosa con più aggettivi, ricorda che hanno anche una posizione specifica a seconda della loro funzione: prima metti l'aggettivo che indica la misura, poi quelli relativi a età, opinione, colore e materiale. Tutto prima di arrivare al sostantivo!

Leggi le righe della seguente tabella in orizzontale: abbiamo inserito alcuni aggettivi sensati in base al sostantivo.

misura	età	opinione	colore	materiale	sostantivo
short	old	sad	white		woman
big	old	nice		wooden	house
long		pleasant			road
tall	young	happy	black		boy
big	new	expensive	yellow		car

Esempio:

Today I bought a big, new, expensive, yellow car! I love it!

VOCABULARY

Le misure

	SCRITTURA	PRONUNCIA	RISCRIVI
Grande	Big	[big] (G dura)	
Piccolo	Small	[smoll]	
Alto	High	[hai]	
Basso	Low	[lou]	
Alto di statura	Tall	[toll]	
Corto / basso di statura	Short	[sciort]	
Largo	Wide	[uaid]	
Stretto	Narrow	[narrou]	
Lungo	Long	[lon]	
Profondo	Deep	[diip]	
Superficiale / poco profondo	Shallow	[sciallou]	

Le età

	SCRITTURA	PRONUNCIA	RISCRIVI
Vecchio	*Old*	[old]	
Di mezz'età	*Middle-aged*	[middeleig] (G dolce)	
Adulto	*Adult*	[adòlt]	
Adolescente	*Adolescent* o *teen* (tra i 13 e i 19 anni)	[adolesent] o [tiin]	
Giovane	*Young*	[ian]	
Nuovo	*New*	[niù]	

Le opinioni

Tantissimi aggettivi rientrano in questa categoria perché possono servire a esprimere un'opinione su qualcosa o qualcuno.

	SCRITTURA	PRONUNCIA	RISCRIVI
Buono	*Good*	[guud]	
Cattivo	*Bad*	[bed]	
Felice	*Happy*	[heppi]	
Triste	*Sad*	[sed]	
Ricco	*Rich*	[ric] (C dolce)	
Povero	*Poor*	[pua]	
Bello	*Beautiful*	[biutiful]	
Brutto	*Ugly*	[aghli]	
Magro	*Thin*	[thin]	
Grasso	*Fat*	[fet]	
Buono/simpatico/ carino	*Nice*	[nais]	

Piacevole	*Pleasant*	[plesant]	
Spiacevole	*Unpleasant*	[anpleasant]	
Fortunato	*Lucky*	[laki]	
Sfortunato	*Unlucky*	[anlaki]	
Facile	*Easy*	[isi]	
Difficile	*Hard*	[hard]	
Vuoto	*Empty*	[empti]	
Pieno	*Full*	[full]	
Costoso	*Expensive*	[icspensiv]	
A buon prezzo	*Cheap*	[ciip]	
Bagnato	*Wet*	[uet]	
Secco	*Dry*	[drai]	
Sicuro	*Safe*	[seif]	
Leggero/luminoso	*Light*	[lait]	
Forte	*Strong*	[stron]	
Debole	*Weak*	[uiik]	
Meglio	*Better*	[better]	
Generoso	*Generous*	[genero(u)s]	
Avaro/scortese/ cattivo	*Mean*	[miin]	
Interessante	*Interesting*	[intrestin]	
Noioso	*Boring*	[borin]	
Sporco	*Dirty*	[d(i)rti]	
Eccellente	*Excellent*	[ecselent]	
Romantico	*Romantic*	[romentic] (C dura)	
Meraviglioso	*Wonderful*	[uanderful]	
Impegnato/occupato	*Busy*	[bisi]	

Attraente	*Attractive*	[attractiv]	
Sciolto (nel parlare)	*Fluent*	[fluent]	
Determinato	*Determined*	[ditermind]	
Orgoglioso/fiero	*Proud*	[praud]	
Buio	*Dark*	[dark]	
Attento/prudente	*Careful*	[cheaful]	
Peggiore	*Worse*	[uors]	
Caldo	*Warm*	[uorm]	
Dolce	*Sweet*	[suiit]	
Affettuoso	*Affectionate*	[affecscioneit]	
Delizioso	*Delightful*	[dilaitful]	
Fantastico/grandioso	*Awesome*	[ousom]	
Premuroso	*Thoughtful*	[thoutful]	
Affascinante	*Handsome*	[hendsom]	

Molto spesso il prefisso UN- davanti a un aggettivo lo trasforma nel suo contrario.

I materiali

	SCRITTURA	PRONUNCIA	RISCRIVI
Di legno	*Wooden*	[uhuden]	
Di acciaio	*Steel*	[stiil]	
Di plastica	*Plastic*	[plastic] (C dura)	
Di vetro	*Glass*	[glass]	
Di metallo	*Metal*	[metal]	
Di cotone	*Cotton*	[cotton]	
Di stoffa	*Cloth*	[cloth]	
Di lana	*Wool*	[uhul]	

Le parole del giorno

	SCRITTURA	PRONUNCIA	RISCRIVI
Biondo	*Blonde*	[blond]	
Cantante	*Singer*	[singa]	
Vino	*Wine*	[uain]	
Corpo	*Body*	[badi]	
Muscoloso	*Muscular*	[maschiula]	
Tempo (meteo)	*Weather*	[uetha]	
Film	*Movie*	[muvi]	
Misura	*Size*	[saiz]	
Incarico	*Task*	[task]	
Estero	*Abroad*	[abrod]	
Costa/litorale	*Seashore*	[siiscio]	
Ottenere	*To obtain* (regolare)	[tu obtein]	
Preparare	*To prepare* (regolare)	[tu pripeir]	
Prendersi cura	*To take, took, taken care*	[tu teik, tuuk, teiken chea]	
Rimanere	*To remain* (regolare)	[tu rimein]	
Godere	*To enjoy* (regolare)	[tu engioi]	

IDIOMS

In the long run (letteralmente: «Nella lunga corsa»)

Pronuncia: [in de lon ran].

Significato: A lungo termine.

Esempio: *It may seem uncomfortable now, but it will be the best solution in the long run.* (Può sembrare scomodo adesso, ma a lungo termine sarà la soluzione migliore.)

Let sleeping dogs lie (letteralmente: «Lascia stare sdraiati i cani che dormono»)

Pronuncia: [let slipin dogs lai].

Significato: Non svegliare il can che dorme.

Esempio: *I wanted to ask my mom if she found the broken bowl in the trash can, but I decided to let sleeping dogs lie.* (Volevo chiedere a mia mamma se ha trovato la scodella rotta nel cestino, ma ho deciso di non svegliare il can che dorme.)

The light at the end of the tunnel (letteralmente: «La luce alla fine del tunnel»)

Pronuncia: [de lait et di end of de tannel].

Significato: La luce alla fine del tunnel.

Esempio: *I had a hard time, but now I'm starting to see the light at the end of the tunnel.* (Ho passato un brutto momento, ma adesso inizio a vedere la luce alla fine del tunnel.)

To lick someone's boots (letteralmente: «Leccare gli stivali di qualcuno»)

Pronuncia: [tu lik samuans buuts].

Significato: Fare i ruffiani.

Esempio: *He got the job, but had to lick someone's boots to have it.* (Ha ottenuto il lavoro, ma ha dovuto fare il ruffiano per averlo.)

A slice of heaven (letteralmente: «Una fetta di paradiso»)

Pronuncia: [a slais of heven].

Significato: Un angolo di paradiso.

Esempio: *This place is a slice of heaven.* (Questo posto è un angolo di paradiso.)

Esercizio 14.1

Traduci in inglese questa storia.

Questa è la storia di quattro persone di nome Ognuno, Qualcuno, Chiunque e Nessuno.

C'era un lavoro importante da fare e Ognuno era sicuro che Qualcuno l'avrebbe fatto. Chiunque poteva farlo ma Nessuno lo fece, così Qualcuno si arrabbiò perché era il lavoro di Ognuno. Ognuno aveva pensato che Chiunque potesse farlo, ma Nessuno aveva capito che Ognuno avrebbe dovuto farlo. Alla fine Ognuno incolpò Qualcuno perché Nessuno aveva fatto ciò che Chiunque avrebbe potuto fare.

This is the story of four people, called Everybody, Somebody, Anybody and Nobody.

Continua tu!

ESERCIZIO 14.2

Ordina gli aggettivi come spiegato all'inizio di questa giornata.

1. *Tommy is a (young/attractive/unpolite/tall) _____ man.*
2. *I have an (old/wool/expensive/white) _____ t-shirt.*
3. *Hilary is a (blonde/beautiful/rich/short/thin/young) _____ woman.*
4. *Sam has a (big/purple/important/new) _____ book.*
5. *Laura has a (light blue/big/pleasant) _____ bedroom.*
6. *They have a (small/glass/light/pink/wonderful) _____ picture.*

ESERCIZIO 14.3

Utilizza gli elementi dati per scrivere frasi di senso compiuto.

1. *Jo / girl / nice* — *Jo is a nice girl.*
2. *Glasses / Annie / red / expensive* — _____
3. *It / ship / fabulous* — _____
4. *There / wardrobe / big / her bedroom* — _____
5. *My / bottle / full* — _____
6. *It / film / interesting / ?* — _____
7. *He / singer / good / ?* — _____
8. *They / drink / wine / dry / ?* — _____
9. *You / boy / determined / ?* — _____
10. *You / have / day / busy / ?* — _____

Esercizio 14.4

Descrivi cosa è raffigurato nei disegni inserendo gli aggettivi e i sostantivi che mancano negli spazi sotto.

happy man   *short*   *ghosts*   *big win*   *dirty*

strong body   *orange*   *muscular*   *full*   *red sky*

new car   *old*   *lucky woman*   *wonderful sunset*

There are dark clouds in the sky.
It's going to rain!

There is a _____ ____. He has just bought a _____.

There is a _____ _____. She had a _____!

There is a _____ _____. The sun is _____ in the _____.

There is a _____ ____ builder. He is _____ but very _____.

There is an _____ house. It is _____ and _____ of _____.

Esercizio 14.5

Traduci le seguenti frasi in inglese.

1. Che tempo ci sarà oggi? Farà molto freddo.
2. Quanto è buono l'inglese di Jessie? Quella ragazza parla inglese in modo molto sciolto.
3. Nessuno ha mai visto un vestito così bello! Stai molto bene! Dove l'hai comprato?

4. Sei sempre così veloce quando metti in ordine e pulisci la cantina (*basement*). Come fai?
5. Hai visto quella giacca? Quella marrone? È brutta!
6. Chi hai conosciuto ieri? Il signor Patterson, ma è stato un incontro spiacevole: è una persona importante ma avara.
7. Perché piangi? Ho visto un film romantico e triste.
8. Perché sei d'accordo con lui? Perché ha detto una cosa giusta.
9. Priscilla è un'insegnante? Sì, è un'insegnante eccellente.
10. Ti presto i miei occhiali, ma stai attento perché sono nuovi.
11. Sai dirmi qualcosa di John? È triste perché la sua ragazza l'ha tradito.
12. Quali sono le sue rose preferite? Le piacciono le rose gialle.
13. Mi hai comprato le scarpe nuove? Grazie, le provo. Ho paura che tu abbia comprato la misura sbagliata.
14. Che cosa hai fatto in questi mesi estivi? Niente di interessante, ho fatto una vacanza noiosa.
15. Dove andrai nei prossimi mesi? Andrò all'estero per lavoro e sono molto orgogliosa di aver ottenuto questo incarico.

CONVERSATION TIME

Eating out

All'estero si trovano tantissimi posti dove mangiare: la cosa difficile può essere trovarne uno dove si mangi davvero bene. Noi italiani, amanti della buona cucina, potremmo avere qualche difficoltà a comprendere l'arte culinaria inglese o americana... anche se dobbiamo ammettere che in Florida ci siamo sempre trovati benissimo. È vero che negli Stati Uniti è più frequente imbattersi in fast food che in veri e propri ristoranti, e che in Inghilterra rischi l'infarto già a colazione (il tradizionale *English breakfast* prevede salsicce, pancetta, fagioli e uova, il tutto fritto nel lardo!), ma se hai voglia di cercare scoprirai posti deliziosi e ottime pietanze!

Qui ti diamo qualche informazione di base sulle abitudini alimentari che puoi trovare nel Regno Unito o negli Stati Uniti, e soprattutto ti forniamo i termini necessari per evitare che la tua bistecca arrivi abbrustolita se la vuoi al sangue, o viceversa!

Americani e inglesi hanno abitudini e orari piuttosto diversi dai nostri. La colazione (*breakfast*) è considerata fondamentale perché deve permettere di rimanere attivi tutta la giornata: negli Stati Uniti molti non si fermano neanche per fare pausa a pranzo (*lunch*), si accontentano di uno spuntino e tirano avanti fino a cena (*dinner*). Sarà per questo che i ristoranti aprono alle 17 e di solito chiudono la cucina alle 22. Fa parte della tradizione americana anche il *brunch*, ormai famoso anche da noi: una commistione tra colazione e pranzo, meno formale di un pranzo, con la possibilità di servirsi da un buffet nel quale viene proposto qualunque tipo di cibo dolce o salato. Il *brunch* è tipico della domenica, quando ci si alza più tardi del solito e non si ha voglia di aspettare fino all'ora di pranzo per mettere qualcosa sotto i denti: viene normalmente servito dalle 10 alle 12.

Se fai un viaggio negli Stati Uniti ti consigliamo certamente di fare quest'esperienza... ad alto tasso calorico! Scoprirai in un colpo solo tutti gli ingredienti tipici di una colazione all'inglese o all'americana: *bacon* (sottili strisce di pancetta fritte), uova (*eggs over easy* sono le uova al tegamino, *scrambled eggs* quelle strapazzate), *pancakes*, *waffles*, frutta (*fruit*), torte (*cakes*), *roastbeef*, salsicce, salmone affumicato (*smoked salmon*), fagioli (da provare i classici *baked beans*, conditi con una salsa rossa leggermente agrodolce), verdura (*vegetables*) e molto altro ancora!

L'importante è non andare all'estero con l'idea di ritrovare la cucina di casa: evita i ristoranti italiani (a meno di poterti permettere davvero il meglio del meglio) e immergiti nella cultura locale. Anche se questo significa rivedere la pasta solo al tuo ritorno...

Inoltre, se stai girando per la città, non è detto che tu possa fermarti sempre in un ristorante. Ma ecco cinque diverse tipologie di posti dove potrai mangiare *on the go* (al volo):

- *Cafeteria* [cafitiria] o *cafe* [cafei]: il corrispondente della nostra tavola calda o di un bar ben fornito.
- *Street vendors*: venditori ambulanti che offrono cibi «poveri» ma sicuramente tipici: *pretzel* e *hot dog* a New York, *fish and chips* a Londra...
- *Pub*: se vai oltremanica sono un *must*! Troverai birra, panini e patatine, ma anche piatti di pollo o tortini ripieni di carne (*steak pie*).
- *Take away*: tranne i ristoranti più chic, quasi tutti sono pronti a impacchettarti qualsiasi cosa «da asporto».
- *Fast food*: le catene più grandi puoi trovarle anche in Italia... lascia perdere e prova quelle locali. Scoprirai che un hamburger o un trancio di pizza possono avere sapori anche molto diversi!

Scelto il posto, è ora di ordinare! Se sei in difficoltà puoi chiedere:

What's in this dish? (Che cosa c'è in questa pietanza?)

What would you recommend? (Che cosa mi consiglia?)

I'd like a local speciality. (Vorrei una specialità del posto.)

I'll have what they're having! (Prendo quello che stanno mangiando loro!)

I piaceri della carne

Nella cucina inglese e americana la carne ha un ruolo di primo piano. Ecco un po' di vocaboli che ti aiuteranno a esplorare questo «nuovo mondo», dove la pasta è un mero accompagnamento...

I tagli che incontrerai più spesso sono: *filet mignon* (punta di filetto), *strip steak* (sottofiletto), *ribeye* (costata di manzo), *sirloin* (controfiletto) e *t-bone steak* (simile alla nostra fiorentina).

I metodi di cottura:

	SCRITTURA	PRONUNCIA
Ai ferri	*Grilled*	[grilld]
Al forno	*Baked*	[beikt]
Arrosto	*Roast*	[rost]
Bollito	*Boiled*	[boild]
Al vapore	*Steamed*	[stiimd]
Alla griglia	*Barbecued / grilled*	[babechiud] / [grilld]
Stufato	*Stewed*	[stiud]

Se ordini un hamburger o una bella bistecca, il cameriere ti chiederà come li vuoi cotti: *How would you like it cooked?* Rispondi *rare* [rea] se ti piace la carne al sangue, *medium rare* [midium rea] per una cottura media, o *well done* [uell dan] se preferisci che sia tutto ben cotto.

Ecco qualche altro vocabolo che può aiutarti a scegliere dal menù:

	SCRITTURA	PRONUNCIA	RISCRIVI
Antipasto	*Appetizer / starter*	[appetaiser]/ [starta]	
Dolce	*Dessert*	[desser]	
Primi (considerati alla stregua dei nostri antipasti)	*Entrée*	[antrei]	
Pasto leggero	*Light meal*	[lait miil]	
Portata principale (in genere carne o pesce con contorno)	*Main course*	[mein cors]	
Insalata	*Salad*	[salad]	
Contorno	*Side dish*	[said disc] (C dolce)	
Zuppa	*Soup*	[sup]	
Bevanda	*Drink*	[drink]	
Aperitivo	*Aperitif*	[aperitif]	
Bibita	*Soft drink*	[soft drink]	
Liquore	*Spirits / liquor*	[spirits] / [licor]	
Birra	*Beer*	[bia]	
Birra rossa	*Ale*	[eil]	

All'estero la mancia (*tip*) è molto più importante che in Italia. Se non lasci nulla rischi di fare la figura del tirchio, e soprattutto di fare un gran torto al tuo cameriere: in alcuni casi lo stipendio di chi serve ai tavoli è costituito in gran parte, o persino del tutto, da quanto lasciato dai clienti.

Se sei nel dubbio, chiedi *Is the tip/service included in the bill?* prima ancora di sederti, così non avrai brutte sorprese alla fine di un'ottima cena!

Qualsiasi guida turistica ti darà informazioni utili su quali sono le abitudini locali in merito alle mance.

Sempre a proposito di pagamento: per chiedere il conto usa *bill* (*Can I have the bill, please?*). Negli Stati Uniti si utilizza invece il termine *check* (una delle differenze tra inglese britannico e americano) e puoi permetterti di essere più conciso: *Check, please!*

Infine, «Buon appetito!» non ha una traduzione diretta in inglese. Il cameriere ti augurerà *Enjoy your meal*, mentre tra commensali si prende in prestito dal francese un bel *Bon appetit!* [bon appetì]. Al posto del nostro «cin cin», alza il bicchiere e di' *Cheers!* [ciirs].

DAY FIFTEEN

Ripassa ciò che hai imparato l'ottavo giorno e quello che abbiamo fatto ieri; dopo, fai un paio di minuti di rilassamento e poniti consapevolmente l'obiettivo di affrontare lo studio e gli esercizi del quindicesimo giorno.

GRAMMAR RULES

Comparativi

Un aggettivo comparativo esprime un confronto tra due termini di paragone, che possono essere cose o persone.

Ha tre possibili declinazioni:

1. Comparativo di maggioranza: *I am taller than you* (Io sono più alto di te).
2. Comparativo di minoranza: *I am less tall than you* (Io sono meno alto di te).
3. Comparativo di uguaglianza: *I am as tall as you* (Io sono alto come te).

- **Comparativo di maggioranza:**

Si forma aggiungendo -ER all'aggettivo (se di una o due sillabe) oppure secondo il modello *more* + aggettivo, seguito da *than* subito prima del secondo termine di paragone.

Esempi:

Rabbits are faster than turtles. (I conigli sono più veloci delle tartarughe.)

Roses are more beautiful than daisies. (Le rose sono più belle delle margherite.)

Per gli aggettivi bisillabici puoi scegliere se aggiungere -ER o usare *more* + aggettivo: per esempio sono corretti sia *narrower* sia *more narrow*.

Nota che se il secondo termine di paragone è un pronome personale dovrai usare un pronome personale complemento (proprio come in italiano).

Esempio: *You are taller than me*. (Tu sei più alto di me.)

Per quanto riguarda la scrittura, sai già che una desinenza può creare qualche complicazione. Ecco le eccezioni alla semplice aggiunta di -ER:

a) Se un aggettivo termina con -E si aggiunge solo -R: per esempio *cute* (carino) diventa *cuter* (più carino).

b) Se un aggettivo termina con una consonante preceduta da una vocale, si raddoppia la consonante e si aggiunge -ER: per esempio *big* diventa *bigger*.

c) Se un aggettivo termina in -Y, quest'ultima si trasforma in I e poi si aggiunge -ER: per esempio *tidy* (ordinato) diventa *tidier* (più ordinato).

- Comparativo di minoranza:

È ancora più facile perché non fa distinzioni in base alla lunghezza dell'aggettivo di partenza. La regola è unica: *less* + aggettivo, e poi *than* prima del secondo termine di paragone.

Esempio:

Turtles are less fast than rabbits. (Le tartarughe sono meno veloci dei conigli.)

- Comparativo di uguaglianza:

Questa forma non usa il *than* e segue il modello:

as + aggettivo + *as*.

Esempio:

John is as fast as Marcus. (John è veloce quanto Marcus.)

Attenzione: tutto ciò che abbiamo detto finora vale anche per gli avverbi!

Per esempio: *I run faster than you, I work less efficiently than you, I love you as much as I love him* ecc.

Ma i confronti si possono fare anche con sostantivi e verbi.

- Comparativo di maggioranza con i sostantivi:

Il modello è:

more + sostantivo + *than*.

Se è *countable*, il sostantivo va al plurale, altrimenti va al singolare.

Esempi:

There are more people in China than in all of Europe. (Ci sono più persone in Cina che in tutta Europa.)

There is more traffic today than yesterday. (Oggi c'è più traffico di ieri.)

- **Comparativo di maggioranza con i verbi:**
  Il modello è:

  verbo + *more than* + ausiliare.

  Nel secondo termine di paragone di solito non si ripete il verbo ma si riprende solo l'ausiliare.
  Esempio:
  I ate more than you did. (Ho mangiato più di te.)

- **Comparativo di minoranza con i sostantivi:**
  Con i sostantivi *countables*:

  fewer + sostantivo (plurale) + *than*.

  Con i sostantivi *uncountables*:

  less + sostantivo (singolare) + *than*.

  Esempi:
  There are fewer people in all of Europe than in China. (Ci sono meno persone in tutta Europa che in Cina.)
  There was less traffic yesterday than today. (Ieri c'era meno traffico di oggi.)

- **Comparativo di minoranza con i verbi:**
  Il modello è:

  verbo + *less than* + ausiliare.

  Esempio:
  You ate less than I did.

- **Comparativo di uguaglianza con i sostantivi:**
  Con i sostantivi *countables*:

  as many + sostantivo (plurale) + *as*.

  Con i sostantivi *uncountables*:

  as much + sostantivo (singolare) + *as*.

Esempi:

There are as many people in Shanghai as in Australia. (Ci sono tante persone a Shanghai quante in Australia.)

There is as much traffic as yesterday. (C'è tanto traffico quanto ieri.)

Comparativo di uguaglianza con i verbi:
Il modello è:

verbo + *as much as* + ausiliare.

Esempio:

You ate as much as I did. (Hai mangiato tanto quanto me.)

Superlativi

Il superlativo è usato per esprimere la massima intensità di un aggettivo.

È «assoluto» quando l'aggettivo è espresso alla massima intensità senza alcun confronto (in italiano si usa la desinenza -ISSIMO), oppure «relativo» quando l'aggettivo è espresso alla massima intensità ma facendo riferimento a un termine di paragone definito.

* **Superlativo assoluto**
  Il modello è:

  very/really/extremely + aggettivo.

  Esempio:

  Rabbits are very/really/extremely fast. (I conigli sono molto/davvero/estremamente veloci, o velocissimi.)

* **Superlativo relativo**
  Il superlativo relativo invece usa regole simili a quelle del comparativo di maggioranza, ma richiede la desinenza -EST (per gli aggettivi di una o due sillabe) o l'aggiunta di *most* prima dell'aggettivo.

Esempi:

Jack is the fastest in his class. (Jack è il più veloce della sua classe.)
Jill is the most intelligent person I've ever met. (Jill è la persona più intelligente che io abbia mai conosciuto).

Come al solito ci sono delle eccezioni per quanto riguarda la scrittura delle parole modificate con l'aggiunta di una desinenza:

- Se un aggettivo termina per -E si aggiunge solo -ST: per esempio *nice* diventa *nicest*.
- Se un aggettivo termina con una consonante preceduta da una vocale, si raddoppia la consonante e si aggiunge -EST: per esempio *big* diventa *biggest*.
- Se un aggettivo termina in -Y, quest'ultima si trasforma in I e poi si aggiunge -EST: per esempio *tidy* diventa *tidiest*.

AVVERBI DI MODO

Mentre in italiano gli avverbi di modo finiscono in -MENTE (almeno... solitamente!), in inglese basta aggiungere -LY all'aggettivo. Ecco qualche esempio:

Rapido	*Rapid*	Rapidamente	*Rapidly*
Sicuro	*Sure*	Sicuramente	*Surely*
Felice	*Happy*	Felicemente	*Happily*

Anche per gli avverbi vale la regola per cui se finiscono in -Y quest'ultima viene sostituita da I prima di aggiungere -LY.

Fast, *hard*, *late* ed *early* sono sia aggettivi sia avverbi e non vengono modificati.

Esempi:

Tommy is a fast runner. (Tommy è un corridore veloce: *fast* è aggettivo.)

Tommy can run fast. (Tommy sa correre velocemente: *fast* come avverbio, non diresti mai *fastly!*)

Anche l'aggettivo *good* fa eccezione: corrisponde all'avverbio *well.*
Her French is very good. (Il suo francese è ottimo.)
She speaks French very well. (Lei parla molto bene il francese.)

Even

Even [iven] significa «ancor più» o «persino» e può servire a rafforzare un paragone.
Esempi:
I am even better than you. (Io sono persino meglio di te.)
John is even more handsome than James. (John è ancora più affascinante di James.)

As + sostantivo

Nel modello *as* + sostantivo, *as* [es] significa «come», «con la funzione di», «nel ruolo di».
Esempi:
I work as a receptionist. (Lavoro come receptionist.)
I use that table as a desk. (Uso quel tavolo come scrivania.)

Like + sostantivo o pronome

Anche *like* [laik] significa «come» ma si usa per fare un confronto.
Esempi:
She is just like me. (È esattamente come me.)
She dances like a butterfly. (Balla come una farfalla.)

VOCABULARY

Le festività

	SCRITTURA	PRONUNCIA	RISCRIVI
Festività	Holiday	[holidei]	
Pasqua	Easter	[ista]	
Natale	Christmas	[cristmas]	
Capodanno	New Year	[niù iar]	
Vigilia	Eve	[iiv]	
Carnevale	Carnival/mardi gras	[carnival]/ [mardi gra]	
Giorno del ringraziamento	Thanksgiving	[thenksgivin]	
Battesimo	Christening	[cristenin]	
Anniversario	Anniversary	[anniversari]	
Viaggio di nozze	Honeymoon	[hanimuun]	
Evento/ avvenimento	Event	[ivènt]	

Le parole del giorno

	SCRITTURA	PRONUNCIA	RISCRIVI
Scartare	To unwrap (regolare)	[tu anrap]	
Andare in pensione	To retire (regolare)	[tu ritair]	
Innamorarsi	To fall, fell, fallen in love	[tu fol, fel, follen in lov]	
Nascere	To be, was, been born	[tu bi, uos, biin born]	
Scambiare	To exchange (regolare)	[tu ics-ceing]	
Impaurire	To scare (regolare)	[tu schea]	

233

Pacco	Package	[pekig] (G dolce)	
Giocattolo	Toy	[toi]	
Personaggio	Character	[caracter]	
Fiera	Fair	[fea]	
Guida	Guide	[gaid]	
Paradiso	Paradise	[paradais]	
Vestito/costume	Costume	[costium]	
Strega	Witch	[uitc] (C dolce)	
Mago	Wizard	[uisard]	
Mostro	Monster	[monsta]	
Insalata	Salad	[salad]	
Panino	Sandwich	[senduic] (C dolce)	
Olio	Oil	[oil]	
Zaino	Backpack	[bekpek]	
Cuscino	Pillow	[pillou]	

Altri aggettivi utili

	SCRITTURA	PRONUNCIA	RISCRIVI
Confuso	Confused	[confiusd]	
Morbido	Soft	[soft]	
Grato	Grateful	[greitful]	
Ingrato	Ungrateful	[angreitful]	
Rapido	Quick	[quik]	
Caro	Dear	[diar]	
Sincero	Sincere	[sinsia]	
Popolare	Popular	[popiula]	
Gentile	Kind	[kaind]	
Inaspettato	Surprising	[surpraisin]	

Scemo	*Dull*	[dall]	
Crudele	*Cruel*	[cru(e)l]	
Coraggioso	*Brave*	[breiv]	
Disgustoso	*Nasty*	[nesti]	
Gustoso	*Savory*	[sevori]	
Maleducato	*Rude*	[rud]	
Sciatto	*Shabby*	[sciabbi]	
Vivace	*Lively*	[laivli]	
Noioso	*Boring*	[borin]	
Pigro	*Lazy*	[lesi]	
Rumoroso	*Noisy*	[noisi]	
Socievole	*Sociable*	[sosciabol]	
Timido	*Shy*	[sciai]	
Riservato	*Reserved*	[riservd]	
Loquace	*Talkative*	[tolkativ]	
Introverso	*Introverted*	[introvertid]	
Educato/cortese	*Polite*	[polait]	
Moderno	*Modern*	[modern]	
Adatto	*Fit*	[fit]	
Inadatto	*Unfit*	[anfit]	
Pericoloso	*Dangerous*	[deingeros]	
Scortese	*Unpolite*	[anpolait]	
Fastidioso	*Annoying*	[annoin]	
Comodo/ confortevole	*Comfortable*	[comfortabol]	
Scomodo/ non confortevole	*Uncomfortable*	[ancomfortabol]	
Immediato	*Immediate*	[immidiet]	

Importante	*Important*	[important]	
Trascurabile	*Unimportant*	[animportant]	
Giusto	*Right*	[rait]	
Sbagliato	*Wrong*	[(u)ron]	
Rumoroso	*Loud*	[laud]	
Quieto	*Quiet*	[quaiet]	
Intelligente	*Intelligent*	[intelligent]	
Stupido	*Stupid*	[stiupid]	
Orribile	*Horrible*	[horribol]	
Terribile	*Terrible*	[terribol]	
Spaventoso	*Frightful*	[fraitful]	
Pauroso	*Scary*	[scheri]	

IDIOMS

U-turn (letteralmente: «Curva a U»)

Pronuncia: [iu t(u)rn].

Significato: Inversione «a U».

Esempio: *Make a U-turn when possible.* (Fai un'inversione quando possibile.)

Third degree (letteralmente: «Terzo grado»)

Pronuncia: [th(i)rd degrii].

Significato: il terzo grado, un interrogatorio molto duro.

Esempio: *I came home late and I got a third degree from my mom.* (Sono tornato a casa tardi e mia mamma mi ha fatto il terzo grado.)

Like shooting fish in a barrel (letteralmente: «Come sparare ai pesci in un barile»)

Pronuncia: [laik sciuutin fisc in a barrel].

Significato: Un gioco da ragazzi.

Esempio: *I'm good at athletics. Running a mile is like shooting fish in a barrel for me.* (Sono bravo in atletica. Correre un miglio è un gioco da ragazzi per me.)

Made of money (letteralmente: «Fatto di soldi»)

Pronuncia: [meid of mani].

Significato: Avere un sacco di soldi.

Esempio: *You need to be made of money to have a car like that!* (Devi avere un sacco di soldi per avere una macchina come quella!)

No pain, no gain (letteralmente: «Niente dolore, niente guadagno»)

Pronuncia: [no pein, no ghein].

Significato: Senza sacrifici non si ottiene nulla (si usa soprattutto nello sport).

Esempio: *Come on, one more lap! No pain, no gain!* (Forza, ancora un giro! Senza sacrifici non si ottiene nulla!)

Esercizio 15.1

Scegli la soluzione corretta.

1. *Don't speak so ~~quick~~/quickly. We don't understand you.*
2. *This pillow is very soft/softly.*
3. *My pen friend and I have a very nice/nicely friendship.*
4. *When I saw him, I immediate/immediately got excited.*
5. *She shouted at him angry/angrily.*
6. *Did you have a pleasant/pleasantly surprise yesterday night?*
7. *Were you pleasant/pleasantly surprised?*
8. *Can you speak slow/slowly, please?*
9. *When he wants something, he is determined/determinedly.*
10. *Please listen careful/carefully.*

Esercizio 15.2

Traduci dall'italiano all'inglese.

1. Improvvisamente cominciò a piovere molto forte.
2. A scuola mi sto annoiando.
3. Oggi sono stanco. Questa notte non ho dormito bene.
4. Puoi imparare l'inglese facilmente se studi ogni giorno.
5. Claudio è un buon giocatore ma ieri ha giocato male.

Esercizio 15.3

Completa la tabella con il comparativo di maggioranza dell'aggettivo dato.

Popular	More popular	Careful	
Strong		Unlucky	
Light		Lucky	
Kind		Late	
Cold		Fast	
Safe		Good	
Weak		Tired	
Heavy		Dull	

Esercizio 15.4

Scrivi il contrario dell'aggettivo.

Older	Younger	Wronger	
Worse		Shier	
Nearer		Lazier	
Larger		Nastier	
Dirtier		Fitter	

Esercizio 15.5

Traduci le seguenti frasi facendo attenzione all'uso del comparativo.

1. Tu non sei molto alto, tua sorella è più alta.
2. Tu sei più basso di lui.
3. Sono ogni giorno più innamorata, oggi più di ieri.
4. Chi è più vecchio? Mio nonno è più vecchio del tuo.
5. Costa di più questo panino o quell'insalata? Il panino costa molto di più dell'insalata.
6. È più importante andare a Londra o a Parigi? Andare a Londra è più importante che andare a Parigi.
7. È meno caro viaggiare in treno. Sì, ma anche meno comodo e veloce.
8. Jack è meno timido di Sam.
9. Oggi in cielo ci sono meno nuvole di ieri.
10. Questo vestito non ti sta bene come quello che avevi prima.
11. L'olio è meno pesante dell'acqua.

Esercizio 15.6

Completa le frasi inserendo il comparativo di maggioranza, minoranza e uguaglianza nel modo corretto.

comparativo di maggioranza

Your kitchen is (grande) *bigger than mine.*
This backpack is (piccolo)_____ *that one.*
Lisa is (pigra) _____ *anybody.*
Those answers are (oneste) _____ *the others.*
Your sunglasses are (belli) _____ *hers.*
My children are (educati)_____ *them.*

comparativo di uguaglianza

Your kitchen is (grande) *as big as mine.*
This backpack is (piccolo)_____ *that one.*
Lisa is (pigra) _____ *anybody.*
Those answers are (oneste) _____ *the others.*
Your sunglasses are (belli) _____ *hers.*
My children are (educati) _____ *them.*

comprarativo di minoranza

Your kitchen is (**grande**) *less big than mine.*
This backpack is (**piccolo**) _____ *that one.*
Lisa is (**pigra**) _____ *anybody.*
Those answers are (**oneste**) _____ *the others.*
Your sunglasses are (**belli**) _____ *hers.*
My children are (**educati**) _____ *them.*

ESERCIZIO 15.7

Traduci in inglese.

1. Il treno non è comodo come l'aereo.
2. Ilary ha tanti soldi quanti Joe nel suo portafoglio.
3. Sam non è vecchio come John.
4. Il mio autobus parte alla stessa ora del tuo.
5. A te piace studiare inglese quanto a me piace studiare spagnolo.

ESERCIZIO 15.8

Completa le frasi con il superlativo.

1. *Christmas Day is a good day. It is the best day in the year.*
2. *Clare is a young girl. She's _____ in the class.*
3. *This is a beautiful flower. It's _____ I've ever seen.*
4. *It was a very happy day. It was _____ of my life.*
5. *Your husband is very nice. He is _____ I've ever met.*
6. *Today my homework is very difficult. It is _____ for this week.*
7. *This child is very rude. He is _____ I've ever known.*

CONVERSATION TIME

Bookings

Stai finalmente per partire per il viaggio nella città dei tuoi sogni: Londra o New York?

È importante organizzare tutto in modo da poterti finalmente godere la tua vacanza!

Il nostro primo consiglio pratico è quello di procurarti una carta di credito, o almeno una prepagata, sia per prenotare tutto quello che ti serve su Internet sia perché è il metodo di pagamento più diffuso all'estero. Negli Stati Uniti si paga con la carta di credito anche solo un pacchetto di *chewing gum*!

Ecco alcune frasi utili se avrai bisogno di prenotare un volo oppure un viaggio in treno o in autobus all'estero:

I'd like to know if there are any flights to Las Vegas this week. (Vorrei sapere se ci sono voli per Las Vegas questa settimana.)

When is the next train/bus to London? (Quando parte il prossimo treno/autobus per Londra?)

Would you like a one way or return? (Desidera solo andata o vuole un biglietto andata e ritorno?)

One seat on the next flight, please. (Un posto sul prossimo volo per favore.)

Would you like a window or an aisle seat? (Preferisce un posto vicino al finestrino o sul corridoio?)

Do you prefer business or economy class? (Preferisce la classe business o l'economy?)

Can you confirm the ticket? (Conferma il biglietto?)

Se invece devi fare una prenotazione in albergo dovrai affrontare molte più variabili!

Puoi esordire dicendo: *I'd like to book a room please.* (Vorrei prenotare una stanza.)

Subito ti chiederanno di fare la prima scelta:

Single room (camera singola)

Double room (camera doppia con letto matrimoniale)

Twin room (camera doppia con due letti singoli)

En suite (il bagno è in camera)

Would you like a smoking or non-smoking room? (Desidera una camera dove è consentito fumare oppure no?)

Se non hai la fortuna di avere un budget illimitato, chiedi: *How much is it for one person?*

Per concludere la prenotazione, potrebbero chiederti:

How long will you be staying? (Quanto intende fermarsi?)

Who's the booking for? (A nome di chi è la prenotazione?)

Se hai fatto la prenotazione al telefono, quando arrivi nella lobby dell'hotel presentati dicendo:

Hi, I'm Mr Italian and I have a reservation.

Quando la persona alla reception o *front desk* ti avrà dato le chiavi, non dimenticare di chiedere:

When is breakfast served? e *Where is it served?*

Ricordati di chiedere se la colazione è inclusa: non è detto che negli Stati Uniti, per esempio, sia sempre compresa nel pacchetto!

Is breakfast included in room rate?

Se hai bisogno di chiarimenti sul checkout, puoi chiedere:

At what time is checkout? (A che ora è il checkout?)

Can I have a late checkout? (Posso ritardare il checkout?)

Can I leave my bag here? (Posso lasciare la mia valigia qui?)

Infine, sperando che non ti capiti di dover usare frasi come *I'm locked out of my room!* (Sono rimasto chiuso fuori dalla stanza!), potrai salutare dicendo: *I had a great stay here, thank you. I'll recommend the hotel to my friends.* (Sono stato molto bene qui, grazie. Consiglierò l'hotel ai miei amici.)

DAY SIXTEEN

Ripassa ciò che hai imparato ieri e nel nono giorno. Quando hai finito, fai un paio di minuti di rilassamento e poniti consapevolmente l'obiettivo di affrontare lo studio e gli esercizi del sedicesimo giorno.

GRAMMAR RULES

Present perfect

Il *present perfect* si forma con l'ausiliare *to have* al *simple present* e il participio passato del verbo. Si utilizza per indicare un'azione avvenuta in un tempo passato indeterminato, non ancora conclusa o che ha molta importanza anche nel presente. In italiano si traduce con il passato prossimo.

È diverso dal *simple past* perché (ricordi?) quest'ultimo indica un'azione conclusa nel passato, avvenuta in un tempo determinato (*yesterday*, *last week* ecc.).

In italiano questa distinzione è ormai in disuso, soprattutto al Nord, ma un tempo anche noi usavamo il passato prossimo e il passato remoto per distinguere le azioni semplicemente «passate» da quelle proprio «finite». Può sembrarti una complicazione, ma l'uso corretto di *simple past* e *present perfect* permette agli inglesi di capire subito se stai parlando di qualcosa che ha un'influenza sul presente o se l'azione è relegata al passato.

Per esempio se dici *Yesterday I bought a new dress* (*simple past*) indichi che l'azione in sé è conclusa e trasmetti l'idea che stai solo raccontando un fatto passato. Se invece dici *I have bought a new dress* (*present perfect*) il tuo interlocutore potrebbe percepire che sottintendi la domanda: «Ti piace?» L'acquisto che hai fatto ha rilevanza per te in questo momento e forse vuoi la sua opinione in merito.

La forma affermativa del *present perfect* si forma seguendo questo modello:

soggetto + *have/has* + participio passato + complemento.

ESERCIZIO 16.1

Leggi gli esempi e completa.

Ho rotto il vaso di fiori.	*I have broken the flower vase.*
Lei ha perso il suo passaporto.	*She has lost her passport.*

Abbiamo comprato una nuova bici.	_____
Jim è andato in palestra.	_____
Sono andati a dormire tardi.	_____

Forma negativa, interrogativa e interrogativo-negativa

Il modello per la forma negativa è:

soggetto + *have/has* + *not* + participio passato + complemento.

ESERCIZIO 16.2

Leggi gli esempi e completa.

Non ho rotto il vaso di fiori!   *I haven't broken the flower vase!*
Lei non ha perso il passaporto.   *She hasn't lost her passport.*

Non abbiamo comprato una nuova   _____
bici.   _____
Jim non è andato in palestra.   _____
Non sono andati a dormire tardi.   _____

Il modello per la forma interrogativa invece è:

have/has + soggetto + participio passato + complemento + ?

ESERCIZIO 16.3

Leggi gli esempi e completa.

Hai rotto il vaso di fiori?   *Have you broken the flower vase?*
Lei ha perso il passaporto?   *Has she lost her passport?*

Avete comprato una bici nuova?   _____
Jim è andato in palestra?   _____
Sono andati a dormire tardi?   _____

Infine, la forma interrogativo-negativa!

have/has + *n't* + soggetto + participio passato + complemento + ?

ESERCIZIO 16.4

Leggi gli esempi e completa.

Non hai rotto il vaso di fiori?   *Haven't you broken the flower vase?*
Lei non ha perso il passaporto?   *Hasn't she lost her passport?*

Non avete comprato una bici nuova?   _____
Jim non è andato in palestra?   _____
Non sono andati a dormire tardi?   _____

Short answers

Rispondere alle domande volte al *present perfect* è semplice: basta riprendere l'ausiliare *to have*.

Per esempio:

Yes, I have/No, I haven't, Yes, she has/No, she hasn't.

Avverbi al posto giusto

Quando il verbo è a un tempo composto come il *present perfect*, i seguenti avverbi vanno posti tra l'ausiliare e il participio.

	SCRITTURA	PRONUNCIA	RISCRIVI
Quasi	*Almost*	[olmost]	
Già	*Already*	[olredi]	
Sempre	*Always*	[olueis]	
Appena	*Just*	[giast]	
Mai	*Ever*	[eva]	
Non, mai	*Never*	[neva]	
Spesso	*Often*	[offen]	
Raramente	*Rarely/seldom*	[rearli]/[seldom]	

Altri avverbi, invece, vanno posti alla fine della frase:

	SCRITTURA	PRONUNCIA	RISCRIVI
Recentemente	*Recently*	[risentli]	
Ultimamente	*Lately*	[leitli]	
Ancora, già (in frasi negative e interrogative)	*Yet*	[iet]	

Esempi:

I have often thought of you this week. (Ti ho pensato spesso questa settimana.)

Has he ever borrowed money from you? (Ha mai preso in prestito soldi da te?)

I haven't started my new book yet. (Non ho ancora iniziato il mio nuovo libro.)

You have printed out so many documents lately! (Ultimamente hai stampato tantissimi documenti!)

Esercizio 16.5

Completa le frasi utilizzando il *present perfect* di uno dei verbi elencati qui sotto.

clean	send	close	finish	go
pay	receive	pass	buy	finish

1. He has cleaned his shoes.
2. You _____ a letter from Lucy.
3. She _____ the door.
4. I (not) _____ the book yet.
5. We (not) _____ the rent this month.
6. Clark _____ us a postcard from Rome.
7. I (not) _____ oral exam.
8. _____ (it) raining?
9. _____ (you) a new dress?
10. _____ (they) to bed already?

Esercizio 16.6

Traduci le seguenti frasi utilizzando il *present perfect*.

1. Il treno è appena arrivato.
2. Ho bevuto tutta l'acqua della bottiglia.
3. Joe è stato qui.
4. Il film è già iniziato.
5. Ho chiesto informazioni, ma non ho capito la risposta.
6. Carl e Sophie si sono incontrati al parco.

7. Hai imparato bene l'inglese.
8. Alla signora Mercur è sempre piaciuto dipingere.
9. Hanno trascorso tutta la loro vita a Parigi.
10. Finora non ho mai baciato nessuno.

Esercizio 16.7

Ora trasforma le frasi tradotte nell'esercizio precedente nella forma negativa e interrogativa. Poi inventa una *short answer* per rispondere.

Negativa	Interrogativa	Short answer
_____	_____	_____
_____	_____	_____
_____	_____	_____
_____	_____	_____
_____	_____	_____
_____	_____	_____
_____	_____	_____
_____	_____	_____
_____	_____	_____
_____	_____	_____

Esercizio 16.8

Coniuga i verbi tra parentesi al *present perfect* o al *simple past*.

1. I (just/make) _____ some tea. Would you like some? No, thanks. I (have) _____ some an hour ago and I (just/have) _____ coffee with Sam. Where (meet) _____ him?
2. You (have/just) _____ a horrible dream. What (eat) _____ at dinner yesterday?
3. (Sue/pass) _____ her driving test? Yes, but she (not/receive) _____ her driving license yet. Last week she (drive) _____ my car twice. She's a good driver.
4. I (eat) _____ too much yesterday and I still feel full.

Esercizio 16.9

Immagina di intervistare Sam. Formula delle frasi con *Have you ever…?*

1. *(play/baseball) Have you ever played baseball? No, I never have.*
2. *(be/Berlin)* _____
   Yes, I have twice.
3. *(buy/BMW)* _____
   No, I never have.
4. *(be/Greece)* _____
   No, I never have.
5. *(have/headache)* _____
   Yes, I have, many times.
6. *(play/chess)* _____
   Yes, I have a few times.
7. *(eat/Indian food)* _____
   Yes, I have once.

Esercizio 16.10

Scrivi delle frasi su Sam tenendo conto delle sue risposte nell'esercizio precedente.

1. *(be/Berlin) Sam has been to Berlin twice.*
2. *(be/Greece)* _____
3. *(play/baseball)* _____
4. *(have/headache)* _____
5. *(eat/Indian food)* _____

Esercizio 16.11

Ora scrivi le stesse frasi parlando di te stesso. Quante volte hai fatto queste cose?

1. *(be/Berlin)* _____
2. *(be/Greece)* _____
3. *(play/baseball)* _____
4. *(have/headache)* _____
5. *(eat/Indian food)* _____

VOCABULARY

Il corpo

	SCRITTURA	PRONUNCIA	RISCRIVI
Testa	*Head*	[hed]	
Collo	*Neck*	[nek]	
Spalla	*Shoulder*	[sciolda]	
Schiena	*Back*	[bek]	
Torace/petto	*Chest*	[cest]	
Seno	*Breast*	[brest]	
Pancia	*Belly*	[belli]	
Braccio	*Arm*	[arm]	
Gomito	*Elbow*	[elbou]	
Avambraccio	*Forearm*	[forarm]	
Polso	*Wrist*	[rist]	
Mano	*Hand*	[hend]	
Dito	*Finger*	[finga]	
Sedere	*Bottom*	[bottom]	
Coscia	*Thigh*	[thai]	
Ginocchio	*Knee*	[nii]	
Gamba	*Leg*	[leg] (G dura)	
Polpaccio	*Calf*	[calf]	
Caviglia	*Ankle*	[encol]	
Piede	*Foot*	[fuut]	
Pelle	*Skin*	[skin]	
Faccia	*Face*	[feis]	

Capelli	*Hair*	[hea]	
Fronte	*Forehead*	[forhed]	
Sopracciglio	*Eyebrow*	[aibrau]	
Ciglio	*Eyelash*	[ailasc] (C dolce)	
Occhio	*Eye*	[ai]	
Orecchio	*Ear*	[iar]	
Guancia	*Cheek*	[ciik]	
Naso	*Nose*	[nous]	
Bocca	*Mouth*	[mauth]	
Labbro	*Lip*	[lip]	
Mento	*Chin*	[cin]	

I cinque sensi

	SCRITTURA	PRONUNCIA	RISCRIVI
Vista	*Sense of sight*	[sens of sait]	
Vedere	*To see, saw, seen*	[tu sii, sou, siin]	
Guardare	*To watch* (regolare) / *To look* (regolare)	[tu uotc] (C dolce) / [tu luk]	
Tatto	*Sense of touch*	[sens of tac] (C dolce)	
Toccare	*To touch* (regolare)	[tu tac] (C dolce)	
Spingere	*To push* (regolare)	[tu pusc] (C dolce)	
Tirare	*To pull* (regolare)	[tu pull]	
Sentire (tatto)	*To feel, felt, felt*	[tu fiil, felt, felt]	
Olfatto	*Sense of smell*	[sens of smell]	

Annusare	To smell (regolare)	[tu smell]	
Udito	Sense of hearing	[sens of hirin]	
Sentire	To hear, heard, heard	[tu hiar, h(e)rd, h(e)rd]	
Ascoltare	To listen (regolare)	[tu lissen]	
Gusto	Sense of taste	[sens of teist]	
Respirare	To breath (regolare)	[tu brith]	
Parlare	To talk (regolare)	[tu tok]	
Gridare	To shout (regolare)	[tu sciaut]	
Urlare	To scream (regolare)	[tu scriim]	
Sussurrare	To whisper (regolare)	[tu uispa]	
Cantare	To sing, sang, sung	[tu sing, seng, sang] (G dura)	
Gustare	To taste (regolare)	[tu teist]	
Sembrare	To seem (regolare)	[tu siim]	

Malesseri, sintomi e medicinali

	SCRITTURA	PRONUNCIA	RISCRIVI
Febbre	Fever	[fiva]	
Mal di testa	Headache	[hedeic] (C dura)	
Tosse	Cough	[caf]	
Starnuto	Sneeze	[sniiz]	
Raffreddore	Cold	[cold]	
Influenza	Flu	[flu]	

Crampi	*Cramps*	[cremps]	
Nausea	*Nausea*	[noscia]	
Infarto	*Heart attack*	[hart attak]	
Diabete	*Diabetes*	[daiabitis]	
Vomitare	*To vomit* (regolare)	[tu vomit]	
Ictus	*Stroke*	[stro(u)k]	
Pressione sanguigna	*Blood pressure*	[blad prescia]	
Svenire	*To faint* (regolare)	[tu feint]	
Mal di stomaco	*Stomach ache*	[stomac eic] (C dure)	
Diarrea	*Diarrhoea*	[daiarria]	
Ricetta	*Prescription*	[prescripscion]	
Far male	*To hurt, hurt, hurt*	[tu h(u)rt]	
Taglio	*Cut*	[cat]	
Livido	*Bruise*	[brus]	
Ustione	*Burn*	[b(u)rn]	
Morso	*Bite*	[bait]	
Ferita	*Wound*	[vuund]	
Cerotto	*Plaster* (per gli inglesi) o *band-aid* (per gli americani)	[plaster]/ [bendeid]	
Soffocare	*To choke* (regolare)	[tu cio(u)k]	
Antidolorifico	*Painkiller*	[peinkilla]	
Iniezione	*Injection*	[ingecscion]	
Sedia a rotelle	*Wheelchair*	[uiilcea]	

Le parole del giorno

	SCRITTURA	PRONUNCIA	RISCRIVI
Fresco	*Cool*	[cuul]	
Vento	*Wind*	[uind]	
Sciarpa	*Scarf*	[scarf]	
Lezione	*Lesson*	[lesson]	
Preoccupato	*Worried*	[uorrid]	
Convincere	*To convince* (regolare)	[tu convins]	
Promessa	*Promise*	[promis]	

IDIOMS

Benefit of the doubt (letteralmente: «Beneficio del dubbio»)
Pronuncia: [benefit of de daut].
Significato: Beneficio del dubbio.
Esempio: *I don't know if I can trust you, but I will give you the benefit of the doubt.* (Non so se fidarmi di te, ma ti do il beneficio del dubbio.)

Beyond me (letteralmente: «Al di là di me»)
Pronuncia: [biiond mi].
Significato: Fuori dalla mia portata, fuori dalla mia capacità di comprensione, non lo capisco.
Esempio: *How you could cheat on me like that is beyond me!* (Non capisco come tu abbia potuto tradirmi in quel modo!)

Bite your tongue (letteralmente: «Morditi la lingua»)
Pronuncia: [bait io(u)r tang] (G dura).

254

Significato: Mordersi la lingua (per non dire qualcosa).

Esempio: *I wanted to tell her everything I thought about her, but I bit my tongue.* (Volevo dirle tutto quello che penso di lei, ma mi sono morso la lingua.)

Quick fix (letteralmente: «Riparazione veloce»)
Pronuncia: [quik fics].
Significato: Palliativo, soluzione rapida ma spesso di breve durata, che non risolve la causa del problema.
Esempio: *Taking a pill for your headache will only be a quick fix.* (Prendere una pastiglia per il tuo mal di testa sarà solo un palliativo.)

As quiet as a mouse (letteralmente: «Silenzioso come un topo»)
Pronuncia: [es quaiet es a maus].
Significato: A passo felpato, in modo estremamente silenzioso, che quasi non si sente.
Esempio: *I didn't hear you come home last night, you must have been as quiet as a mouse.* (Non ti ho sentito tornare a casa ieri sera, devi essere stato molto silenzioso.)

Inserisci i termini al posto corretto.

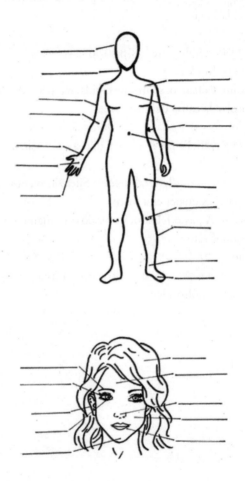

ESERCIZIO 16.13

Completa l'esercizio inserendo i termini inglesi che significano «sembrare», «sentire» o «provare».

1. John _____ angry!
2. He opened the door and _____ the cool wind on his face.
3. This scarf _____ very soft.
4. I've never seen her _____ so happy before.
5. "How are you?" "I'm afraid I don't _____ very well today."

ESERCIZIO 16.14

Completa le frasi inserendo i termini inglesi che significano «vedere» o «sentire».

1. Susy and Clare _____ that stupid soap opera on TV every day.
2. When I'm worried I _____ to some music.
3. The students _____ to their teacher giving a lesson.
4. _____ out the window! It's snowing!
5. It's hard _____ the doorbell from here.

ESERCIZIO 16.15

Completa le frasi con *some* o *any* e una delle seguenti parole:

shampoo   clothes   word   voice
painkiller   biscuits   friends

1. I'm not going to buy _____.
2. I want to wash my hair. Is there _____?
3. I baked _____ for my children.
4. I'm not hearing _____.
5. You are listening to _____.
6. Yesterday, we went to the cinema with _____ of mine.
7. "I'm hurt." "Do you have _____?"

ESERCIZIO 16.16

Completa le frasi inserendo un verbo e un aggettivo in base al disegno.

verbi: *feel   look   taste   sound   smell   seem*

aggettivi: *dangerous   bored   good   surprising   horrible   noisy*

He _____.   They _____.   It _____.

It _____.   He _____.   It _____.

ESERCIZIO 16.17

Traduci in inglese.

1. Come stai? Mi sono ferito alla mano e ho qualche livido. Pensavo andasse peggio!
2. Hai cucinato una torta? C'è un buon odore in questa cucina.
3. Ieri ho sussurrato qualche risposta a Carl durante il test. Si è sentito subito meglio.
4. Ho mal di testa. Forse è meglio se vado a dormire un po'.
5. Lucy ha paura delle iniezioni. Tutte le volte che ne deve fare una la devo convincere con qualche promessa.
6. Stavo andando a Roma in moto quando sono caduto e mi sono ustionato.
7. Nonna, il dottore ha detto che hai il diabete. Non puoi mangiare alcun dolce, mi dispiace.

8. Il mio olfatto funziona benissimo ma a volte non riconosco i gusti.
9. Non toccarlo da nessuna parte! Ha male ovunque.
10. Ho la pelle secca. Hai un po' di crema per favore?

Per concludere, ripassa tutto ciò che hai studiato oggi.

CONVERSATION TIME

Places and directions

Finalmente sei arrivato a destinazione ma non sai come raggiungere un buon ristorante o i monumenti più importanti? Semplice: basta chiedere!

Puoi rivolgerti anche alla reception dell'hotel: di solito hanno una cartina della città con i punti di interesse segnalati. Chiedere indicazioni su come raggiungere un posto è sicuramente un buon momento per esercitarti con l'inglese, ma evita di creare frasi complicate solo per il gusto di far vedere che sai la grammatica! Rischi di non trovare nessuno disposto ad aiutarti se perdi mezz'ora a formulare una domanda.

Memorizza bene queste frasi semplici ed efficaci:

Where is the Statue of Liberty? (Dov'è la Statua della Libertà?) se proprio non sai dove si trova e devi partire da zero.

Which way is the Statue of Liberty? (Da che parte è la Statua della Libertà?) se sai di essere vicino e devi solo capire che strada prendere.

How can I get there? (Come ci arrivo?) se sai dove si trova quello che cerchi ma non sai come arrivarci.

How far is it? (Quanto è lontano?) se non riesci a capire quanto sia distante.

Con i mezzi pubblici o in auto

Ecco qualche frase utile se ti muovi con i mezzi pubblici:

Where can I buy a ticket? (Dove posso comprare un biglietto?)

Is there a weekly pass? (C'è un abbonamento settimanale?)

Are there any special weekend rates? (Ci sono delle tariffe speciali nel weekend?)

Could I have a subway/underground map? (Potrei avere una cartina della metropolitana?)

What line goes to...? (Quale linea va a...?)

Se invece sei in macchina è importante che tu conosca almeno queste indicazioni stradali:

Give way (**Dare la precedenza**)
Keep clear (**Passo carrabile**)
Motorway/Highway (**Autostrada**)
No overtaking (**Divieto di sorpasso**)
One-way (**Senso unico**)
Roadworks (**Lavori in corso**)
Slow down (**Rallentare**)
Toll (**Pedaggio**)
Tow-away zone (**Rimozione forzata**)
Roundabout (**Rotonda**)

Se già è importantissimo seguire le regole e rispettare i limiti di velocità in Italia, a maggior ragione devi prestare attenzione in un Paese straniero: né i poliziotti americani né quelli inglesi sono particolarmente gentili o clementi con gli stranieri che infrangono le regole!
Potresti tornare a casa e dover dire: *I was fined for speeding* (**Sono stato multato per eccesso di velocità**) o *I got a very big fine!* (**Ho preso una multa molto salata!**).

A questo punto non ti resta che prepararti, trovare una cartina della città e segnare i posti che vuoi visitare! Se ti perdi o hai bisogno di un consiglio per orientarti, non aver paura di chiedere a un passante. L'unico rischio che corri è scordarti le indicazioni perché mentre la persona ti risponde starai pensando: «Sono stato davvero bravissimo, guarda come ha capito in fretta! Ormai ho l'inglese in pugno!»

DAY SEVENTEEN

Ripassa ciò che hai imparato ieri e il decimo giorno. Quando hai finito, fai un paio di minuti di rilassamento e poniti consapevolmente l'obiettivo di affrontare lo studio e gli esercizi del diciassettesimo giorno.

GRAMMAR RULES

Present perfect continuous

Per indicare un'azione cominciata nel passato, ma che sta perdurando nel presente, si utilizza il *present perfect continuous*. Questo tempo si ottiene aggiungendo *been* e il verbo in -ING (anziché il participio passato) all'ausiliare *to have*:

soggetto + *have/has* + *been* + gerundio (verbo in -ING).

Esempi:

I've been baking biscuits since I woke up! (**Sto cucinando biscotti da quando mi sono alzato!**)

I have not been paying enough attention to you. (**Non ti sto prestando abbastanza attenzione.**)

Have you been playing videogames all afternoon? No mom, I've just started! (Hai giocato ai videogiochi tutto il pomeriggio? No, mamma, ho appena iniziato!)

For e since

For e *since* servono per specificare da quanto tempo perdura l'azione espressa con il *present perfect continuous*.

Più in particolare, *for* si usa per indicare per quanto tempo si è svolta un'azione e *since* si usa per esprimere il momento d'inizio di un'azione.

Per esempio, se sono 4 anni che vivo negli Stati Uniti e qualcuno mi chiede: *How long have you been living in the United States?* posso rispondere in due modi: *I've been living in the United States for 4 years* oppure *I've been living in the United States since 2010*.

Esercizio 17.1

Coniuga il verbo tra parentesi al *present perfect continuous*.

1. I (wait) *have been waiting for the bus for a few minutes.*
2. "How long (you) _____ on holiday?" "(I) _____ on holiday since August 10th."
3. "How long (you/learn) _____ English?" "(I/learn)_____ English for seventeen days."
4. She (work) _____ here since 2004.
5. They (sit) _____ down since 9 o'clock.
6. Annie (type) _____ letters all day long.
7. Is the baby still crying? I hope she (not/cry) _____ all the time.
8. You (watch) _____ TV only for a short time.
9. Mark (prepare) _____ for this trip with his wife for a month.
10. I (laugh) _____ since this morning.

Esercizio 17.2

Traduci utilizzando il *present perfect continuous*.

1. Sto girovagando (*to wander*) a Londra da una settimana.
2. Sta piovendo da stamattina.
3. Lisa vive in quella casa dal 1986. Sta costruendo una casa nuova da un anno.
4. Sto camminando verso la scuola da 15 minuti.
5. Stai aspettando qualcuno? Sì, aspetto Matthew dalle 15.00.

VOCABULARY

Le parole del giorno

	SCRITTURA	PRONUNCIA	RISCRIVI
Ricevere	*To receive* (regolare)	[tu risiv]	
Unire	*To join* (regolare)	[tu gioin]	
Battere a macchina	*To type* (regolare)	[tu taip]	
Sperare	*To hope* (regolare)	[tu houp]	
Copiare	*To copy* (regolare)	[tu copi]	
Disegnare	*To draw, drew, drawn*	[tu drou, driu, droun]	
Incominciare	*To begin, began, begun*	[tu bighin, bighen, bigan]	
Soffiare	*To blow, blew, blown*	[tu blou, bliu, bloun]	
Bruciare	*To burn* (regolare)	[tu b(u)rn]	
Coprire	*To cover* (regolare)	[tu cova]	
Scoprire	*To discover* (regolare)	[tu discova]	
Accorgersi	*To realize* (regolare)	[tu rialais]	
Riparare	*To repair* (regolare)	[tu ripeir]	
Pronto	*Ready*	[redi]	
Colla	*Glue*	[glu]	
Ruota	*Wheel*	[uiil]	
Torre	*Tower*	[tauer]	

Titolo	Title	[taitol]	
Neve	Snow	[snou]	
Sciocco	Silly	[silli]	
Ripiano/mensola	Shelf	[scelf]	
Stipendio	Salary	[salari]	
Forse	Perhaps	[perhaps]	
Profumo	Perfume	[perfium]	
Specchio	Mirror	[mirro(r)]	
Tasto/bottone	Button	[batton]	
Gonfio	Inflated	[infleited]	
Compagnia	Company	[compani]	
Cartolina	Postcard	[postcard]	
Foglia	Leaf	[liif]	
Intero	Whole	[hol]	
Due volte	Twice	[tuais]	
Digestivo	Digestive	[daigestiv]	
Splendente	Shining	[sciainin]	
Salute	Health	[helth]	
Indisposto/stufo	Sick	[sik]	
Bambola	Doll	[doll]	
Dizionario	Dictionary	[dicscionari]	
Polvere	Dust	[dast]	
Nemico	Enemy	[enemi]	
Dubbio	Doubt	[daut]	
Sveglia	Alarm	[alarm]	
Tappeto	Carpet	[carpet]	
Angolo	Corner	[corna]	
Affollato	Crowded	[craudid]	
Terra	Earth	[erth]	
Bandiera	Flag	[fleg] (G dura)	
Bugiardo	Liar	[laia]	
Biblioteca	Library	[laibrari]	
Errore	Mistake	[misteik]	

IDIOMS

To hit someone below the belt (letteralmente: «Colpire qualcuno sotto la cintura»)
Pronuncia: [tu hit samuan bilou de belt].
Significato: Colpo basso, non corretto.
Esempio: *What you said to me yesterday hit me below the belt.* (Quello che mi hai detto ieri è stato un colpo basso.)

To clear the air (letteralmente: «Pulire l'aria»)
Pronuncia: [tu cliar di ea].
Significato: Chiarire le cose, rimuovere ogni dubbio o brutta sensazione.
Esempio: *We are going to live together, so we had better clear the air.* (Andremo a vivere insieme, quindi faremo meglio a chiarire le cose.)

Come what may (letteralmente: «Venga quel che può»)
Pronuncia: [cam uot mei].
Significato: Cascasse il mondo.
Esempio: *Your order will be delivered next Thursday, come what may.* (Il tuo ordine sarà recapitato giovedì prossimo, caschi il mondo.)

When pigs will fly (letteralmente: «Quando i maiali voleranno»)
Pronuncia: [uen pigs uill flai].
Significato: Quando gli asini voleranno, mai.
Esempio: *I asked my mom if I could go out with Michael on Saturday night, but she told me I could go when pigs will fly!* (Ho chiesto a mia mamma se potevo uscire con Michael sabato sera, ma mi ha detto che ci potrò uscire solo quando gli asini voleranno!)

Inserisci le espressioni elencate nella colonna corretta della tabella.

2010	*a long time*
midnight	*a short time*
a year	*three months*
ages	*we arrived*
6 a.m.	*this morning*
last week/year	*a few minutes*

SINCE	FOR

Ripassa quello che hai studiato oggi.

CONVERSATION TIME

At the doctor's

Ovviamente ti auguriamo di non dover mai andare dal medico, ma è sempre meglio essere preparati anche per tale evenienza.

Se dovessi avere un malessere mentre sei da solo all'estero, non invocare aiuto in generale: rivolgiti a una persona in particolare, che sentendosi chiamata in causa è molto più probabile che ti soccorra!

Puoi dire semplicemente: *I need a doctor!*

Puoi anche chiedere: *Do you know one who speaks some Italian?* ma è più facile che sia tu a dover imparare a esprimerti in inglese.

Quando il medico inizierà la visita potrebbe chiederti:

Where does it hurt? (Dove le fa male?)

Do you have a fever? (Ha la febbre?)

How long have you been like this? (Da quanto tempo sta così?)

Are you allergic to anything? (È allergico a qualcosa?)

Are you on medication? (È sotto terapia medica?)
How long have you been travelling for? (Da quanto tempo è in viaggio?)
Are you cold? (È infreddolito?)

I principali sintomi che potresti aver bisogno di descrivere potrebbero essere questi:

I find it difficult to breathe. (Ho difficoltà a respirare.)
I have lost a lot of blood. (Ho perso molto sangue.)
I've been vomiting. (Ho vomitato.)
I am injured. (Sono ferito.)
I am shivering. (Ho i brividi.)
I feel dizzy. (Ho il capogiro.)
I feel nauseous. (Ho la nausea.)
I feel hot and cold. (Ho le vampate.)
I have a fever. (Ho la febbre.)
I have a cough. (Ho la tosse.)
I have a headache. (Ho mal di testa.)
I have a heart condition. (Ho un problema cardiaco.)
I have a cold. (Ho il raffreddore.)
I have a migraine. (Ho l'emicrania.)

Se invece non è niente di grave e ti basta andare in farmacia, tutto è più semplice: ti basterà dire cos'hai o il nome del farmaco e ricevere quello che ti serve. Se il farmacista ti consiglia una medicina che non conosci ricordati di chiedergli: *How many times a day should I take/apply it?* (Quante volte al giorno la devo prendere/applicare?) e *Will it make me drowsy?* (Mette sonnolenza?)

DAY EIGHTEEN

Ripassa ciò che hai imparato ieri e l'undicesimo giorno. Quando hai finito fai un paio di minuti di rilassamento e poniti consapevolmente l'obiettivo di affrontare lo studio e gli esercizi del diciottesimo giorno.

GRAMMAR RULES

Past perfect

Il *past perfect* è il passato del *present perfect* e in italiano corrisponde al trapassato prossimo (per esempio «avevo mangiato»). Si usa per esprimere un'azione che si è svolta precedentemente a un'altra, espressa al *simple past*.

Le regole sono le stesse che abbiamo visto per il *present perfect*, solo che l'ausiliare *to have* è coniugato al *simple past* (*to have, had, had*).

Il modello da seguire per le frasi affermative quindi è:

soggetto + *had* + participio passato + complemento.

Esempi:

I realized that I had already read that book. (Mi accorsi che avevo già letto quel libro.)

The kid was tired because he had played a lot. (Il bambino era stanco perché aveva giocato tanto.)

Lo scopo del *past perfect* è quindi mettere in relazione due eventi avvenuti nel passato, specificando quale di questi è avvenuto prima.

Nota che gli avverbi di tempo come *just*, *already*, *ever* e *never* si pongono tra l'ausiliare e il participio passato proprio come nel *present perfect*.

Esempio:

I got very nervous because I had never done it before. (Mi innervosii parecchio perché non l'avevo mai fatto prima.)

Past perfect continuous

Il *past perfect continuous* è il corrispondente «passato» del *present perfect continuous*. Segue le stesse regole del *present perfect continuous*, anche qui con l'ausiliare *to have* coniugato al passato. In italiano si traduce con la cosiddetta «perifrasi progressiva introdotta dal verbo stare»: io stavo facendo, tu stavi andando, noi stavamo pensando ecc.

Il modello per le frasi affermative è il seguente:

soggetto + *had been* + verbo in -ING.

Il *past perfect continuous* si utilizza quando si sta raccontando un evento passato e si vuole parlare di qualcosa avvenuto immediatamente prima, che si è protratto per un certo periodo di tempo, con conseguenze ancora evidenti nel momento passato di cui si sta parlando.

Esempio:

When we went skiing last Sunday, the street was wet. It had been snowing all night. (Quando siamo andati a sciare domenica scorsa, la strada era bagnata. Aveva nevicato tutta la notte.)

Si usa anche quando, parlando di un evento passato, si menziona un'azione iniziata prima e ancora in corso nel momento di cui si sta parlando.

Esempio:

Yesterday she broke up with Ivan. She had been waiting for his marriage proposal for much too long. (Ieri ha lasciato Ivan. Stava aspettando la sua proposta di matrimonio da troppo tempo.)

Ovviamente non si può utilizzare il *past perfect continuous* con i verbi che rifiutano la forma in -ING («volere» e verbi che indicano sentimenti, attività intellettuale, percezione o possesso).

Ancora

In inglese ci sono tre vocaboli che significano «ancora»: *again, still* e *yet*.

Again

Again indica la ripetizione di un'azione, quindi si può anche tradurre con «di nuovo»: *When you practice, you must do the same thing again and again.* (Quando ti alleni, devi fare la stessa cosa più e più volte).

Still

Still indica un'azione che continua senza interruzione: *He was still playing after 5 hours.* (Dopo 5 ore stava ancora giocando.)

Yet

Yet si usa quasi sempre alla fine di una frase posta in forma negativa, e significa «non ancora»: *Has the package arrived? Not yet!* (È arrivato il pacco? Non ancora!) oppure *I haven't done my homework yet* (Non ho ancora fatto i compiti).

VOCABULARY

L'abbigliamento

	SCRITTURA	PRONUNCIA	RISCRIVI
Scarpone/stivale	*Boot*	[buut]	
Cappotto	*Coat*	[co(u)t]	
Cravatta	*Tie*	[tai]	
Cappuccio	*Hood*	[huud]	
Impermeabile	*Raincoat*	[reinco(u)t]	
Tuta	*Tracksuit*	[traksut]	
Scarpe da ginnastica	*Trainers*	[treiners]	
Colletto	*Collar*	[colla]	
Manica	*Sleeve*	[sliiv]	
Polsino	*Cuff*	[caff]	
Cintura	*Belt*	[belt]	
Tasca	*Pocket*	[poket]	
Felpa	*Sweatshirt*	[suetsc(i)rt]	
Canottiera	*Vest*	[vest]	
Pigiama	*Pyjamas*	[pigiamas]	
Collant	*Tights*	[taits]	
Calze	*Stockings*	[stokings]	

Camicia da notte	Nightdress	[naitdress]	
Berretto	Cap	[chep]	
Fibbia	Buckle	[bakol]	
Punta	Tip	[tip]	
Tacco	Heel	[hiil]	
Infradito	Flip-flop	[flip-flop]	
Braccialetto	Bracelet	[breislet]	
Orecchino	Earring	[iirring] (G dura)	
Collana	Necklace	[nekleis]	
Vestaglia	Dressing gown	[dressin gaun]	
Guanti	Gloves	[glo(u)vs]	
Papillon	Bow tie	[bou tai]	
Reggiseno	Bra	[bra]	
Camicetta	Blouse	[blaus]	
Biancheria intima	Underwear	[anderuea(r)]	

Le parole del giorno

	SCRITTURA	PRONUNCIA	RISCRIVI
Allenarsi	To practise (regolare)	[tu practis]	
Forzare	To force (regolare)	[tu fors]	
Termosifone	Radiator	[redietor]	
Spina	Plug	[plag] (G dura)	
Presa	Socket	[soket]	
Interruttore	Switch	[suitc] (C dolce)	
Cornice	Frame	[freim]	

Soffitto	Ceiling	[silin]	
Tavolino	Coffee table	[coffi teibol]	
Libreria	Bookshelf	[bukscelf]	
Caminetto	Fireplace	[faie(r)pleis]	
Conto	Check	[cek]	
Pasto	Meal	[miil]	
Teiera	Tea pot	[tii pot]	
Brocca	Jug	[giag] (G dura)	
Tostapane	Toaster	[to(u)ster]	
Forno a microonde	Microwave oven	[maicroueiv aven]	
Sbucciare	To peel (regolare)	[tu piil]	
Argomento	Topic	[topic] (C dura)	
Mescolare	To mix (regolare)	[tu mics]	
Forchetta	Fork	[fork]	
Coltello	Knife	[naif]	
Cucchiaio	Spoon	[spuun]	
Cucchiaino	Tea spoon	[tii spuun]	
Tenda della doccia	Shower curtain	[sciauer c(u)rtein]	
Accappatoio	Bathrobe	[bathroub]	
Schiuma da barba	Shaving foam	[scieiving foum]	
Ferro da stiro	Iron	[airon]	
Lavatrice	Washing machine	[uoscin mascin]	
Lavastoviglie	Dishwasher	[disc-uoscer] (C dolce)	
Aspirapolvere	Vacuum cleaner	[vachiuum cliner]	
Asciugare	To wipe (regolare)	[tu uaip]	
Tremendo	Awful	[ouful]	

A tavola!

	SCRITTURA	PRONUNCIA	RISCRIVI
Tovagliolo	Napkin	[napkin]	
Pentola	Pot	[pot]	
Pasticcini	Cakes	[cheiks]	
Ciotola/scodella	Bowl	[boul]	
Formaggio	Cheese	[ciis]	
Pancetta	Bacon	[becon]	
Pane	Bread	[bred]	
Prosciutto cotto	Ham	[hem]	
Pomodoro	Tomato	[tomeito]	
Birra	Beer	[bia]	
Pesce spada	Swordfish	[suordfisc] (C dolce)	
Seme	Seed	[siid]	
Granturco	Sweetcorn	[suiitcorn]	
Cetriolo	Cucumber	[chiucamber]	
Noce	Walnut	[uolnat]	
Mandorla	Almond	[olmond]	
Castagna	Chestnut	[cestnat]	
Noce di cocco	Coconut	[coconat]	
Cannella	Cinnamon	[sinnamon]	
Senape	Mustard	[mastard]	
Fetta	Slice	[slais]	
Sgabello	Stool	[stuul]	
Cavatappi	Corkscrew	[corkscriu]	
Mancia	Tip	[tip]	
Vassoio	Tray	[trei]	
Cannuccia	Straw	[strou]	
Prugna	Plum	[plam]	
Arrosto	Roast	[ro(u)st]	
Al vapore	Steamed	[stiimd]	
Fritto	Fried	[fraid]	
Crudo	Raw	[rou]	
Alla griglia	Grilled	[grilld]	

IDIOMS

Plan B (letteralmente: «Piano B»)
Pronuncia: [plen B].
Significato: Piano B, piano alternativo.
Esempio: *I want to go to Harvard to study medicine, but I have a plan B in case I don't get in.* (Voglio andare ad Harvard a studiare medicina, ma ho un piano B nel caso non dovessi essere ammesso.)

To play with fire (letteralmente: «Giocare con il fuoco»)
Pronuncia: [tu plei uid faie(r)].
Significato: Giocare con il fuoco, rischiare.
Esempio: *Don't make me angry, you are playing with fire!* (Non farmi arrabbiare, stai giocando con il fuoco!)

To sweeten the pill (letteralmente: «Addolcire la pillola»)
Pronuncia: [tu suiiten de pill].
Significato: Addolcire la pillola, rendere meno spiacevole qualcosa di brutto, compensare.
Esempio: *His boss gave him extra vacation time over the summer to sweeten the pill of no days off during Christmas time.* (Il suo capo gli ha dato più giorni di vacanza in estate per compensare il fatto di non avergli dato giorni liberi durante il periodo natalizio.)

Think again (letteralmente: «Pensa di nuovo»)
Pronuncia: [think eghein].
Significato: Ripensaci, pensaci due volte, hai torto.
Esempio: *If I were you I would think again before acting like that.* (Se fossi in te ci ripenserei prima di agire così.)

To wear many hats (letteralmente: «Indossare tanti cappelli»)

Pronuncia: [tu uea(r) meni hets].

Significato: Avere troppa carne al fuoco, cercare di svolgere molti ruoli allo stesso tempo.

Esempio: *I'm very busy at work, I have been wearing many hats lately.* (Sono molto occupato al lavoro: ultimamente devo coprire molti ruoli.)

To have an ace up your sleeve (letteralmente: «Avere un asso nella tua manica»)

Pronuncia: [tu hev an eis ap io(u)r sliiv].

Significato: Avere un asso nella manica.

Esempio: *I still have an ace up my sleeve that you don't know about.* (Ho ancora un asso nella manica di cui tu non sei a conoscenza.)

ESERCIZIO 18.1

Completa le frasi inserendo il verbo corretto al *past perfect*.

break	pass	bring	force	unwrap
do	not/sleep	blow	decide	eat

1. When we returned home, we realized that somebody had forced the door.
2. Andrew took my toys because he _____ all his toys.
3. I _____ all the Christmas presents before you arrived.
4. We gave Tom a dog when he _____ the school year.
5. I wanted to help my mom to prepare the table for dinner, but she _____ everything by herself.
6. Kevin was running after his hat because it _____ off in the wind.
7. My nephew _____ the rings to the altar when the bride ran away.
8. They _____ to spend a romantic day in the mountains, but the weather was awful, so they stayed at home.

9. I was at John's to visit him. He offered me some biscuits and tea but
   I (already) _____ before.
10. Tom slept all day long because he (not) _____ at night.

Esercizio 18.2

Traduci in inglese.

• I miei amici sono andati a teatro ieri. Io avevo la febbre e non sono
  potuto andare.
• Dove sei stato in vacanza? Avevo pensato di andare al mare ma al
  mio ragazzo non piace, quindi (*so*) siamo andati in montagna.
• Puoi raccontarmi che cos'è successo? Avevo parlato con Paul dell'idea
  di andare a visitare Venezia, ma Samantha aveva già deciso di non
  venire.
• Avevo corretto (*to correct*) tutti i test quando mi sono accorta che
  mancava (*to miss*) quello di Sam.
• Avevi bevuto troppo e avevo paura, ecco perché sono venuto con te.

Esercizio 18.3

Completa le frasi inserendo il verbo corretto al *past perfect continuous*.

| run | try | speak | build | call |
| catch | wait | bring | look for | be afraid |

1. He told me he had been trying to phone me all day long.
2. One day a poor fisherman _____ fish in his net, when
   the police told him he needed a license.
3. Cinderella's carriage _____ outside the castle while she was dancing
   with the prince.
4. We _____ for an hour when he called.
5. I _____ of discussing things with my mother. But in the
   end, she understood.
6. A mouse _____ away from the fox in the woods.
7. Of course I was angry, I _____ you all day!
8. He met Ann after she _____ her dog to this same park
   for years.
9. They _____ a new house since April.

10. I had lost an earring at the party and I _____ for it for a week, when I finally found it.

ESERCIZIO 18.4

Traduci in inglese.

1. Eri a casa questa mattina? No, ero a lezione di piano.
2. Stavi comprando una bellissima camicetta. Perché non l'hai presa?
3. Probabilmente stava piovendo a dirotto ieri, se Michael ha preferito non andare a divertirsi con i suoi amici.
4. La lezione si stava facendo più interessante quando sei entrato in aula.
5. Siamo andati a visitare una casa infestata di fantasmi (*haunted house*). Ero così emozionata all'idea che ne parlavo a tutti da giorni.

ESERCIZIO 18.5

Mark telefona alla sua amica Ann. Completa la loro conversazione coniugando i verbi suggeriti al *simple past*, *past perfect* o *past perfect continuous*.

Ann: Hello! Who is it?
Mark: It's Mark speaking, hello.
Ann: Oh, hello Mark, how are you?
Mark: Fine, thanks. And you?
Ann: Very well because I (receive) _____ some good news!
Mark: What happened?
Ann: I've got the green light from my parents, so I can go out with you! At first they (say)_____ I could not, but I convinced them.
Mark: (when/speak) _____ with them?
Ann: We (speak)_____ at lunch.
Mark: I'm happy! (what/do) _____ in this moment?
Ann: I'm studying. Why?
Mark: I (think)_____ about taking a break before I called you. Do you want to come with me?
Ann: No, I (decide)_____ to help my parents today. We'll meet another time. Ok?
Mark: Ok. Goodbye.
Ann: Goodbye.

CONVERSATION TIME

Shopping and money

Ecco uno dei grandi piaceri di un viaggio all'estero, soprattutto quando il cambio è favorevole: lo *shopping*! Partiamo dalla cosa più importante in questo caso, ovvero i soldi.

Nel Regno Unito spenderai i *pounds*, divisi in centesimi detti *pence*. Negli Stati Uniti (dove il *pound* è un'unità di misura del peso, pari a circa mezzo chilo) ovviamente userai i *dollars* (detti anche *bucks*), che si dividono in *cents* (detti anche *pennies*); qui ogni moneta (*coin*) ha un suo «nome proprio»: quella da 25 centesimi è un *quarter* [quorter], quella da 10 è un *dime* [daim], quella da 5 è un *nickel* [nicol].

Per pagare puoi usare *cash* oppure un assegno (*check*), la *credit card* o il bancomat (*debit card*). Se hai bisogno di prelevare (*to withdraw*) devi cercare un *ATM* [ei ti em], assicurandoti che copra il tuo circuito.

A questo punto passiamo alle compere! In generale troverai commessi molto servizievoli, ecco perché è utile avere sempre pronte queste frasi:

I'm just looking. (Sto solo dando un'occhiata.)
Can I have a look? (Posso dare un'occhiata?)

Se trovi qualcosa di tuo gradimento speriamo che sia *a bargain* (un affare) e non *a rip-off* (una fregatura)... all'estero ci sono sempre *discounts* (sconti) o *sales* (vendite promozionali)!

Se c'è un margine di trattativa con il proprietario del negozio, potrebbero esserti utili queste frasi:

That's too much/expensive for me. (È troppo caro per me.)
The price is very high. (Il prezzo è molto alto.)
Have you anything cheaper? (Ha qualcosa di meno caro?)
Can you lower the price? (Può abbassare un po' il prezzo?)

Se sei così gentile da pensare anche ai tuoi amici rimasti in Italia potresti aver bisogno di chiedere: *Can I have it gift wrapped, please?* (Potrebbe farmi una confezione regalo, per favore?)

Se invece hai fatto acquisti ingombranti potresti chiedere: *Can I have it sent overseas?* (È possibile spedirlo all'estero?) oppure *Can I come and pick it up later?* (Posso tornare a prenderlo più tardi?)

Per quanto riguarda l'abbigliamento l'unico problema sono le taglie, che seguono una scala diversa in ciascun Paese. Valgono sempre le semplici *large*, *medium* e *small* (anche se una *small* americana potrebbe stare anche a un italiano adulto medio) ma la cosa migliore è sempre provare!

Ecco le frasi che ti saranno utili:

Where are the fitting rooms? (Dove sono i camerini?)

I'd like to try this on. (Vorrei provare questo.)

Which size? (Che taglia?)

How does it fit? How does it look on me? (Come mi sta?)

It doesn't fit... (Non mi sta...)

I don't like the way it fits. (Non mi piace come mi sta.)

I'm not sure about the colour. (Non sono convinto del colore.)

I'll take this one. (Prendo questo.)

I'll leave these, thank you anyway. (Questi li lascio, grazie comunque.)

Per quanto sia fantastico fare shopping all'estero, ricorda che c'è un limite massimo di peso per i bagagli. Parti con la valigia semivuota (o piena di regali da lasciare all'estero), oppure procurati una seconda valigia per il ritorno!

DAY NINETEE

Ripassa ciò che hai imparato ieri e il dodicesimo giorno. Dopo, fai un paio di minuti di rilassamento e poniti consapevolmente l'obiettivo di affrontare lo studio e gli esercizi del diciannovesimo giorno.

GRAMMAR RULES

Verbi modali

Come dice il nome, i verbi modali esprimono il «modo» in cui il soggetto si pone nei confronti dell'azione che compie. Vengono anche chiamati «servili» perché «servono» il verbo che li segue, dando alla frase un'accezione di possibilità, obbligo, necessità o abilità.

I principali verbi modali sono:

PRESENTE	PASSATO	SIGNIFICATO
Can [chen]	Could [cuud]	Capacità
Will [uill]	Would [uùd]	Futuro/condizionale
Shall [scioll]	Should [sciuud]	Dovere (condizionale)
May [mei]	Might [mait]	Possibilità
Must [mast]	Had to [hed tu]	Obbligo

281

ı i verbi modali hanno alcune caratteristiche in comune:

sono uguali per tutte le persone, quindi non serve aggiungere la -S alla terza persona singolare dell'indicativo presente;

- non necessitano di ausiliare (a eccezione di *have to*), anzi si comportano da ausiliari, cioè sostituiscono il verbo *to be* nella costruzione delle frasi interrogative e negative, accettano l'uso di forme contratte e vengono ripresi nelle *short answers*;
- come in italiano sono sempre seguiti da un verbo all'infinito, in inglese sono seguiti dalla «forma base» del verbo (ovvero l'infinito senza *to*, la prima forma del paradigma);
- non sono mai seguiti da un complemento oggetto.

La costruzione delle frasi in forma affermativa, negativa, interrogativa e interrogativo-negativa è uguale per tutti i verbi modali. Ecco qualche esempio con il verbo *can* (potere), che poi vedremo più nello specifico.

La forma affermativa si costruisce così:
soggetto + modale + infinito senza *to* + complemento.
You can play tennis. (Tu sai giocare a tennis.)

Quella negativa, così:
soggetto + modale + *not* + infinito senza *to* + complemento.
You can't play tennis. (Tu non sai giocare a tennis.)

Quella interrogativa, così:
modale + soggetto + infinito senza *to* +
complemento + ?
Can you play tennis? (Sai giocare a tennis?)

E infine la forma interrogativo-negativa:

> modale + *not* (in forma contratta) + soggetto +
> infinito senza *to* + complemento + ?

Can't you play tennis? (Non sai giocare a tennis?)

Vediamo ora nello specifico il significato dei singoli modali.

Can

Can significa:

- «Potere», quando la possibilità di compiere un'azione dipende dal soggetto.
  Esempi:
  I can go out tonight. (Posso uscire stasera.)
  My mom can come to the appointment. (Mia madre può venire all'appuntamento.)
- «Sapere», nel senso di «saper fare qualcosa».
  Esempi:
  I can swim. (Io so nuotare.)
  I can speak English. (Io so parlare inglese.)
- «Potere» quando si chiede il permesso di fare qualcosa (in modo informale) oppure per dire ciò che è, o non è, consentito.
  Esempi:
  Can I use the phone? (Posso usare il telefono?)
  You can't park on the pavement. (Non puoi parcheggiare sul marciapiede.)

Il verbo *can* è difettivo, cioè manca di vari tempi verbali. Per supplire, si usano *to be able to* (per il futuro: per esempio *I will be able to come*) oppure *could* (per il passato: per esempio *You could dance very well when you were young*).

Could

Could sostituisce il passato di *can* e serve anche a formare il condizionale presente e passato.

Al presente la costruzione della frase è uguale a quella degli altri verbi modali: per esempio *I could drink a coffee*, letteralmente «potrei bere un caffè» ovvero «berrei un caffè».

Per il passato invece si costruisce così:

soggetto + *could* + *have* + participio passato.

Per esempio *I could have slept*, letteralmente «avrei potuto dormire» ovvero «avrei dormito».

La forma contratta della forma negativa è *couldn't*.
Esempi:
I could have gone to the party this afternoon. (Sarei potuto andare alla festa questo pomeriggio.)
They could have said hello to us. (Avrebbero potuto salutarci.)

Could quindi si usa:

• Per parlare di possibilità teoriche, e in questo senso è simile a *might*.
Esempi:
It could snow later. (Potrebbe nevicare più tardi.)
Paul could be at the bar now. (Paul potrebbe essere al bar ora.)
• Per supplire al modo condizionale e al tempo passato di *can*.
Esempi:
When I lived in Turin I could go to school by bus. (Quando abitavo a Torino potevo andare a scuola in autobus.)
If Paul had more time, he could be at he bar now. (Se Paul avesse più tempo, potrebbe essere al bar ora.)
• Per dare un suggerimento.

Esempio:

You could go to the bar now. (Potresti andare al bar ora.)

• Per fare una richiesta in modo gentile.

Esempi:

Could you please lend me some money? (Potresti gentilmente prestarmi del denaro?)

Could you help me? (Potresti aiutarmi?)

• Per rispondere a una richiesta suggerendo che in realtà preferiremmo non fare quello che ci è richiesto (altrimenti useremmo *can*: *Could you drive me to school? Of course I can!*).

Esempio:

I could lend you some money but I'd need it back tomorrow. (Posso prestarti del denaro ma avrei bisogno di riaverlo domani.)

Will

Hai già incontrato il verbo *will* come ausiliare del *simple future*, e ricorderai che la sua forma contratta è *'ll* e la negativa è *will not* o *won't*.

Ma *will* può essere utilizzato anche alla seconda persona singolare e plurale con il significato di «volere», per chiedere gentilmente a qualcuno di fare qualcosa.

Esempio:

Will you open the door please? (Vorresti aprire la porta, cortesemente?)

Attenzione però: c'è anche il verbo regolare *to will, willed, willed*, che significa «volere intensamente», «essere fermamente deciso a...», persino «ottenere qualcosa grazie alla sola forza di volontà»!

Esempio:

A good teacher makes you will to improve. (Un buon insegnante ti spinge a voler migliorare.)

He willed himself to get better. (Si impose di guarire con la forza di volontà.)

Anche *will* è difettivo: non avendo un suo *simple past*, si usa *would*, che è utilizzato anche come ausiliare nel condizionale.

Would

Il verbo *would*, che abbiamo anticipato parlando del periodo ipotetico, si trova spesso nella sua forma contratta *'d* (*I'd like to...*). La forma negativa è invece *would not*, che si contrae in *wouldn't*.

Si usa in diversi casi:

- Per creare la forma condizionale di tutti i verbi.
  Esempi:
  I would phone Marie if I had her number. (Chiamerei Marie se avessi il suo numero.)
  If you were an actor, you would be in epic movies. (Se tu fossi un attore, saresti un attore da film epico).
- Supplisce alla mancanza del *simple past* del verbo modale *will*.
  Esempio:
  I knew that you would be happy to see me. (Sapevo che saresti stato felice di vedermi.)
- Infine può indicare un'abitudine appartenente al passato.
  Esempio:
  When we went to see our grandmother, she would always make a cake. (Quando andavamo a trovare la nonna, preparava sempre una torta.)

Come per *could*, il passato di *would* è composto da *would* + *have* + participio passato del verbo principale, e serve per esprimere il condizionale passato.

Esempio:

If I had gone to the party, I would have had fun. (Se fossi andato alla festa, mi sarei divertito.)

Ricordi le ipotetiche del terzo tipo?

Fai attenzione all'uso di *to like* e *would* insieme: la forma *I would/'d like...* seguita da un sostantivo o da un verbo all'infinito si usa per esprimere un desiderio e dire «Vorrei...». Quindi *Do you like this ring?* significa «Ti piace questo anello?» (voglio solo la tua opinione), mentre *Would you like this ring?* significa «Vuoi questo anello?» e può essere una proposta molto seria!

Shall

Nelle domande in prima persona singolare o plurale *shall* assume il significato di «dovere» quando ci si offre di fare qualcosa o si propone di fare qualcosa.

Esempi:

Shall I help you? (Ti aiuto?)

Shall we go to the restaurant? (Andiamo al ristorante?)

La sua forma contratta è *'ll*, mentre la negativa è *shall not*, o *shan't* (che però suona piuttosto antiquata e si usa solo di rado).

Ormai ti sarai abituato ai modali difettivi: *shall* manca di *simple past*, sostituito da *should*.

Should

Il verbo *should* è usato come condizionale del verbo «dovere» e si usa per dare suggerimenti o consigli ed esprimere obblighi o doveri.

Il passato di *should* si forma, come per *could* e *would*, aggiungendo *have* + participio passato del verbo principale.

Esempi:

You should wear a jacket. (Dovresti indossare una giacca.)

You should have worn a jacket. (Avresti dovuto indossare una giacca.)

La forma contratta di *should* è *'d*, la negativa è *should not*, o *shouldn't*.

May

Il verbo modale *may* significa «potere»:

• Quando si tratta di una supposizione di chi parla: «è possibile che», «può darsi che…»

Esempio:

Your phone may be at school. (Il tuo telefono potrebbe essere a scuola.)

• Quando si chiede o si ha il permesso di fare qualche cosa, e quando ci si offre di fare qualcosa per qualcuno.

Esempi:

May I close the window? (Posso chiudere la finestra?)

I may leave the country. (Posso lasciare il Paese.)

May I help you? (Posso aiutarti?)

Il modo condizionale di *may* è *might*.

Might

Might si usa:

• Al posto di *may* quando si vuole enfatizzare il concetto di eventualità, con il significato di «potrebbe», «potrebbe darsi che».

Esempi:

It might rain this afternoon. (Può darsi che piova oggi pomeriggio.)

I might go to the gym this afternoon. (Potrei andare in palestra questo pomeriggio.)

I might have left my wallet at school. (Forse ho lasciato il porta-foglio a scuola.)

- Come condizionale del verbo *may*.

If I didn't have to leave, I might stay with you. (Se non dovessi partire, potrei stare con te.)

May e *might* possono essere seguiti dal verbo alla forma base (infinito senza *to*) oppure dalla cosiddetta «forma base progressiva» (*be* + verbo in -ING).

Esempi:

I may come to the party tomorrow. (Può essere che domani venga alla festa.)

She might be waiting for you. (Può darsi che ti stia aspettando.)

May e *might* si usano con il significato di «è possibile che», «può darsi che» solo nella forma affermativa.

Per esprimere il concetto di eventualità in una domanda si utilizzano perifrasi con il verbo *to think* o con la forma *to be likely* + infinito senza *to*.

Esempi:

Do you think he will come back? (Pensi che tornerà?)

Is it likely he will come back? (È probabile che torni?)

Must

Must, la cui forma negativa è *must not* o *mustn't,* significa «dovere» e in inglese viene utilizzato per:

- Esprimere un obbligo che proviene da chi parla, dal suo punto di vista:

Esempio:

I must call John tonight. (Devo assolutamente chiamare John stasera.)

- Riferirsi a regole o istruzioni prestabilite, messe nero su bianco (per esempio quelle espresse dai cartelli stradali):

  You must have a passport to enter the USA. (Devi avere il passaporto per entrare negli Stati Uniti.)
- Esprimere una raccomandazione molto forte:

  Esempi:

  You must see that film! (Devi assolutamente vedere quel film!)

  You mustn't swim in that river. (Non si può/Non devi nuotare in quel fiume.)

Must si usa solo al presente e al futuro. Per esprimere l'idea dell'obbligo nel passato si usa il verbo *have to*, coniugato ovviamente al passato: *I must study English today, just like I had to study yesterday* (Oggi devo studiare inglese, proprio come ho dovuto studiare ieri).

Have to

Have to significa «dovere» e si utilizza quando si ha una regola imposta dall'esterno (da altre persone, da leggi o norme, da abitudini di comportamento generali) che non dipende da chi parla: *I can't come to the party, I have to study tonight* (Non posso venire alla festa, devo studiare questa sera).

Ovviamente diventa *has to* alla terza persona singolare del *simple present* (*Jack has to practice his dance moves every day*); la forma contratta è *'ve to* (o *'s to* alla terza persona singolare), mentre quella negativa è *don't have to*, *didn't have to*.

La forma negativa si utilizza quando non è necessario o obbligatorio fare qualcosa: *You don't have to go to the party, if you don't want to* (Non devi per forza andare alla festa se non vuoi). Se fai un regalo a qualcuno è molto probabile che si schermisca dicendo *Oh, you didn't have to!* proprio come noi diciamo «Ma no, non era il caso!»

VOCABULARY

Le parole del giorno

	SCRITTURA	PRONUNCIA	RISCRIVI
Includere	*To include* (regolare)	[tu incluud]	
Radersi	*To shave* (regolare)	[tu sceiv]	
Saltare	*To jump* (regolare)	[tu giamp]	
Assistere	*To assist* (regolare)	[tu assist]	
Chiacchierare	*To chat* (regolare)	[tu ciat]	
Inoltrare	*To forward* (regolare)	[tu foruord]	
Caricare	*To charge* (regolare)	[tu ciarg] (G dolce)	
Scivolare	*To slide, slid, slid*	[tu slaid, sl(i)d, sl(i)d]	
Guarire	*To recover* (regolare)	[tu ricova]	
Ritornare	*To return* (regolare)	[tu rit(u)rn]	
Rimproverare	*To reprimand* (regolare)	[tu reprimand]	
Prendere in prestito	*To borrow* (regolare)	[tu borrou]	
Lanciare	*To throw, threw, thrown*	[tu throu, thriu, throun]	
Inventare	*To invent* (regolare)	[tu invènt]	
Seguire	*To follow* (regolare)	[tu follou]	
Scadere	*To expire* (regolare)	[tu ecspaier]	
Rinnovare	*To renew* (regolare)	[tu riniù]	
Sporgere	*To stick, stuck, stuck out*	[tu stik, stak, stak aut]	
Puzzare	*To stink, stank, stunk*	[tu stink, stenk, stank]	

Nascondere	*To hide, hid, hidden*	[tu haid, hid, hidden]	
Canile	*Kennel*	[kennel]	
Campagna	*Countryside*	[cauntrisaid]	
Equilibrio	*Balance*	[balans]	
Mongolfiera	*Hot air balloon*	[hot ea baluun]	
Valutazione	*Evaluation*	[evaluescion]	
Barba	*Beard*	[biard]	
Documento	*Document*	[dochiument]	
Scarabeo	*Beetle*	[bitol]	
Pace	*Peace*	[pis]	
Maniglia	*Handle*	[hendol]	
Statura	*Height*	[hait]	
Rubinetto	*Tap*	[tap]	
Scopa	*Broom*	[bruum]	
Potere	*Power*	[paua]	
Sconosciuto	*Stranger*	[streingia]	
Ricarica	*Recharge*	[riciarg] (G dolce)	
Lama	*Blade*	[bleid]	
Fascino	*Charm*	[cia(r)m]	
Simbolo	*Symbol*	[simbol]	
Scossa	*Shock*	[sciok]	
Fumo	*Smoke*	[smouk]	
Nebbia	*Fog*	[fog] (G dura)	
Velocità	*Speed*	[spiid]	
Carrello	*Cart*	[cart]	
Baffi	*Moustache*	[mustasc] (C dolce)	

Lacrima	*Tear*	[tiar]	
Contanti	*Cash*	[chesc] (C dolce)	
Campione	*Champion*	[cempion]	
Pubblico	*Public*	[pablic] [C dura]	
Flauto	*Flute*	[flut]	
Tamburo	*Drum*	[dram]	
Arpa	*Harp*	[harp]	
Violino	*Violin*	[vaiolin]	
Consiglio	*Advice*	[edvais]	
Intelligenza	*Intelligence*	[intelligens]	
Giustizia	*Justice*	[giastis]	
Inquinamento	*Pollution*	[polluscion]	
Progresso	*Improvement*	[impruvment]	
Coperta	*Blanket*	[blenket]	
Ingrediente	*Ingredient*	[ingridient]	
Statua	*Statue*	[staciu]	
Casco	*Helmet*	[helmet]	
Commercio	*Trade*	[treid]	
Frizzante	*Sparkling*	[sparklin]	
Ingegnere	*Engineer*	[enginiir]	
Corso, percorso	*Course*	[cors]	
Guastare/ collassare	*To break, broke, broken down*	[tu breik, brouk, broken daun]	
Prestazione	*Performance*	[performans]	
In ogni momento	*Whenever*	[ueneva]	
Ospite	*Guest*	[ghest]	
Compassione	*Pity*	[piti]	
Altrimenti	*Otherwise*	[aderuais]	

Verità	*Truth*	[truth]	
Falso	*False*	[fols]	
Vero	*True*	[tru]	
Libero	*Free*	[fri]	
Alternativa	*Alternative*	[alternativ]	
Abbonamento	*Subscription*	[sabscripscion]	
Indicazioni	*Directions*	[direcscions]	
Improvviso	*Sudden*	[sadden]	
Squalo	*Shark*	[sciark]	
Scimmia	*Monkey*	[manki]	
Gallo	*Rooster*	[ruuster]	
Coccodrillo	*Crocodile*	[crocodail]	
Scoiattolo	*Squirrel*	[squirl]	
Lucertola	*Lizard*	[lisard]	
Colombo	*Pigeon*	[pig(e)on]	
Struzzo	*Ostrich*	[ostric] (C dolce)	
Oca	*Goose*	[guus]	
Starnutire	*To sneeze* (regolare)	[tu sniis]	
Pulcino	*Chick*	[cik]	
Piastrella	*Tile*	[tail]	
Memoria	*Memory*	[memori]	
Segreto	*Secret*	[sicret]	
Tubo	*Pipe*	[paip]	
Principale	*Main*	[mein]	
Premio	*Award*	[euord]	
Gomma da masticare	*Chewing gum*	[ciuin gam]	

IDIOMS

To add fuel to the flames (letteralmente: «Aggiungere carburante alle fiamme»)

Pronuncia: [tu ad fiuel tu de fleims].

Significato: Gettare benzina sul fuoco.

Esempio: *Shouting at a crying child just adds fuel to the flames.* (Urlare a un bambino che piange getta solo benzina sul fuoco.)

All in your head (letteralmente: «Tutto nella tua testa»)

Pronuncia: [oll in io(u)r hed].

Significato: L'hai solo immaginato.

Esempio: *Ann doesn't hate you, it's all in your head!* (Non è vero che Ann ti odia, è solo una tua impressione!)

Ants in your pants (letteralmente: «Formiche nelle tue mutande»)

Pronuncia: [ents in io(u)r pents].

Significato: Non stare mai fermi, essere nervosi o eccitati per qualcosa.

Esempio: *She has ants in her pants because she is leaving for San Francisco tomorrow.* (È eccitata perché domani parte per San Francisco.)

To bark up the wrong tree (letteralmente: «Abbaiare verso l'albero sbagliato»)

Pronuncia: [tu bark ap de (u)ron trii].

Significato: Prendersela con la persona sbagliata.

Esempio: *If you think I'm guilty, you are barking up the wrong tree.* (Se pensi che sia colpevole, te la stai prendendo con la persona sbagliata.)

Behind closed doors (letteralmente: «Dietro porte chiuse»)

Pronuncia: [bihaind clo(u)sd doors].

Significato: A porte chiuse, in privato.

Esempio: *The meeting was held behind closed doors.* (La riunione si è tenuta a porte chiuse.)

Better late than never (letteralmente: «Meglio tardi che mai»)

Pronuncia: [better leit den neva].

Significato: Meglio tardi che mai.

Esempio: *Here's your present, I guess it's better late than never!* (Ecco il tuo regalo, credo sia meglio tardi che mai!)

To open a can of worms (letteralmente: «Aprire un barattolo di vermi»)

Pronuncia: [tu open a chen of uorms].

Significato: Aprire il vaso di Pandora, fare qualcosa che causa molti problemi.

Esempio: *Asking him where he was last night opened a can of worms.* (Chiedergli dove ha passato la notte scorsa ha aperto il vaso di Pandora.)

Carrot and stick (letteralmente: «Carota e bastone»)

Pronuncia: [cherrot end stik].

Significato: Il bastone e la carota, cioè gli strumenti di un padrone per punire o premiare un cavallo in modo che faccia il suo dovere.

Esempio: *With my dog I often use a carrot and stick approach.* (Con il mio cane uso spesso l'approccio del bastone e della carota.)

Esercizio 19.1

Abbina le frasi che hanno lo stesso significato.

1. I can go home now.
2. I must go home now.
3. I mustn't go home now.
4. I had to go home.

a. I must stay here until the lesson ends.
b. I couldn't stay until the end of the lesson.
c. I can't stay until the lesson ends.
d. I don't have to stay until the lesson ends.

Esercizio 19.2

Stai chiedendo a Andrew che programmi ha per il suo futuro e lui ancora non sa esattamente che cosa farà. Rispondi con *I might* utilizzando le parole elencate.

dinner/wife	camping/son	day/shopping/limits
Padua	New York	cook/roast/baked potatoes

YOU	ANDREW
What are you doing this weekend?	I don't know. I might go camping with my son.
What are you doing this evening?	I'm not sure. _____ _____.
What are you cooking?	I haven't decided yet._____ _____.
Where are you going at university next year?	I don't know. _____ _____.
Where are you going for your Christmas holiday?	We haven't decided yet. _____ _____.
What gift are you giving her for her birthday?	I'm not sure. _____ _____.

Esercizio 19.3

Completa le frasi usando *can*, *could*, *will*, *be able to* e inserendo uno dei verbi qui sotto (nella forma negativa se necessario). Fai attenzione al fatto che *could* ha anche la funzione di condizionale.

talk	find	see	come	take		come back
sing	see	go	hear	do	stop	make

1. I took it to the mechanic a long time ago, but he still _____ the cause of the breakdown.
2. _____ (people) on the phone before 1865? Of course not, the telephone was invented in 1876.
3. I'm sorry Lizy but I (not) _____ to your party on Sunday.
4. Is Mark there? No, he went to buy some bread ten minutes ago. He _____ soon.
5. _____ send the letter now? No, you _____. _____ (you) it tomorrow? Yes, I will.
6. _____ (she) a song for us? No, she lost her voice.
7. _____ (you) me? _____ you, but I (not) _____ you!
8. _____ (he) a cake for your birthday, because he is a very good cook!
9. _____ (I) a day off whenever I like, when I get a promotion.
10. If you tidy up your bedroom, your mom _____ reprimanding you.

Esercizio 19.4

Inserisci *could* o *could have* nel modo corretto coniugando il verbo.

1. _____ you open the door, please?
2. I _____ buy her a new car when she gets her license.
3. I _____ looked after the children, if you had asked me.
4. Now it is 5 o'clock. I _____ make some tea.
5. Why did you go on foot? I _____ lent you my car.
6. My compliments John. Your performance (not) _____ been better.
7. _____ you give me a hand with the housework, please?

8. He _____ avoided that illness if he had been more careful with his health.
9. People (not) _____ live far away from their job before 1850, because cars had not been invented yet.
10. Even if you had the time, you (not) _____ cook the roast because we don't have any of the ingredients.

ESERCIZIO 19.5

Scrivi delle frasi con *I think... should* o *I don't think... should* a seconda delle situazioni.

1. I am lost. (follow directions) *I think you should follow the directions.*
2. Do you need my car today? (buy one) _____
   _____
3. This hotel is too expensive for us. (stay here) _____
   _____
4. This subscription has expired. (renew it) _____
   _____
5. We are in a hot air balloon. (enjoy the view) _____
   _____

ESERCIZIO 19.6

Inserisci *should* o *should have*.

1. Your grades are not very good. You _____ studied more.
2. You _____ go there alone. It can be dangerous.
3. You are learning English quite well. You _____ practice speaking with someone or you should go to London for a few weeks.
4. The fish Sam caught was too small to eat. He _____ let it go back in the lake.
5. I'm full! I (not)_____ eaten all those sweets!

ESERCIZIO 19.7

Inserisci al posto giusto *must, have/has to* oppure *had to*.

1. You _____ tell her the truth.
2. Everybody _____ wear a helmet when they ride a motorbike.

3. Did they _____ wait for a long time?
4. She must get up early tomorrow. She _____ go to her first lesson at the university.
5. How lucky you are! You've never _____ go to the dentist!
6. I _____ go to the bank yesterday to get some money.
7. Samuel feels so nervous when he _____ speak in public that he _____ drink two shots of whisky first.
8. Today I can't go to the park because I _____ go to my violin lesson.
9. I _____ tidy up the table after using it.
10. We went to Berlin by train a month ago. The train was so full that we _____ stand for the whole journey.

Esercizio 19.8

Formula delle domande come nell'esempio.

1. (chocolate) Would you like some chocolate? Yes, please.
2. (go/cinema) _____
   No, thank you.
3. (coffee/milk/with/without) _____
   With milk, please.
4. (ice cream) _____
   Yes, please.
5. (go out/walk) _____
   Not now. Maybe later.

Esercizio 19.9

Traduci in inglese le seguenti frasi facendo attenzione ai verbi modali.

1. Vorresti prendere in prestito la mia auto per andare al mercato? Preferirei andare in autobus.
2. Può darsi che non nevichi, fa troppo freddo.
3. Forse andremo in discoteca sabato sera.
4. Non può essere vero. Chi ti ha raccontato questa storia?
5. Vedrai Jim stasera? Forse sì.
6. Non so se Claudia potrà lasciare la scuola un'ora prima senza il permesso dei suoi genitori.

7. Sarei potuto andare alla serata di beneficienza ieri sera ma alcuni miei vecchi amici sono venuti a trovarmi.

8. Liz dovrebbe andare all'ospedale, meglio se non aspettate Matthew.

9. Devi ricordarti di fermarti in farmacia prima di tornare a casa.

10. Scusami, devo parlarti. Non mi ascolti mai e ora non posso fare altro (*anything else*).

Esercizio 19.10

Leggi e comprendi il seguente testo. Se non conosci qualche termine, cercalo e memorizzalo. Nota la costruzione delle frasi e soprattutto l'uso dei tempi verbali.

I wish to introduce one of the most unusual persons I have ever known. I first saw him twenty-four years ago, a few minutes after he was born. He came into the world without any physical sign of ears, and the doctor admitted, when pressed for an opinion, that the child might be deaf, and mute for life.

I challenged the doctor's opinion. I had the right to do so, I was the child's father. I, too, reached a decision, and rendered an opinion, but I expressed the opinion silently, in the secrecy of my own heart. I decided that my son would hear and speak. Nature could send me a child without ears, but Nature could not induce me to accept the reality of the affliction.

In my own mind I knew that my son would hear and speak. How? I was sure there must be a way, and I knew I would find it. I thought of the words of the immortal Emerson, «The whole course of things goes to teach us faith. We need only obey. There is guidance for each of us, and by lowly listening, we shall hear the right word».

The right word? DESIRE! More than anything else, I DESIRED that my son should not be a deaf mute. From that desire I never receded, not for a second.

Many years previously, I had written, «Our only limitations are those we set up in our own minds». For the first time, I wondered if that statement was true. Lying on the bed in front of me was a newly born child, without the natural equipment of hearing. Even though he might hear and speak, he was obviously disfigured for life. Surely, this was a limitation which that child had not set up in his own mind.

What could I do about it? Somehow I would find a way to transplant

301

into that child's mind my own BURNING DESIRE for ways and means of conveying sound to his brain without the aid of ears.

As soon as the child was old enough to cooperate, I would fill his mind so completely with a BURNING DESIRE to hear, that Nature would, by methods of her own, translate it into physical reality.

All this thinking took place in my own mind, but I spoke of it to no one. Every day I renewed the pledge I had made to myself, not to accept a deaf mute for a son.

As he grew older, and began to take notice of things around him, we observed that he had a slight degree of hearing. When he reached the age when children usually begin talking, he made no attempt to speak, but we could tell by his actions that he could hear certain sounds slightly. That was all I wanted to know! I was convinced that if he could hear, even slightly, he might develop still greater hearing capacity. Then something happened which gave me hope. It came from an entirely unexpected source.

We bought a victrola (*un fonografo inventato nel 1906 dall'azienda americana Victor Talking Machine Company*). When the child heard the music for the first time, he went into ecstasies, and promptly appropriated the machine. He soon showed a preference for certain records, among them, *It's a Long Way to Tipperary*. On one occasion, he played that piece over and over, for almost two hours, standing in front of the victrola, with his teeth clamped on the edge of the case. The significance of this self-formed habit of his did not become clear to us until years afterward, for we had never heard of the principle of «bone conduction» of sound at that time.

Shortly after he appropriated the victrola, I discovered that he could hear me quite clearly when I spoke with my lips touching his mastoid bone, or at the base of the brain. These discoveries placed in my possession the necessary media by which I began to translate into reality my Burning Desire to help my son develop hearing and speech. By that time he was making stabs at speaking certain words. The outlook was far from encouraging, but DESIRE BACKED BY FAITH knows no such word as impossible.

Having determined that he could hear the sound of my voice plainly, I began, immediately, to transfer to his mind the desire to hear and speak. I soon discovered that the child enjoyed bedtime stories, so I went to work, creating stories designed to develop in him self-reliance, imagination, and a keen desire to hear and to be normal.

There was one story in particular, which I emphasized by giving it some new and dramatic coloring each time it was told. It was designed to plant in his mind the thought that his affliction was not a liability, but an asset of great value. Despite the fact that all the philosophy I had examined clearly indicated that EVERY ADVERSITY BRINGS WITH IT THE SEED OF AN EQUIVALENT ADVANTAGE, I must confess that I had not the slightest idea how this affliction could ever become an asset. However, I continued my practice of wrapping that philosophy in bedtime stories, hoping the time would come when he would find some plan by which his handicap could be made to serve some useful purpose.

Reason told me plainly, that there was no adequate compensation for the lack of ears and natural hearing equipment. DESIRE backed by FAITH, pushed reason aside, and inspired me to carry on.

As I analyze the experience in retrospect, I can see now, that my son's faith in me had much to do with the astounding results. He did not question anything I told him. I sold him the idea that he had a distinct advantage over his older brother, and that this advantage would reflect itself in many ways. For example, the teachers in school would observe that he had no ears, and, because of this, they would show him special attention and treat him with extraordinary kindness. They always did. His mother saw to that, by visiting the teachers and arranging with them to give the child the extra attention necessary. I sold him the idea, too, that when he became old enough to sell newspapers (his older brother had already become a newspaper merchant), he would have a big advantage over his brother, for the reason that people would pay him extra money for his wares, because they could see that he was a bright, industrious boy, despite the fact he had no ears.

We could notice that, gradually, the child's hearing was improving. Moreover, he had not the slightest tendency to be self-conscious, because of his affliction. When he was about seven, he showed the first evidence that our method of servicing his mind was bearing fruit. For several months he begged for the privilege of selling newspapers, but his mother would not give her consent. She was afraid that his deafness made it unsafe for him to go on the street alone.

Finally, he took matters in his own hands. One afternoon, when he was left at home with the servants, he climbed through the kitchen window, shinnied to the ground, and set out on his own. He borrowed six cents in capital from the neighborhood shoemaker, invested it in papers, sold out, reinvested, and kept repeating until late in the evening. After balancing his accounts, and paying back the six cents he had borrowed from his banker, he had a net profit of forty-two cents. When we got home that night, we found him in bed asleep, with the money tightly clenched in his hand.

His mother opened his hand, removed the coins, and cried. Of all things! Crying over her son's first victory seemed so inappropriate. My reaction was the reverse. I laughed heartily, for I knew that my endeavor to plant in the child's mind an attitude of faith in himself had been successful.

His mother saw, in his first business venture, a little deaf boy who had gone out in the streets and risked his life to earn money. I saw a brave, ambitious, self-reliant little business man whose stock in himself had been increased a hundred percent, because he had gone into business on his own initiative, and had won. The transaction pleased me, because I knew that he had given evidence of a trait of resourcefulness that would go with him all through life. Later events proved this to be true. When his older brother wanted something, he would lie down on the floor, kick his feet in the air, cry for it – and get it. When the «little deaf boy» wanted something, he would plan a way to earn the money, then buy it for himself. He still follows that plan!

Truly, my own son has taught me that handicaps can be converted into stepping stones on which one may climb toward some worthy goal, unless they are accepted as obstacles, and used as alibis.

The little deaf boy went through the grades, high school, and college without being able to hear his teachers, excepting when they shouted loudly, at close range. He did not go to a school for the deaf. WE WOULD NOT PERMIT HIM TO LEARN THE SIGN LANGUAGE. We were determined that he should live a normal life, and associate with normal children, and we stood by that decision, although it cost us many heated debates with school officials.

Tratto da *Think and Grow Rich* di Napoleon Hill

DAY TWENTY

Ripassa ciò che hai imparato ieri e il tredicesimo giorno. Dopo, fai un paio di minuti di rilassamento e poniti consapevolmente l'obiettivo di affrontare lo studio e gli esercizi del ventesimo giorno.

GRAMMAR RULES

I verbi... onnipresenti

Oggi ci concentreremo su un gruppo di verbi così importanti che ti sembreranno quasi onnipresenti: se li cerchi sul dizionario troverai pagine e pagine di significati diversi ed esempi. Proprio perché sono così frequenti e così apparentemente complessi è giusto dedicare una giornata a *to get*, *to set*, *to let* e *to keep*.

To get, got, got
In generale indica un cambiamento di stato.

- «Diventare», passare da uno stato a un altro.
  Esempi:
  To get up. (Alzarsi, passare dalla posizione distesa a quella in piedi.)

To get dirty. (Sporcarsi.)

To get hard. (Diventare duro, difficile.)

To get old. (Invecchiare.)

- «Raggiungere» (unito alla preposizione *to*).

  Esempio:

  I'll get to the station at noon. (Arriverò in stazione a mezzogiorno.)

- «Prendere» (involontariamente), «ottenere», «ricevere».

  Esempi:

  I got a cold. (Mi sono preso il raffreddore.)

  Let's go get a bite to eat. (Andiamo a prendere un boccone.)

  I got a wonderful gift. (Ho ricevuto un regalo fantastico.)

  If you study hard, you'll get results. (Se studi molto otterrai risultati.)

- «Capire», nel senso di «afferrare un concetto», «cogliere» (è un uso informale ma molto comune).

  Esempi:

  I don't get it. (Non capisco il concetto, non ci arrivo.)

  Got it. (Capito, ok.)

Per capire la differenza tra questo uso di *to get* e il verbo *to understand*, pensa che incontrerai molte persone che ti diranno *I'm sorry, I don't understand Italian*, ma non sentirai mai dire *I don't get Italian*… a meno che qualcuno si lamenti della logica dell'italiano, della sua stessa esistenza (*I don't get Italian, why doesn't everyone in the world speak English?*).

To set, set, set

To set [tu set] significa «fissare» o «impostare».

Esempi:

To set the alarm. (Impostare la sveglia.)

I set the date for the reunion. (Ho fissato l'appuntamento per la riunione.)

To let, let, let

To let [tu let] si usa per:

- «Lasciare», nel senso di «permettere».
  Esempi:
  Let me go! (Lasciami andare!)
  Let me help you. (Lascia che ti aiuti.)
- Formare la forma imperativa alla prima persona plurale di un verbo: il famoso *let's* che hai sicuramente già incontrato (*let's go*, *let's play* ecc.).

To keep, kept, kept

To keep significa:

- «Tenere».
  Esempio:
  I keep my wallet in this pocket. (Tengo il portafoglio in questa tasca).
- «Mantenere».
  Esempio:
  You always keep the kitchen so clean! (Tieni sempre così pulita la cucina!)
- «Continuare a…» (seguito dal verbo in -ING).
  Esempi:
  He kept trying (Ha continuato a provare, ha insistito.)
  We keep playing for hours. (Abbiamo continuato a giocare per ore.)

To take, to get o to bring?

Questi tre verbi possono certamente generare dubbi e perplessità: *to take* significa sia «prendere» sia «portare», *to bring* significa «portare» e *to get* può anche significare «prendere», come abbiamo appena visto.

Iniziamo a chiarire la differenza tra *to take* e *to get* con il significato di «prendere»: il primo è usato quando l'oggetto al quale si fa riferimento è presente nel luogo in cui si parla, il secondo quando è lontano.

Esempi:

Take your plate, it's on the table. (Prendi il tuo piatto, è sul tavolo.)

Please get me some sugar from the supermarket. (Prendimi dello zucchero al supermercato, per favore.)

Can I have some milk? Sure, it's right here, take it! (Posso avere un po' di latte? Certo, è qui, prendilo!)

Farmers get milk from cows. (I contadini prendono il latte dalle mucche.)

Per quanto riguarda «portare», invece, devi usare *to bring* quando l'oggetto va portato vicino a chi parla o a chi ascolta, e *to take* se invece va allontanato.

Esempi:

Could you bring me a pen, please? (Potresti portarmi una penna, per favore?)

Could you take John to the train station, please? (Potresti portare John alla stazione, per favore?)

Tomorrow I'll organize a party, would you like to come? Sure! Can I bring my dog? No, take it to your wife's! (Domani darò una festa, vuoi venire? Certo! Posso portare il mio cane? No, portalo da tua moglie!)

VOCABULARY

Le parole del giorno

	SCRITTURA	PRONUNCIA	RISCRIVI
Accettare/gradire	*To accept* (regolare)	[tu ecsept]	
Benedire	*To bless* (regolare)	[tu bless]	
Salute!	*Bless you!*	[bless iu]	
Trasportare	*To carry* (regolare)	[tu cherri]	
Guadagnare	*To earn* (regolare)	[tu (e)rn]	
Sommare	*To add* (regolare)	[tu add]	
Recitare	*To act* (regolare)	[tu act]	
Perdonare	*To forgive, forgave, forgiven*	[tu forghiv, forgheiv, forghiven]	
Spostare/traslocare	*To move* (regolare)	[tu muv]	
Indicare	*To point* (regolare)	[tu point]	
Risparmiare	*To save* (regolare)	[tu seiv]	
Augurare	*To wish* (regolare)	[tu uish]	
Scommettere	*To bet, bet, bet*	[tu bet, bet, bet]	
Scoppiare	*To burst, burst, burst*	[tu brst, brst, brst]	
Scegliere	*To choose, chose, chosen*	[tu ciuus, cious, cio(u)sn]	
Dividere	*To split, split, split*	[tu split, split, split]	
Strappare	*To tear, tore, torn*	[tu tear, tor, torn]	
Masticare	*To chew* (regolare)	[tu ciu]	
Rifiutare	*To deny* (regolare)	[tu dinai]	
Entrare	*To enter* (regolare)	[tu enta]	
Fissare/aggiustare	*To fix* (regolare)	[tu fics]	
Crescere	*To grow, grew, grown*	[tu grou, griu, groun]	

Migliorare	*To improve* (regolare)	[tu impruv]	
Aumentare	*To increase* (regolare)	[tu incris]	
Segnare	*To mark* (regolare)	[tu mark]	
Pisolino	*Nap*	[nap]	
Zanzara	*Mosquito*	[moschito]	
Quotidiano	*Daily*	[deili]	
Candela	*Candle*	[chendol]	
Capacità	*Ability*	[ebiliti]	
A bordo di	*A board*	[ebord]	
Spazzola	*Brush*	[brasc] (C dolce)	
Prepotente	*Bully*	[bulli]	
Cespuglio	*Bush*	[busc] (C dolce)	
Esatto	*Accurate*	[acchiureit]	
In realtà	*Actually*	[ecsciualli]	
Anticipo	*Advance*	[edvans]	
Rischio	*Adventure*	[advenci(a)r]	
Antenna	*Aerial*	[aerial]	
Contro	*Against*	[eghenst]	
Sorprendente	*Amazing*	[emeisin]	
Ambulanza	*Ambulance*	[ambiulens]	
Quantità	*Amount*	[emaunt]	
Angelo	*Angel*	[eingel]	
Applauso	*Applause*	[applos]	
Obiettivo/scopo	*Objective*	[obgectiv]	
Disponibile	*Available*	[aveilabol]	
Comportamento	*Behaviour*	[biheiviar]	
Pezzettino, punta	*Bit*	[bit]	
Sangue	*Blood*	[blad]	

Ragazzo	*Guy*	[gai]	
Spesa	*Expense*	[icspens]	
Testimonianza/nota	*Record*	[record]	
Trasparente	*Clear*	[cliar]	
Pettine	*Comb*	[com]	
Comune/banale	*Common*	[common]	
Folla	*Crowd*	[craud]	
Puntino	*Dot*	[dot]	
Motore (di un'auto)	*Engine*	[engin]	
Frutta	*Fruit*	[fruit]	
Porta/cancello	*Gate*	[gheit]	
Regalo	*Gift*	[ghift]	
Oro	*Gold*	[gold]	
Erba	*Grass*	[grass]	
Collina	*Hill*	[hill]	
Fretta	*Hurry*	[harri]	
Lago	*Lake*	[leik]	
Terra	*Land*	[lend]	
Bugia	*Lie*	[lai]	
Umore	*Mood*	[muud]	
Fungo	*Mushroom*	[masc-rum]	
Nudo	*Naked*	[neikd]	
Incubo	*Nightmare*	[naitmer]	
Passatempo	*Pastime*	[pastaim]	
Crostata	*Pie*	[pai]	
Acquisto	*Purchase*	[purceis]	
Arcobaleno	*Rainbow*	[reinbou]	
Motivo/ragione	*Reason*	[risn]	

Forbici	*Scissors*	[sisors]	
Firma	*Signature*	[sigh-ghnatur]	
Esaurito	*Sold out*	[sold aut]	
Francobollo	*Stamp*	[stemp]	
Sasso	*Stone*	[stoun]	
Grattacielo	*Skyscraper*	[scaiscreiper]	
Brivido	*Thrill*	[thrill]	
Impermeabile	*Waterproof*	[uote(r)pruuf]	
Complessivamente	*Altogether*	[oltughed(a)]	
Freccia	*Arrow*	[errou]	
Affare	*Bargain*	[barghen]	
Cieco	*Blind*	[blaind]	
Sposa	*Bride*	[braid]	
Sposo	*Groom*	[gruum]	
Brindisi	*Toast*	[toust]	
Carnagione	*Complexion*	[complecscion]	
Obbligatorio	*Obligatory*	[obligatori]	
Diga	*Dam*	[dam]	
Dieta	*Diet*	[daiet]	
Negozio di alimentari/ emporio	*Drugstore*	[dragstor]	
Uguali	*Equal*	[iquol]	
In avanti	*Forward*	[foruord]	
Colpevole	*Guilty*	[ghilti]	
Marmellata	*Jam*	[gem]	
Salvagente	*Life belt*	[laif belt]	
Accendino	*Lighter*	[laiter]	
Maschera	*Mask*	[mesk]	

IDIOMS

Water under the bridge (letteralmente: «Acqua sotto il ponte»)
Pronuncia: [uote(r) ander de bridg] (G dolce).
Significato: Acqua passata.
Esempio: *I should have exercised more this week... well, that's water under the bridge.* (Avrei dovuto fare più ginnastica questa settimana... be', è acqua passata ormai.)

To take something for granted (letteralmente: «Prendere qualcosa per garantito»)
Pronuncia: [tu teik samthin for grent(i)d].
Significato: Dare qualcosa per scontato.
Esempio: *I took her help for granted.* (Ho dato per scontato il suo aiuto, non l'ho apprezzato abbastanza.)

Never say die! (letteralmente: «Non dire mai morire!»)
Pronuncia: [neva sei dai].
Significato: Non darsi per vinti, non disperare.
Esempio: *There are still a few people I haven't talked to. Never say die.* (Ci sono ancora alcune persone con cui non ho parlato. Non è ancora finita.)

No time for (letteralmente: «Niente tempo per»)
Pronuncia: [no taim for].
Significato: Non c'è tempo per qualcosa (che viene specificato subito dopo).
Esempio: *I have no time for fun.* (Non ho tempo per divertirmi.)

Labour of love (letteralmente: «Lavoro di amore»)
Pronuncia: [lebor of lov].

Significato: Un lavoro faticoso e mal retribuito ma fatto con il cuore, con passione, per il piacere o la soddisfazione di farlo.

Esempio: *She knitted a blanket for each of her grandchildren. What a labour of love it was!* (Ha fatto a maglia una copertina per ciascun nipote. Che lavoraccio, ma fatto con amore.)

The last straw (letteralmente: «L'ultima paglia»)
Pronuncia: [de last stro(u)].
Significato: La goccia che fa traboccare il vaso.
Esempio: *What you told me yesterday was the last straw. I'm breaking up with you.* (Quello che mi hai detto ieri è stata la goccia che ha fatto traboccare il vaso. Ti lascio.)

ESERCIZIO 20.1

Traduci in inglese utilizzando *to get*.

Bagnarsi	_____	Sporcarsi	_____
Andare in giro	_____	Diventare facile	_____
Farsi buio	_____	Invecchiare	_____
Raffreddarsi	_____	Sposarsi	_____
Alzarsi	_____	Prepararsi	_____

ESERCIZIO 20.2

Traduci dall'italiano all'inglese.

1. Ho mandato molte email ma non ho mai ricevuto risposta.
2. Sam... ci hanno portato la cena. Vieni qui!
3. Puoi prendere il bus per andare al lavoro oggi? Io uscirò tardi da casa.
4. Hai impostato il timer perché suoni tra circa un'ora?
5. Questo libro mi appassiona (*to thrill*) tutte le volte che lo apro.
6. Mia mamma mi ha permesso di uscire con i miei amici ieri sera.
7. Non mi deludere (*to let down*)!
8. Non sono più riuscita a tenere la fune (*rope*) e ho dovuto lasciarla andare.

9. Tengo nota (*to keep record*) di tutte le spese.
10. Dovremmo andare a casa, comincia a farsi buio.

Esercizio 20.3

Leggi e comprendi il seguente testo.

MANAGING OUR EMOTIONAL STATE

You might think that at times external events can influence you, and lead you to change your emotional state in a way that makes it complex for you to hold on to the premises of happiness. Here is where your relationship with your own emotions comes into play.

For many people it seems impossible to pull the plug on weakening – i.e. negative – emotions. For example, if you have had a very difficult day at work and your boss lashed out at you without reason, you may take it out on people that are not to blame for what happened to you. You might even be mean to a friend or a family member when all they want to do is be close to you.

If we rationalize, we all know this sort of behavior is neither useful nor fair.

Treating others poorly because of problems that are unrelated to them is a symptom of our inability to manage our own emotional state. Emotions are human beings' fuel. All of our actions are generated by emotions, both positive and negative. Emotions are generated by outside sources or stimuli to which we respond.

Were we to approach a female wild boar with her litter, and start to annoy one of her little ones, wouldn't we surely stimulate the mother into responding? And how would she react? She would try to hurt us.

Animals respond in a given way to a given stimulus. They react to danger, regardless of whether the person disturbing their cub is armed or unarmed, or has good or bad intentions: the reaction will always be the same.

It's different for us humans (or at least it should be): we choose our response to stimuli. And if you believe that in your life you have situations in which you think you can react only in a certain way, you are making up excuses not to accept responsibility over your emotional state.

A dear friend of mine, Simone, repeatedly told me that this was all very nice, but not realistic. When at the wheel, if someone did him wrong, he believed he had only one possible reaction: getting angry and attacking.

315

He said that the only way he could possibly react was by arguing, to the point of being physically aggressive at times. He said that was the way he was, that it was out of his control, and that he could only react in a certain way to a certain stimulus. That was until the day he got a real life lesson.

We were in the car waiting for the light to turn green, and in front of us there was a really decked-out, customized car with tinted-glass windows. The light turned green and the car in front of us didn't start. Simone started getting impatient and looked at me with a hostile attitude, huffing and puffing. The car still wouldn't move. The light turned yellow and Simone started honking his horn, growing more irritated until the light finally turned red. He looked at me, pulled the hand break, and told me these exact words: «*Ora lo gonfio*», meaning «I'm going to beat him up so badly he'll look like a balloon».

He got out of the car, drew close to the poor fellow's door and hit the front window twice. Of course, some kind of body building giant got out of the car. Simone stood there, petrified. I ran out of the car to try and keep him out of the hospital! Simone looked at the huge man in front of him, and said: «I was thinking... do you by any chance need help getting your car going?»

We got back in the car, and I could hardly keep myself from laughing. I looked at my friend and said: «So, why exactly is it you didn't 'blow him up' like a balloon?»

I kept quiet for the following fifteen minutes and finally added: «So you see that you did have a choice between stimulus and response in this case. It means you *can* choose your reaction».

At times we don't realize that our emotional state can be managed differently. Now think of all the times you behave in a certain fixed way in human relationships.

Be aware that every time you say, «If you do this I'll get mad», or «When you act like that you sadden me», etc. you are delegating the responsibility of your emotional state to someone else. You are losing control of your life.

I understand that there are situations in which a person might think he or she is really unable to give a different response to a certain stimulus, but here is the good news: it can be done!

The most effective key to changing your emotional state, when you are aware that it's not the best for you, is what Anthony Robbins calls the *triad model*, a concept I have incorporated into the *triad of excellence*.

THE TRIAD OF EXCELLENCE

The first element of the triad is *physiology*: the way you use your body, your posture, breathing patterns, and everything connected to non-verbal language.

Psychosomatics studies the interactions between *psiche* and *soma*, i.e. «mind» and «body» in Greek. The relationship between these two elements is very strong. Every sensation or thought we have has a repercussion in our body.

It would be very difficult to feel positive emotions while having the physiology of a sad person. Try to think of a depressed person's body language: what comes to mind?

Would his or her shoulders be straight up or hunched down?

Would his or her breathing be deep or short and anxious?

Would his or her eyes look up at your face or down at the floor?

Although you've likely never taken part in a course in NLP (Neuro-Linguistic Programming), you will instinctively know the right answers. Experience has taught you how your body reacts to certain emotional states. After having focused on this concept, it is useful to consider that the relationship between *psiche* and *soma* is two-way: the mind affects the body as much as the body affects the mind. So, by changing our physiology we can change our thoughts, feelings, and emotions. Let's test this idea with a simple exercise.

Think of something sad in your life. Continue reading and keep this sad thought in your mind, but get up on your feet, jump up and down, smile, look up to the sky and clap your hands energetically.

If you've followed my instructions to a tee, you will most likely have noticed that your mind was unable to retain the initial sad feeling.

It's impossible to use our body with movements that are not connected to our sensations and still hold on to an emotional state that is in contrast with our physiology.

Now all we have to do is understand how we can use this connection to our advantage. Here's an example.

Should you ever receive some bad news just a few minutes prior to a crucial job deadline for which you needed the utmost concentration, would you be able to keep your focus until you completed your task and achieved your goal?

Most people would have a really hard time. They would be unable to concentrate, and would use what happened to justify their failure. Actually, the best thing you can do in these situations is use physiology to disconnect your mind from negative feelings. We are not trying to be cynical: the bad news has affected you and you will have feelings about it; but if you let it get in the way of your job commitment, it would only make things worse.

The first thing to do, then, is to act on your own physiology by changing it. Get on your feet, square your shoulders, take a deep breath, and smile while you look upwards. Jump up and down a little, as if you were getting ready for a sporting event. This is sure to help you think about your bad news a lot less.

Changing our physiology changes our internal biochemistry. Changing the way we breathe, our movements, and facial expressions automatically activates different biochemical processes: the blood flow, oxygen levels and neurotransmitters reaching our brain are altered. It's instinctual, like tail-wagging for a dog or purring for a cat.

The first time I heard someone talk about physiology as a means to manage emotions I told myself, «Great, it works. But after I've dealt with my job commitment, I will still have to face the sadness». I wondered, «Will I have to jump around every time I have negative feelings?» Well, changing our physiology to change our emotional state is only the first step. It's an essential, useful, immediate and efficient solution, but it's short-lived.

The second step we need to take, if we want to achieve long-lasting improvement, is to *focus*. Remember: the human mind is selective.

Imagine going to a party, and recording two people passionately kissing each other. If you showed the video to someone who was not at the party, they would probably think that they missed a fantastic event. If at the same party you only recorded two people arguing, instead, the interpretation a third party would give would be different. This is a metaphor of our focus: our perception of the reality we come into contact with depends on what we decide to «record».

In the field of NLP, a very important concept called «7±2» is used to support this idea.

Simply put, 7±2 is the number of pieces of information, varying between 5 and 9, that our mind can consciously and simultaneously deal with. It's not possible for us to focus on everything surrounding us.

While you are reading this book you brain is unaware of many things. For example, the feeling of the tip of your toes against your shoes or of your bottom sitting on the chair or sofa. Your brain still monitors these aspects, but on an unconscious level, because it decides where to put its attention. If you wish to, you can become aware of your own breathing – something you were unaware of up until a moment ago. You could choose to focus your attention on the sounds or on the silence surrounding you, on the colors of the room you're in or on the objects currently close to you.

In every moment of your existence, a part of your brain that you are unaware of manages hundreds of things happening inside and outside of you. Things that the conscious part erases, concentrating on what it finds useful and interesting in that moment.

This process is vital, because it prevents our mind from overloading with information it wouldn't be able to manage. The negative aspect of the process is that our ability to focus is limited. We see through a restricted lens and often think that the perception coming from our «video camera» is the full reality. It obviously isn't so.

Focus is about perception of reality, hence it can be changed.

You are free to choose how to use your «video camera», choosing what to focus on, how to focus on it, from what distance, with what lighting, achieving an entirely different perception, different sensation, and different emotions.

If you decide to focus only on the things you don't like in your life, on what you don't have, your failures and disappointments, and the difficulties you have been through, it'll be impossible to be happy.

You'll be destined to a life of sadness and dissatisfaction. All you need to do is search in your head for the things you don't like, zoom in to them, and you will immediately become unhappy. Many people have a great talent for using their «video camera» this way.

Everyone has good and bad days, but focusing on the positive will always help you feel better.

The quality of your life depends on the quality of your emotions. As we have seen, the latter are determined by your feelings and have substantial influence on your actions. Being able to manage your focus is essential in managing your emotional state.

During my courses, I often hear people tell me that it's difficult. Believe me: it's much easier than you think.

Take a moment to concentrate on all the things you can be grateful for today – on the beautiful things that exist in your life, on the people that love you, on your passions – and feel your emotional state change.

Now, if you tried doing the opposite – focusing on the negative – it would be just as effective, but not as useful. If we wanted to, we could project an endless movie with all the injustices happening in the world, all the suffering, the pain, and the illnesses. At the end of this movie I assure you that your emotional state would be different than it is now. And were we to project a movie with all the positive things happening in the world? With babies being born, people loving each other, volunteers helping others with the sole goal of making the world a better place. Again, your emotional state would be much different.

We can choose which reality we want to focus on.

This will totally influence the way we live our life. I'm not saying you should loose interest on the bad things happening in the world, but a happy person can better help someone who's having a hard time, compared to a person who allows unfortunate events to influence their life. Imagine a person you love is ill, or is facing an important challenge: would keeping him company while you are in a depressed, sad and desperate state help in any way? Wouldn't it be better to be smiling and cheerful, helping him fight with all his might? I'm sure the answer is obvious to you as it is to me.

Focus allows us to decide what to concentrate on and how. The situations on which we focus become our reality, but even the way in which we focus can influence us. If we zoom in on an image it will change our feelings.

After understanding the importance of physiology and focus, it is essential to understand the third part of the triad which allows us to direct our «video camera» in the most useful direction.

Through *language* we can choose what to focus on, and how to manage our emotional state in an instant.

Communication is made up of two components: internal and external communication. The latter refers to the whole universe of interpersonal relationships in which we share information, emotions, feelings, and experiences with those around us.

On the other hand, internal communication is made up of our thoughts.

A thought is formed by a series of stimuli we respond to: there is a constant process of questions and answers. While you were reading this statement you probably asked yourself: *Is it true?* And thus you have just verified it is.

The words we speak are led by the questions we ask ourselves. These questions determine where we put our attention and are the most efficient tool to direct our focus: by asking questions, you can guide communication.

If I asked you where you went on your last vacation, although you weren't thinking about this topic at all just a few seconds ago, almost certainly your mind would start orienting itself in order to find the answer, drifting away from what it was thinking about before.

It's natural for this to happen because our brain automatically wants to answer the questions it receives. In NLP the concept of *transderivational research* refers to the mental process by which the brain constantly searches for reasonable answers to its own questions. It's as if there were an interior search engine that starts looking for results as soon as a question is asked. I'm sure at least once in your life you have been asked a question you did not know the answer to. And perhaps, after a while, right when you least expected it, you had an intuition.

You've probably also seen someone and had the feeling you'd already seen them somewhere, but couldn't remember where. Then, while you were doing something else, you remembered.

The fact is that once our brain has registered a question, it keeps searching for an answer even subconsciously. This feature of our mind can be used with total awareness, becoming an extraordinary tool for our own happiness... but it can also turn into a means of self-destruction.

If we ask ourselves «Why me?» whenever we face a particularly difficult situation or go through some kind of crisis, our mind will start looking for the answer. What might be the logical answer to this question?

A logical answer doesn't exist, but you might tell yourself, «Because I deserve it. Because I'm bad. Because life sucks. Because I'm a loser». These are all dumb answers, but clearly dumb questions deserve dumb answers.

There are two types of questions: productive and nonproductive. Questions that yield results, that are functional to achieving our goals, and questions that yield results that are dysfunctional. Asking ourselves and others the right questions is essential. What results would you like to have?

Learn to ask yourself productive questions, right now. Be aware that your mind is always looking for answers, and that if you live your life asking yourself what is wrong in the world, sooner or later your mind will find an answer.

Nonproductive questions are particularly dangerous because every time our brain offers us an answer we accept it as an absolute truth.

Think about the premise of the questions you ask. For example, if I ask myself «Why does everything always seem to go wrong?», the premise is «Everything always goes wrong».

I'm sure you realize that this is a foolish question because it stems from a false starting point, since no one individual can have everything always going wrong for him. If you believed that was possible, then you might fall victim to a horrible logic in which you might start answering your questions with dangerous statements such as: «Because I'm not good enough», «Because I'm uncapable», «Because I'm not clever enough», etc. This would drain your motivation so much that the initial premise would probably come true. It would send your mind a negative message and fuel a bad self-image.

Now try to think of what your future life may be like if you continue to ask yourself nonproductive questions, allowing your mind to work on answers that will only amplify your inferiority complexes, starting a vortex of failures and pain that could condition your entire life, as well as the lives of those around you.

Now that you grasp the importance of the questions you ask, you must understand how questions can be productive or nonproductive relating to the goals you want to achieve.

If your goal is living an unhappy life, then nonproductive questions are just what you need! But I doubt this is your goal in life, right?

Therefore, always remember to outline your goal before asking yourself questions.

Tratto da *Semplicemente felice* di Luca Lorenzoni,
Sperling & Kupfer, Milano 2012

DAY TWENTY-ONE

Ripassa ciò che hai imparato ieri e il quattordicesimo giorno. Quando hai finito fai un paio di minuti di rilassamento e poniti consapevolmente l'obiettivo di affrontare lo studio e gli esercizi del ventunesimo e ultimo giorno.

GRAMMAR RULES

Phrasal verbs

Dedichiamo quest'ultima giornata di studio della lingua inglese ai *phrasal verbs*: verbi accompagnati da una preposizione che ne costituisce parte integrante e ne cambia totalmente il significato. Per esempio *to get*, che come sai indica un cambiamento di stato, unito alla preposizione *along* significa «andare d'accordo».

I *phrasal verbs* hanno due caratteristiche da tenere sempre a mente:

- se sono seguiti da un verbo, questo dev'essere in -ING: per esempio *I'm getting used to writing in English* (Mi sto abituando a scrivere in inglese);
- a volte permettono al complemento oggetto di trovarsi tra il verbo

e la preposizione: per esempio *You should beef your curriculum up* (Dovresti rimpolpare il tuo curriculum).

Per oggi la grammatica è già finita. Per i *phrasal verbs* non c'è altro da fare che memorizzarne il più possibile! Ne esistono centinaia, ma noi vedremo solamente quelli più utili e usati.

VOCABULARY

Phrasal verbs

Questa volta non indicheremo quali verbi sono regolari e quali no. Vedrai che se hai memorizzato tutti quelli che sono stati proposti nei primi 20 giorni te ne resteranno ben pochi da cercare…

	SCRITTURA	PRONUNCIA	RISCRIVI
Invitare qualcuno a uscire	To ask someone out	[tu ask samuan aut]	
Mirare a	To aim at	[tu eim et]	
Arrendersi	To back down	[tu bek daun]	
Costruire, sviluppare	To build up	[tu bild ap]	
Rompersi	To break down	[tu breik daun]	
Interrompere, staccarsi	To break off	[tu breik off]	
Scoppiare (guerre/epidemie)	To break out	[tu breik aut]	
Entrare di forza, irrompere	To break in	[tu breik in]	
Lasciarsi (in una relazione)	To break up	[tu breik ap]	
Far venire, chiamare	To call in	[tu coll in]	
Fermarsi da/ passare da	To call at	[tu coll et]	
Fermarsi per un momento	To call by	[tu coll bai]	
Richiamare qualcuno al telefono	To call someone back	[tu coll samuan bek]	

324

Calmarsi dopo un'arrabbiatura	To calm down	[tu calm daun]	
Rimettersi in pari con	To catch up with	[tu chetc ap uith] (C dolce)	
Controllare, guardare (in maniera informale)	To check out	[tu cek aut]	
Rallegrare qualcuno	To cheer someone up	[tu ciir samuan ap]	
Ripulire o mettere in ordine	To clean up	[tu clin ap]	
Trovare inaspettatamente qualcosa	To come across something	[tu cam ecross samthin]	
Fidarsi	To count on	[tu caunt on]	
Abbattere qualcosa (per esempio un albero)	To cut something down	[tu cat samthin daun]	
Rimuovere con una lama, tagliare (la corrente)	To cut something off	[tu cat samthin off]	
Rimuovere parte di qualcosa	To cut something out	[tu cat samthin aut]	
Rifare	To do something over	[tu du samthin ova]	
Vestirsi eleganti	To dress up	[tu dress ap]	
Finire per	To end up	[tu end ap]	
Andare in pezzi	To fall apart	[tu fol apart]	
Cadere giù	To fall down	[tu fol daun]	
Cadere fuori	To fall out	[tu fol aut]	
Capire, trovare la risposta	To figure out	[tu fighiur aut]	
Riempire gli spazi (in un modulo)	To fill in	[tu fill in]	
Scoprire	To find out	[tu faind aut]	
Superare, riprendersi, guarire	To get over	[tu ghet ova]	
Procedere	To get on	[tu ghet on]	

Andare d'accordo	To get along	[tu ghet elon]	
Ritornare	To get back	[tu ghet bek]	
Incontrarsi	To get together	[tu ghet tughed(a)]	
Alzarsi	To get up	[tu ghet ap]	
Restituire	To give back	[tu ghiv bek]	
Cavarsela a buon mercato, passarla liscia	To get away with it	[tu ghet euei uid it]	
Regalare qualcosa di proprio	To give something away	[tu ghiv samthin euei]	
Arrendersi	To give up	[tu ghiv ap]	
Distribuire	To give out	[tu ghiv aut]	
Arrendersi	To give in	[tu ghiv in]	
Seguire/perseguire	To go after	[tu go after]	
Iniziare/procedere	To go ahead	[tu go ahed]	
Ritornare	To go back	[tu go bek]	
Ripassare, rivedere	To go over	[tu go ova]	
Crescere	To grow up	[tu grou ap]	
Consegnare	To hand in	[tu hend in]	
Distribuire a un gruppo di persone	To hand out	[tu hend aut]	
Aspettare un attimo	To hang on	[tu heng on]	
Rilassarsi, stare insieme senza fare niente di particolare	To hang out	[tu heng aut]	
Mettere giù il telefono	To hang up	[tu heng ap]	
Attendere un attimo	To hold on	[tu hold on]	
Lasciare entrare qualcuno	To let someone in	[tu let samuan in]	
Prendersi cura di	To look after	[tu luk after]	
Disprezzare qualcuno	To look down on someone	[tu luk daun on samuan]	
Non vedere l'ora di	To look forward to	[tu luk foruord tu]	

Stare in guardia	*To look out for*	[tu luk aut for]	
Cercare	*To look for*	[tu luk for]	
Ripensare al passato	*To look back to*	[tu luk bek tu]	
Girare la testa	*To look back*	[tu luk bek]	
Cercare (in un libro o in un database)	*To look up*	[tu luk ap]	
Guardarsi intorno	*To look around*	[tu luk eraund]	
Fare pace	*To make up*	[tu meik ap]	
Scambiare qualcosa	*To mix something up*	[tu mics samthin ap]	
Morire	*To pass away*	[tu pass euei]	
Svenire	*To pass out*	[tu pass aut]	
Restituire soldi	*To pay someone back*	[tu pei samuan bek]	
Scegliere	*To pick out*	[tu pik aut]	
Indicare con il dito qualcuno	*To point out*	[tu point aut]	
Mettere giù qualcosa	*To put something down*	[tu put samthin daun]	
Mettere insieme	*To put together*	[tu put tughed(a)]	
Tollerare	*To put up with*	[tu put ap uid]	
Indossare	*To put on*	[tu put on]	
Incontrare inaspettatamente	*To run into*	[tu ran intu]	
Investire qualcuno in auto	*To run someone over*	[tu ran samuan ova]	
Scappare	*To run away*	[tu ran euei]	
Finire (per esempio il latte)	*To run out of*	[tu ran aut of]	
Organizzare	*To set up*	[tu set ap]	
Vantarsi	*To show off*	[tu sciou off]	
Dormire da qualcuno	*To sleep over at someone's*	[tu sliip ova et samuans]	
Accendere/spegnere	*To switch on/off*	[tu suitc on/off] (C dolce)	

Strappare	To tear up	[tu ter ap]	
Decollare	To take off	[tu teik off]	
Prendere il controllo	To take over	[tu teik ova]	
Tirare fuori	To take out	[tu teik aut]	
Accendere/spegnere	To turn on/off	[tu t(u)rn on/off]	
Alzare/abbassare il volume	To turn up/down	[tu t(u)rn ap/daun]	
Provare (vestiti)	To try on	[tu trai on]	
Svegliarsi	To wake up	[tu ueik up]	
Fare riscaldamento, riscaldare il cibo	To warm up	[tu uorm ap]	
Fare esercizio fisico, riuscire	To work out	[tu uork aut]	

IDIOMS

Feather in your cap (letteralmente: «Piuma sul tuo cappello»)
Pronuncia: [fede(r) in io(u)r chep].
Significato: Fiore all'occhiello, motivo d'orgoglio.
Esempio: *This exam is just another feather in his cap.* (Questo esame per lui è solo un altro fiore all'occhiello.)

Third wheel (letteralmente: «Terza ruota»)
Pronuncia: [th(i)rd uiil].
Significato: Terzo incomodo, persona che esce con una o più coppie e non ha un suo partner.
Esempio: *I felt like a third wheel last night.* (Mi sono sentito il terzo incomodo ieri sera.)

As dead as a Dodo (letteralmente: «Morto come un Dodo»)
Pronuncia: [es ded es a dodo].
Significato: Morto e sepolto.

Esempio: *That idea is as dead as a Dodo.* (Quell'idea è morta e sepolta.)

To draw the line (letteralmente: «Disegnare la linea»)
Pronuncia: [tu drou de lain].
Significato: Porre un limite.
Esempio: *That's enough! We have to draw the line somewhere.* (Adesso basta! A un certo punto dobbiamo fermarci.)

To drink like a fish (letteralmente: «Bere come un pesce»)
Pronuncia: [tu drink laik a fisc] (C dolce).
Significato: Bere come una spugna, bere molto fino a ubriacarsi.
Esempio: *John drank like a fish at the party.* (Alla festa John ha bevuto come una spugna.)

To eat like a pig (letteralmente: «Mangiare come un maiale»)
Pronuncia: [tu it laik a pig] (G dura).
Significato: Mangiare come un maiale, mangiare troppo e male.
Esempio: *He eats like a pig, I don't know how he manages to be so thin.* (Mangia come un maiale, non so come riesca a essere così magro.)

To face your demons (letteralmente: «Affrontare i tuoi demoni»)
Pronuncia: [tu feis io(u)r dimons].
Significato: Prendere il toro per le corna, affrontare le proprie paure o problemi.
Esempio: *I decided to face my demons and make that phone call.* (Ho deciso di prendere il toro per le corna e fare quella telefonata.)

To keep your cool (letteralmente: «Tenere il tuo fresco»)
Pronuncia: [tu kiip io(u)r cuul].

Significato: Rimanere calmo.

Esempio: *I know you are angry, but just keep your cool.* (So che sei arrabbiato, ma mantieni la calma.)

ESERCIZIO 21.1

Traduci le seguenti frasi nei diversi tempi verbali imparati in questi 21 giorni.

TEMPO VERBALE	FRASE ITALIANA	FRASE INGLESE
Simple present	Vado a una riunione ogni lunedì. Lei usa la tua auto.	
Present continuous	Sto andando alla riunione. Lei sta usando la tua auto.	
Simple future	Andrò alla riunione. Lei userà la tua auto.	
Past simple	Sono andato alla riunione. Lei ha usato la tua auto.	
Past continuous	Stavo andando alla riunione. Lei stava usando la tua auto.	
Present perfect	Sono andato alla riunione. Lei ha usato la tua auto.	
Present perfect continuous	Sto viaggiando da un'ora per andare alla riunione. Lei sta usando la tua auto da stamattina.	
Past perfect	Ero già stato alla riunione. Lei aveva già usato la tua auto.	
Past perfect continuous	Spiegai che stavo andando alla riunione. Lei stava usando la tua auto già l'anno scorso.	

Esercizio 21.2

Traduci i *phrasal verbs* in italiano.

To run into	_____	To do something over	_____
To break in	_____	To end up	_____
To look forward to	_____	To run out	_____
To break out	_____	Tu pick out	_____
To back down	_____	To go after	_____

Componi una frase per ciascun *phrasal verb* memorizzato.

Esercizio 21.3

Traduci queste frasi in inglese.

1. Hai qualcosa per pulire l'ufficio? Ho telefonato a John per chieder-gli se mi poteva prestare la scopa, ma ha detto che mi richiamerà.
2. Ho chiesto a Mary dove potevo trovare un paio di forbici, e mi ha indicato la sua scrivania (*desk*).
3. Kim ha notato che quella coperta era troppo vecchia, quindi l'ha re-galata a Jack.
4. Uno dei nostri sogni più grandi è svegliarci la mattina e scoprire di essere su una mongolfiera.
5. Può essere difficile, ma non ho intenzione di arrendermi!
6. Guardati attorno, vedi una chitarra?
7. A che ora sei partito? Ero in ritardo, così ho indossato dei vestiti e poi sono scappato via.
8. Mary dormiva, quindi mi chiese di abbassare il volume della radio.
9. I rapinatori entrarono di forza nel negozio di alimentari e presero tutto.
10. Ero così arrabbiato che ho tirato fuori i contanti e ho trovato una soluzione.

Esercizio 21.4

Leggi e comprendi il seguente testo.

In the field of learning what initially starts off as a small difficulty in a subject can, in time, turn into a more serious problem.

For example we convince ourselves, mistake after mistake, that that subject is not meant for us: we keep on making mistakes and don't understand that mistakes are a normal part of the learning process. We start associating pain, fear of failure and criticism with that subject. A diabolical mechanism sets off in our mind, and every time we sit down for a test we find ourselves facing two problems: the test itself and our anxiety about making mistakes, which naturally leads to failure.

The same logic applies to any situation: how many times have you felt you couldn't possibly keep up with a workshop, although it was crucial for your career? How many times have you dropped out of a foreign language course because «My brain is just not made for that language»? How many times have you chickened out of speaking up at a meeting with the head honchos, therefore appearing far less competent than you truly are? Finally, how many times have you been unable to keep up with the handouts, reports, and in-depth reading you need to always be up to date on things?

This is how «learned helplessness» starts: when we convince ourselves that we are not able to do something, and this inability is associated with our way of being and identity, as we perceive it as a personal, persistent and pervasive part of ourselves.

Blame it all on the three Ps!

Personal, tied to our identity. We think of our inability as something hard-coded in our DNA.

Permanent. We feel that changing the situation isn't possible, therefore we can't improve.

Pervasive. Every field of our life can be smothered by the general belief that we are not good enough.

Learned helplessness originates from «self-weakening beliefs», that is thoughts that reduce our personal power because they convince us that we have less potential than what we really posses.

We all apply strategies that allow us to avoid being disappointed by a likely failure, but by doing this we risk getting stuck when we make the mistake of associating our personal value to the quality of the results obtained.

Believe in it! For better or for worse...

Self-weakening beliefs threaten our sense of security and prevent us from expressing our abilities. However, the same negative mental mechanism that is at the root of our worse difficulties can be turned into a positive one, and create «empowering beliefs» that allow us to fully exploit our abilities.

Many of the most authoritative coaches in the field of personal growth and HR development sum up this mechanism with the following formula, at the basis of their teachings:

- THOUGHTS
    - EMOTIONS
        - ENERGY
            - ACTIONS
                - RESULTS

The formula is: a person's results are the fruit of his actions, that in turn are influenced by his energy and mood, directly linked to the kind of thoughts this person has about him or herself in relation to what he or she is doing. Or, more simply put:

What you believe, you achieve.

The beliefs that as a whole make up each individual's learning model are formed mainly from the information and programming that we have received in the past, and particularly in our early years.

It's easy to imagine what our main sources of beliefs were: parents, brothers, sisters, friends, teachers or even religious authorities, media, culture, etc. Every child is taught how to think and act, and such teachings become a life-long influence on him or her. This is how we acquire a system of beliefs which in turn creates automatic responses that are good for the rest of our lives, or at least until we acknowledge them and decide to actively intervene to change them.

Tratto da *Genio in 21 giorni* di Giacomo Navone e Massimo De Donno, Sperling & Kupfer, Milano 2012

CONCLUSIONI

Siamo così abituati a guardare negli occhi le persone che entrano nelle nostre aule per partecipare a un corso di formazione, e a vederle poi uscire arricchite e trasformate che ci fa un certo effetto pensare che adesso che sei arrivato alla fine di questo viaggio, così entusiasmante ma anche impegnativo, non siamo lì con te a festeggiare il tuo straordinario risultato. Ci dispiace, ovviamente: per tutto l'impegno che mettiamo nel permettere ai nostri allievi di ottenere i risultati che desiderano, non esiste gratificazione più grande che vederli felici, soddisfatti di essere riusciti in qualcosa che pensavano impossibile, soprattutto così velocemente, senza stress e divertendosi.

Non possiamo che augurarci che tu abbia seguito le nostre indicazioni e che tu abbia capito come creare una full immersion mentale nella lingua inglese! Speriamo che tu abbia davvero prenotato quel weekend-premio a Londra, anche se solo qualche settimana fa ti sembrava così lontano il momento in cui saresti potuto partire senza preoccuparti della lingua. Speriamo che tu non veda l'ora di utilizzare ciò che hai imparato e di migliorare ancora: sarebbe per noi la conferma di aver fatto bene il nostro lavoro.

Il tuo prossimo obiettivo è imparare a parlare in modo *fluent*. Portare le tue conoscenze al livello nel quale la tecnica «muore» e resta solo la padronanza di una nuova abilità.

Ci sono molti strumenti che puoi utilizzare a questo scopo. Il primo, il più importante adesso, è quello dei ripassi programmati. Continua a ripassare ogni giorno quello che hai studiato la settimana e il mese precedente. Continua a conversare online usando italki o siti simili. Cerca su YouTube tra le centinaia di video pubblicati da poliglotti che condividono i loro *tips and tricks* (consigli e trucchi) per velocizzare l'apprendimento delle lingue. Mettiti in gioco misurando il livello che hai raggiunto grazie al test che trovi sul nostro sito, basato sui criteri stabiliti dal Consiglio d'Europa per gli attestati di competenza linguistica. Registrati sul nostro sito e troverai tutti gli articoli, gli aggiornamenti e gli strumenti più innovativi per imparare l'inglese e non solo. Leggendo questo libro avrai acquisito diverse strategie utili, ma ogni tanto esce qualcosa di nuovo e il nostro ruolo sta nel cercare, trovare e condividere tutte le novità più intelligenti.

Ti consigliamo di partecipare agli incontri organizzati all'interno delle nostre sedi. Hai più di un motivo per farlo: conoscere altre persone che come te sono interessate a crescere e migliorare, ricevere consigli e suggerimenti per lo studio della lingua e l'apprendimento in generale, imparare nuove strategie e... caricarsi di motivazione!

Ti chiediamo, se abbiamo avuto qualche merito nei risultati che hai ottenuto finora, anche solo per averti aiutato a vedere che questa sfida è alla tua portata, di lasciarci un messaggio su Facebook: farà piacere a noi, ma soprattutto sarà di incoraggiamento per tutti coloro che pensano ancora che l'inglese sia un mostro da sconfiggere!

Sperando di conoscerci presto di persona, *we wish you a wonderful life!*

RINGRAZIAMENTI

La gratitudine è una delle emozioni più straordinarie che l'essere umano possa provare. Dovremmo essere davvero poco consapevoli di ciò che ci circonda per non renderci conto che abbiamo molte cose di cui essere grati nella nostra vita.

Sarà perché siamo stati abituati ad aspettare un gesto di benevolenza o gentilezza nei nostri confronti prima di dire «Grazie», ma molti di noi hanno imparato a provare gratitudine solo quando accade qualcosa di positivo. Ci siamo dimenticati però di una legge fisica tanto semplice quanto incontrovertibile: a ogni azione corrisponde una reazione di pari forza ma direzione opposta. Questo dovrebbe suggerirci che, se abbiamo il cuore pieno di gratitudine e mandiamo continuamente messaggi positivi verso gli altri, non possiamo che ricevere «regali» senza interruzione. Chi l'ha provato sa che è vero, e che quello che si riceve è sempre più di quello che si dà.

Se già di solito non facciamo alcuna fatica a mantenere questo atteggiamento positivo, in un momento come questo, in cui stiamo battendo le ultime lettere di un'opera che speriamo arrivi nella vita di molte persone, la soddisfazione e la gratitudine che proviamo è enorme.

Gratitudine innanzitutto nei confronti delle persone che rappresentano per noi lo stimolo più forte a migliorare sempre, a chiederci di più, a dare di più, a intraprendere a volte avventure che non abbiamo nessuna garanzia di saper affrontare. Mi riferisco ai collaboratori di Your Trainers, ai Potenziali Istruttori, alle Responsabili del Servizio Clienti e agli Istruttori: Michele D'Antino, Francesco Conti, Chiara Savino, Luisa De Donno, Francesco Di Nardo, Stefano Intini, Ivan Romano, Stefano Vecchi, Giovanni Broccio, Alessandra Laterza, Simone Sacco, Davide Bini, Paolo Chessa, Marta Lieto Magri, Manuela Oliva, Svetlana Chirkova, Elena Lipartiti, Eva Albertinazzi, Serena Sava e Davide Catalano.

Queste persone danno un esempio importante, perché un giorno hanno deciso di credere in un sogno e da quel momento non si sono mai stancate di lavorare per realizzarlo; per noi rappresentano una famiglia ancor prima che un'azienda.

Un grazie particolare va a Dora Dalla Pellegrina e Giovanna Andretta per il grande lavoro svolto nella realizzazione degli esercizi, a Elisa Vinco per la creatività e la bellezza del suo tratto, a Serena Tabori per essere sempre rimasta al nostro fianco, concreta e piena di entusiasmo e di amore, ingredienti fondamentali per riuscire in ogni impresa.

Un grazie fondamentale a te, che hai in mano questo libro e dimostri in questo modo di essere una persona che vuole di più e che agisce per ottenerlo. Grazie perché avrai voglia di condividere con noi e con il mondo intero la tua accresciuta voglia d'imparare!

Infine un grazie infinito alle nostre famiglie, che hanno riempito la nostra vita d'amore dal primo giorno.

God bless you all!

SOLUZIONI

DAY ONE

1.1 We are young.
    She is beautiful!
    You are happy.

1.2 We are not young
    She is not beautiful!
    You are not happy.

1.3 Are we young?
    Is she beautiful?
    Are you happy?

1.4 Aren't we young?
    Isn't she beautiful?
    Aren't you happy?

1.5 She is   She's
    It is not   It isn't/it's not
    I am not   I'm not
    They are   They're
    He is not   He isn't/he's not
    You are   You're

1.6 This book is very big!
    They are my friends.
    I am Italian.
    The bridge is not tall.
    We aren't young.
    You are happy!
    She is beautiful.
    My name is Carl.

1.7 She is / she's Spanish.
    He is / he's a teacher.
    The book is small.
    They are / they're sad.
    I am / I'm tall.
    You are / you're happy.
    The cat is beautiful.
    She is / she's old.
    It is / it's big.
    We are / we're short.

1.8

Negativa	Interrogativa	Short answer (risposta a scelta libera)
She isn't Spanish.	Is she Spanish?	Yes, she is / No, she isn't
He is not a teacher.	Is he a teacher?	No, he isn't / Yes, he is
The book isn't small.	Is the book small?	No, it isn't / Yes, it is
They are not sad.	Are they sad?	Yes, they are / No, they aren't
I'm not tall.	Am I tall?	Yes, I am / No, I'm not
You aren't happy.	Are you happy?	Yes, you are / No, you aren't
The cat isn't beautiful.	Is the cat beautiful?	No, it isn't / Yes, it is
She is not old.	Is she old?	No, she's not / Yes, she is
It isn't big.	Is it big?	Yes, it is / No, it's not
We aren't short.	Are we short?	Yes, we are / No, we aren't

DAY TWO

2.1 A pool
A dog
An uncle
An apple
A book

An aunt
A lash
A wife
A holiday

2.2 -S: cousin, boy, sister, bridge, holiday
-ES: buzz, flash, lunch
-IES: canary, hobby

2.3 This is a book for you.
I love you.
This letter is for me.
She works for him.
I call them.
Happy birthday to us!

DAY THREE

3.1 We have a computer.
Anna has a holiday.
They have blue eyes.

3.2 Have we got a computer?
Does Anna have a holiday?
Have they got blue eyes?

3.3 We haven't got a computer.
Anna doesn't have a holiday.
They haven't got blue eyes.

3.4 Haven't we got a computer?
Doesn't Anna have a holiday?
Haven't they got blue eyes?

3.5 She's got
It hasn't got
I haven't got
They've
He hasn't got
You've

3.6 (Le frasi che riguardano ciò che tu possiedi
personalmente potrebbero essere affermative
o negative a seconda dei casi!)
I have a camera. I haven't got a camera.
I have got a ball. I haven't got a ball.
I have a book. I haven't got a book.
I have got a pair of shoes. I haven't got
a pair of shoes.
I have got a pen. I haven't got a pen.

3.7 I have / I've got a big wardrobe.
Gioia has got blue eyes.
They have / they've lunch.
They have / they've got a pool.
She has a party.
We have / we've got a green apple.
The dog has a bath.
Carlo has a red kitchen.
Justin and I have two brothers.
We have / we've got a big house.

3.8

Negativa	Interrogativa	Short answer
I have not / I haven't got a big wardrobe.	Have I got a big wardrobe?	Yes, I have.
Gioia has not got blue eyes.	Has Gioia got blue eyes?	No, she hasn't.
They don't have lunch.	Do they have lunch?	No, they don't.
They have not / they've not got a pool.	Have they got a pool?	Yes, they have.
She doesn't have a party.	Does she have a party?	Yes, she does.
We have not / we haven't got a green apple.	Have we got a green apple?	No, we haven't.
The dog doesn't have a bath.	Does the dog have a bath?	Yes, it does.

340

Carlo has not a red kitchen.	Has Carlo a red kitchen?	No, he has not.
Justin and I have not / haven't two brothers.	Have Justin and I two brothers?	No, we haven't.
We have not / haven't got a big house.	Have we got a big house?	Yes, we have.

DAY FOUR

4.1
1. Is this my pen? Yes, it's yours.
2. Is that her ball? No, it's mine.
3. Are these your sunglasses, Lory? Yes, they're mine.
4. Lucy, is this my drink? No, it's his.
5. Are these our apples? Yes, they are.
6. Are those your towels? Yes, they're ours.
7. Is that his/its bone? Yes, it is.
8. Ken, are these your keys? No, they're hers.
9. Is this their house? Yes, it is.
10. Is that his dog? Yes, it is.

4.2
1. I am Susy's son.
2. Brian is Miranda's uncle.
3. Marcus is Miranda's dad.
4. Mary is my brothers' and my grandmother.
5. Marcus and Brian are Lucy's brothers.
6. Miranda is Sylvia's daughter.
7. Sylvia is Marcus's (o Marcus') wife.
8. Sylvia is Arthur's aunt.
9. Philippa is Arthur's sister.
10. Miranda is Philippa's cousin.

4.3
1. There's traffic in town today.
2. Lucy is at school.
3. The new office is at number 5, Victoria Square.
4. They write about the accident in the newspaper.
5. My office is in that building, on the 3rd floor.
6. We are in the park.
7. Charlie is at the hospital.
8. The cat is in my room.
9. The car is waiting at the traffic lights.
10. Jessica is studying at her desk.
11. Sue works in a shop.
12. Our hotel is in a small street near the station.
13. You look sad in this picture.
14. There are few people at the party.

4.4
1. The dog is in his house.
2. The dog is between two trees.
3. The dog is on his house.
4. The dog is behind the tree.
5. The dog is near/beside his house.
6. The dog is under the tree.

4.5
1. They go to the shopping centre to work.
2. I go to the beach for my holiday.
3. She goes to the park to write.
4. I play with my dog to make him happy.
5. I'm here to buy a drink for my friends.
6. He goes in his room to study.
7. I need to go shopping for shoes.

4.6
1. The bird is on your roof.
2. I am at home for the holidays.
3. The cat is under our bed.
4. We go to the park to run.
5. They go to the shopping centre in front of the hotel.

DAY FIVE

5.1
1. Who are they?
2. Who is that woman?
3. What's your address?
4. What's your telephone number?
5. Where are you from?
6. Where are my pictures?
7. When is her birthday?
8. When is the party?
9. How are your pets?
10. How tall are you?
11. Why are you here?
12. Why is he sad?

5.2
(Ipotizziamo che tu ti chiami Anna e che tu sia di Verona.)

Paul: John, this is my friend Anna.
John: Hi Anna!
You: Hi, nice to meet you.
John: Where are you from?
You: I'm from Verona.
John: Where is it?
You: It's in Italy. And where are you from?
John: I'm from Paris.
You: What's your job?
John: I'm a fireman. Oh, look! There's my cousin near that table.
You: Your cousin? Oh, he's a nice boy! What's his name?
John: His name is Luke.
You: There's a beautiful girl with him. Is she his girlfriend?
John: No, she is not his girlfriend. She's mine...
You: Oh, I'm sorry...

5.3
1. How is Andrea? Andrea has a headache. Why? Because he is tired.
2. Who is he? He is Mr Erman. What's his job? He is a greengrocer.
3. What's your favourite colour? My favourite colour is red.
4. What's your favourite pet? Cats are my favourite pet.

5.4
25 April: the twenty-fifth of April
1 May: the first of May
10 August: the tenth of August
14 January: the fourteenth of January

2 June: the second of June
30 November: the thirtieth of November
6 September: the sixth of September

5.5
On August 12th
On Monday evening
In 1986
In the week
At midday
In the morning
On December 25th

At a quarter past eight
At 15.30
In spring
On Tuesday night
In March
In summer
At dawn

5.6
30 days in November, with April, June and September, 28 there is one, (February), all the others are 31. (January, March, May, July, August, October, December)

5.7

12.20	It's twenty past twelve p.m. / in the afternoon.
8.50	It's ten to nine a.m. / in the morning.
10.30	It's half past ten a.m. / in the morning.
21.00	It's nine o' clock p.m. / in the evening.
5.08	It's eight past five a.m. / in the morning.

22.35	It's twenty-five to eleven p.m. / in the evening.
11.15	It's a quarter past eleven a.m. / in the morning.
15.45	It's a quarter to four p.m. / in the afternoon.
23.30	It's half past eleven p.m. / in the evening.

DAY SIX

6.1

COUNTABLE	UNCOUNTABLE
class / student / pound / carton / apricot / biscuit	water / drug / juice / milk / money / time
peach / piece / cake / pencil / sack / litre	advice / sugar / information

6.2 1. How much are the apples? They are 6 pounds a sack.

2. How many pens are there? There are five pens.

3. How much was your computer? My computer was 930 pounds.

4. How many cartons have you got? I have got three cartons of orange juice.

5. How much juice do you have? I have a lot of orange juice.

6. How many people are there at the concert? There are 3,000 people at the concert.

7. How many apricots do we want? We want ten apricots.

8. How many biscuits does she have? She has seven biscuits.

9. How much are the peaches? The peaches are 4.50 pounds a kilo.

10. How many pieces of cake does he have? He has three pieces of cake.

6.3 1. There is a lot of cheese in the fridge.

2. There isn't much time!

3. Are there many families in this block of flats? Yes, there are 60.

4. Have we got some sugar? We've got some but not much.

5. There are a lot of people today.

6. He has not many peaches in his bag.

6.4 1. There isn't much cheese in the fridge.

2. There is a lot of time!

3. Aren't there many families in this block of flats? No, there are 60.

4. Have we got some sugar? We've got a lot of sugar.

5. There aren't many people today.

6. He has a lot of peaches in his bag.

6.5 1. There aren't enough students in class.

2. There are too many people on the bus.

3. They are too many!

4. He is a really happy person!

5. We haven't got enough money to buy the present.

6. The fridge is very cold.

7. My tea is too hot.

8. We are very tired.

9. Our son is very well!

10. I see too many people in this room.

DAY SEVEN

7.1 You always eat pizza on Fridays.
Anna seldom writes emails.
They love their city.

7.2 Do you always eat pizza on Fridays?
Does Anna seldom write emails?
Do they love their city?

7.3 You don't always eat pizza on Fridays.
Anna doesn't write emails seldom.
They don't love their city.

7.5 1. Sylvia studies at university.

2. He plays football.

3. I speak English and French.

4. George goes to school.

5. The road passes through the woods.

6. I live with my friends.

7. We like all animals, but he prefers dogs.

8. Clare eats ice cream very often.

9. Children always run in the garden.

10. Penguins live at the South Pole.

343

Negativa	Interrogativa	Short answer
Sylvia doesn't study at university.	Does Sylvia study at university?	Yes, she does./No, she doesn't.
He doesn't play football.	Does he play football?	No, he doesn't./Yes, he does.
I don't speak English and French.	Do you speak English and French?	Yes, I do./No, I don't.
George doesn't go to school.	Does George go to school?	Yes, he does./ No, he doesn't.
The road doesn't pass through the woods.	Does the road pass through the woods?	No, it doesn't./Yes, it does.
I don't live with my friends.	Do you live with your friends?	No, I don't./Yes, I do.
We don't like animals, and he doesn't prefer dogs.	Do we like all animals? Does he prefer dogs?	Yes, we do./No, we don't. Yes, he does./No, he doesn't.
Clare doesn't eat ice cream very often.	Does Clare eat ice cream very often?	No, she doesn't./Yes, she does.
Children don't always run in the garden.	Do children always run in the garden?	Yes, they do./No, they don't.
Penguins don't live at the South Pole.	Do penguins live at the South Pole?	Yes, they do./No, they don't.

7.7 1. When is your birthday? On January 7th. Do you usually have a party? Yes, I do. I have lunch with my family and I go out with my friends in the evening. It's nice!

2. Where do the Mertons live? They live near here, in that street on the right. They have a beautiful house on two floors, with a blue roof and two big watchdogs.

3. Bob never does his homework in the afternoon: he always studies in the evening, and he is usually tired in the morning.

4. What time is it, please? It's five past ten. Really? I want to go to buy Clare a present.

5. The summer party is on June 21st. I'm dying to go: there are always a lot of people, and it's a nice party!

6. At what time does the airplane leave? At one twenty-five. I have to buy the newspaper. Buy one for him, too. Ok?

7. Do you like sports? Yes, I do. I usually go sailing when I go to the seaside, and when I want to go climbing I go to the mountains.

8. How much time does it take to go to London from Milan? She thinks about one hour.

9. Why don't we call Ted? What's his telephone number? He always goes to that shopping centre.

DAY EIGHT

8.1 We are going to help him.
He is renting a car.
You are listening to the teacher.

8.2 We aren't going to help him.
He isn't renting a car.
You aren't listening to the teacher.

8.3 Are we going to help him?
Is he renting a car?
Are you listening to the teacher?

8.4 Aren't we going to help him?
Isn't he renting a car?
Aren't you listening to the teacher?

8.5 Perdono la -E: arriving, changing, taking
Raddoppiano la consonante: cancelling, planning, swimming, travelling
Aggiungono -YING: lying
Aggiungono solo -ING: buying, thinking, staying, speaking

8.6 (Qui ti forniamo solo degli esempi di come potresti aver formulato le frasi.)
I'm not watching TV. My brother is watching TV. / I'm not talking on the phone with my friend Clare. My sister is talking on the phone with my friend Clare. / I'm not doing my homework. My brother is doing his homework. / I'm not reading a book. My mom is reading a book. / I'm not playing in the garden. My dog is playing in the garden. / I'm not washing the car. My father is washing it. / I'm not studying English. My friend is studying English. / I'm not listening to the radio. My aunt is listening to the radio. / I'm not going to university today. My friend is going to university today.

8.7 1. Where is Mr Benson? Is he at home? No, he is in Vienna on a two-week vacation. He often travels around Europe. What is he doing now? He is taking a picture.
   2. Are the Mertons in the kitchen? Yes, Mrs Merton is cooking, and her husband always helps her in the kitchen. Their cat is playing on the floor.
   3. What are you doing, Carl? I am watching TV. You are always watching TV! I don't understand you.
   4. I am thinking about a trip with my wife. Where are you thinking about going? We often say we want to see the USA!
   5. Mrs Tompson makes a cake every Saturday, because her children want dessert. Today they are leaving for a trip, but she is waking up early to make it. She is a very good mom!
   6. What are you waiting for? I am at the platform, I'm waiting to get my luggage.

8.8 John lives near Milan. Every Saturday, he goes to the city and takes his favourite bag with him, a small hand luggage. He usually goes by bicycle, but today it is raining a lot, so he decides to take the train at 9 o'clock a.m. He is arriving in Milan when he meets an old friend. They talk about years and years of their lives, and John forgets to get off the train. After about one hour, his friend says, "Goodbye John, it was nice to meet you. I am at my stop!" John asks him, "Where are we?" and his friend replies, "We are arriving in Turin!"

DAY NINE

9.1 We'll cook some eggs.
He'll walk fast.
They'll leave soon.

9.2 We won't cook any eggs.
He won't walk fast.
They won't leave soon.

9.3 Will we cook some eggs?
Will he walk fast?
Will they leave soon?

9.4 1. This luggage is very heavy. I think I'll take it with me.
   2. It's hot today. I think I'll go out.
   3. My daughter wants some biscuits. I don't think I'll make them, because I don't think I'll have time.
   4. It will be sunny next weekend. I think I'll go camping.
   5. I'm a hiker, but I don't think I'll climb this afternoon.

9.5 1. It's Kevin's birthday next Sunday. He'll be 18!
   2. She wants to win the game. She'll need some help.
   3. I won't cook an omelet for dinner.
   4. We're short of petrol. I'll go to the petrol station.
   5. It's not going to rain. I won't take an umbrella with me.

9.6 (Ti suggeriamo possibili risposte ma tutto dipenderà dai tuoi programmi personali!)
   1. This evening I'll probably be out with my boyfriend.
   2. Three years from now I don't know where I'll be.
   3. At midday I'll have lunch at the restaurant.
   4. Five minutes from now I'll be here.
   5. Tomorrow I'll go to school.

9.7 1. This hotel is full. We'll book another one.
    2. We're lost. We'll ask a policeman.
    3. I'm painting a butterfly. It will be beautiful!
    4. I love this singer. We'll go to the concert.
    5. The circus is in town! I'll buy tickets for tomorrow.
    6. I'm buying some great wine. You will come to dinner.
    7. My uncle is leaving tonight. He'll be at home tomorrow.
    8. We like to play chess. We'll play soon.
    9. I want to speak to Linda. I think she'll be here soon.
    10. He is cancelling the flight. He'll call you.

9.8

Negativa	Interrogativa	Short answer
We won't book another one.	Will we book another one?	Yes, we will./No, we won't.
We won't ask a policeman.	Will we ask a policeman?	Yes, we will./No, we won't.
It won't be beautiful!	Will it be beautiful?	Yes, it will./No, it won't.
We won't go to the concert.	Will we go to the concert?	No, we won't./Yes, we will.
I won't buy tickets for tomorrow.	Will I buy tickets for tomorrow?	No, I won't./Yes, I will.
You won't come to dinner.	Will you come to dinner?	Yes, you will./No, you won't.
He won't be at home tomorrow.	Will he be at home tomorrow?	No, he won't./Yes, he will.
We won't play soon.	Will we play soon?	Yes, we will./No, we won't.
I think she won't be here soon.	Will she be here soon?	No, she won't./Yes, she will.
He won't call you.	Will he call you?	Yes, he will./No, he won't.

DAY TEN

10.1 He forgot the lion in class.
    You helped the children.
    They had a party a week ago.

10.2 He didn't forget the lion in class.
    You didn't help the children.
    They didn't have a party a week ago.

10.3 Did he forget the lion in class?
    Did you help the children?
    Did they have a party a week ago?

10.4 Didn't he forget the lion in class?
    Didn't you help the children?
    Didn't they have a party a week ago?

10.5 1. You did really well at your driving test.
    2. Linda only slept for three hours last night.
    3. He took all the money and ran away.
    4. Last year she was 17, so now she is 18.
    5. George worked in a bank from 1990 to 2013.
    6. He kissed me intensely.
    7. Yesterday I lost my watch.
    8. I made a really good cake!
    9. You broke the window with a ball!
    10. They married about one year ago.

10.6 1. What did you do last night? I went to the cinema with Clare.
    2. Where did Tommy live last year? He lived in Scotland for six months.
    3. Did they find their child? Yes, they did. He was in the bedroom.
    4. What happened to you? Nothing, I fell down.

5. How much was a sack of potatoes? They didn't know.
6. Why was she so angry? Because she wanted to buy that pair of shoes.
7. When did Bennie travel there? It was three months ago.
8. Didn't they buy a new armchair? No, they didn't find one.
9. Why were you late this morning? Because there was traffic.
10. Didn't you sit down next to your mom? No, I didn't. I sat down next to Carl.

10.7
1. Tomorrow he'll be in Port St. Lucie.
2. At the moment he's in Sarasota.
3. Yesterday he was in Tampa.
4. Last week he was in Jacksonville.
5. Four days ago he was in Orlando.
6. Next week he'll be in Miami.
7. At the end of his trip he'll be very tired but happy too!

10.8
1. You had fun at the party.
2. Thursday we were at home.
3. Yesterday night the film was really nice.
4. We found my keys.
5. I opened the shop at four o'clock this afternoon.
6. The dog ran all day.
7. You ate too many chips.
8. School started on Friday.
9. I changed car.
10. You had a question to ask.

10.9

Negativa	Interrogativa	Short answer
You didn't have fun at the party.	Did you have fun at the party?	Yes, I did./No, I didn't.
Thursday we weren't at home.	Were we at home on Thursday?	Yes, we were./No, we weren't
Yesterday night the film wasn't really nice.	Was the film really nice yesterday?	No, it wasn't./Yes, it was.
We didn't find my keys.	Did we find my keys?	Yes, we did./No, we didn't.
I didn't open the shop at four o'clock this afternoon.	Did I open the shop at four o'clock this afternoon?	No, I didn't./Yes, I did.
The dog didn't run all day.	Did the dog run all day?	Yes, it did./No, it didn't.
You didn't eat too many chips.	Did you eat too many chips?	No, we didn't./Yes, we did.
School didn't start on Friday.	Did school start on Friday?	Yes, it did./No, it didn't.
I didn't change car.	Did you change car?	Yes, I did./No, I didn't.
You didn't have a question to ask.	Did you have a question to ask?	No, I didn't./Yes, I did.

DAY ELEVEN

11.1
1. At 1.00 p.m. she was eating.
2. At 2.50 p.m. she was washing the car.
3. At 5 o'clock p.m. she was playing the guitar.
4. At 2.15 p.m. she was watching TV.
5. At 7.45 p.m. she was having a drink.
6. At 6.15 p.m. she was swimming in the pool.

11.2 (Ti proponiamo qui una possibile soluzione: ovviamente quello che hai fatto tu ieri sera alle 20 potrà essere molto diverso!)
1. Jack was eating at home while I went out for a drink.
2. Jack wasn't opening the door: I was opening the door to go out.
3. Jack was watching television, while I was taking the bus to meet my friends.

4. Jack wasn't reading the paper, he was watching the news. I was reading the paper on the bus.

5. Jack was cutting some beef, while I was hungry!

6. Jack was wearing a t-shirt, while I was wearing a nice shirt.

7. Jack was drinking some great wine, while I was having a beer.

11.3 Luke was driving back home when he saw burglars in his garden.
One of them was checking the house, while the other one was trying to open the lock on the front door. Luke didn't waste any time: he got into his sports car and went to the police station.
The policeman wrote down Luke's address and sent two policemen there straight away. The two burglars were still in the house when the police arrived. One was stealing a picture and the other was putting jewellery in a sack. The policemen arrested them.

11.4 1. I was watching Michael Jordan on TV when you arrived.
2. What happened to you? I fell while I was cycling.
3. I was cleaning the drawers in the office when the screams started.
4. I stopped studying just when you came in, mom. Really!
5. Before you went out, you were cleaning the kitchen.
6. Stop smoking! Your health will thank you!
7. I was afraid of forgetting the appointment, when I found my planner.
8. Instead of wasting time, finish your homework!
9. I was translating these sentences, when the bell rang.
10. Mom was telling us a story, when dad came in the room to say goodnight.

DAY TWELVE

12.1 e 12.2: Non possiamo darti una soluzione per questi esercizi. Il nostro consiglio è leggere quello che hai scritto alle persone con cui fai conversazione, oppure inviare loro il testo via email perché ti possano fare le eventuali correzioni.

12.3 1. She is in the living room.
2. It is on the table.
3. They are in the cage.
4. They are in the oven.
5. It is in front of the case.
6. It is downstairs.
7. I am at the bus stop.
8. It's under my jacket.
9. They are at the pool.
10. They are near the wardrobe.

12.4 1. Santa Claus brings children presents on Christmas Day.
2. Italian children begin to attend primary school at 6-years-old.
3. Easter is usually in April.
4. During the summer holidays, Italian students stay home from school in June, July and August.
5. Valentine's day is on February 14th.
6. People generally get dressed in the morning.
7. I eat dessert at the end of the meal.
8. People eat chocolate eggs at Easter.
9. In Italy you get your driver's license at 18.
10. Employees go to work from 9 o'clock a.m. to 6 o'clock p.m.

12.5 When Linda's dad comes home after work at about seven o'clock he is often tired. First he takes a shower and changes his clothes, then he reads the paper, and after he has dinner with the family. Then Linda and her little brother take their dog Argo out for a walk. While the children are getting ready for bed, Linda's mum washes the dishes and then she tells her brother a goodnight story. Argo is always tired after the walk, so it goes straight to its doghouse. Linda's dad relaxes in front of the TV, but not for long. Then he goes to bed.

12.6
1. Next Saturday it's my birthday. My daughter and I always go out on my birthday. Do you want to come with us?
2. Every Sunday we go to visit grandma before lunch, and we stay there until 5 p.m.
3. I am coming to visit you for a few days.
4. Mary will be in Verona for a few days.
5. Philip is playing the guitar at the moment. He always plays at this time.
6. Be here by 1 o'clock p.m. We have planned a nice lunch. First we'll eat pasta with zucchini and shrimp, rice with vegetables, then a big steak with French fries and salad. At the end, a chocolate cake! It will be very good!
7. My grandfather was in Russia during the war.
8. We are waiting for Max and Jack before ordering.
9. The luna park will be here from the 3rd of August to the 5th of September.
10. My friends will be on holiday for two weeks at Christmas.

12.7
1. I rarely go to work by car.
2. Mr and Mrs Marfin are travelling on a luxury cruise ship.
3. Ted is going to the park by bike.
4. I always take a plane to go abroad.
5. I would like to go on a boat in Venice.
6. They ran into the woods up to the lake.
7. Why doesn't Lucy go to school on her scooter?
8. The ship goes around the island.
9. Every morning my grandparents walk along the beach.
10. Ghosts pass through walls!
11. Tom flies to Rome to see his girlfriend.
12. Luke is going to school on his new bicycle.
13. She went to the city centre on foot.
14. They will come from Mexico to celebrate your graduation here.
15. The children slide down of the slide.

DAY THIRTEEN

13.1

	tipo	tempo verbale subordinata	tempo verbale principale
If she leaves early, she will get to school on time.	1	simple present	simple future
If you boil water, it evaporates.	0	simple present	simple present
If he goes to sleep now, he will be on time tomorrow.	1	simple present	simple future
If Maggie had come yesterday, we would have done our homework together.	3	past perfect	would have + participio
If she had known him better, she wouldn't have married him.	3	past perfect	would have + participio
If I wasn't so tired, I would come to the gym with you.	2	simple past	would + infinito
If you loved me, you would come here.	2	simple past	would + infinito
If you were engaged, you would be very happy!	2	simple past	would + infinito

13.2
1j	4i	7l	10e
2b	5f	8h	11a
3d	6c	9g	12k

13.3 Jack: If I have a job, I earn money!
If I earn a lot of money, I will buy a house!
If I also had a house abroad, I would go there on holiday!
If I had thought about it before, I would have started working earlier!

Clare: If you are 18, you can get a driver's license.
If you study, you will get it in 3 months.
If Jo had time, she would ask for information at the driving school.
If Jo had felt like getting a driver's license, she would have already enrolled.

Susy: Frederick and I got engaged!
If Ilary is the bridesmaid, I will be happy.
If it was tomorrow, I would be even happier.
If I had known it when I sent the letter, I would have written about it to my pen friend Rosy.

Matthew: If Tommy opens all the windows, there is too much wind.
If Tommy opens just one window, we will be ok.
If Tommy pulled the curtains, it would be fantastic.
If we had all gone outside for a walk, we would have also had a picnic outside.

13.4 1. If I see you, I am happy!
2. If you heat up ice, it melts.
3. If we lived on a spaceship, we would fly from one planet to another.
4. If you study, the test will go well.
5. If you follow this book's directions, you will learn English in 21 days.
6. If we had gone out with them, we would have had a lot of fun.
7. If I eat too many cherries, I get sick.
8. If I had a huge house, I would put a cinema in my living room.
9. If Sue had been more determined, she would have won the competition.

DAY FOURTEEN

14.1 This is the story of four people, called Everybody, Somebody, Anybody and Nobody. There was an important job to do, and Everybody was sure that Somebody would do it. Anybody could do it, but Nobody did it, then Somebody got angry because it was Everybody's job. Everybody thought that Anybody could do it, but Nobody realized that Everybody had to do it. In the end, Everybody blamed Somebody because Nobody did what Anyone could have done.

14.2 1. Tommy is a tall, young, attractive, unpolite man.
2. I have an old, expensive, white, wool t-shirt.
3. Hilary is a short, thin, young, beautiful, rich, blonde woman.
4. Sam has a big, new, important, purple book.
5. Laura has a big, pleasant, light blue bedroom.
6. They have a small, wonderful, pink, light, glass picture.

14.3 1. Jo is a nice girl.
2. Annie's glasses are red and expensive.
3. It is a fabulous ship.
4. There is a big wardrobe in her bedroom.
5. My bottle is full.
6. Is it an interesting film?
7. Is he a good singer?
8. Do they drink dry wine?
9. Are you a determined boy?
10. Did you have a busy day?

14.4 1. There are dark clouds in the sky. It's going to rain!
  2. There is a happy man. He has just bought a new car.
  3. There is a lucky woman. She had a big win!
  4. There is a wonderful sunset. The sun is orange in the red sky.
  5. There is a strong body builder. He is short but very muscular.
  6. There is an old house. It is dirty and full of ghosts.

14.5 1. What's the weather like today? It will be very cold.
  2. How well does Jessie speak English? That girl speaks English very fluently.
  3. Nobody has ever seen such a beautiful dress! You look very nice, where did you buy it?
  4. You are always so fast when you tidy up and clean the basement. How do you do it?
  5. Have you seen that jacket? The brown one? It's ugly!
  6. Who did you meet yesterday? I met Mr Patterson, but it was an unpleasant meeting: he is an important but mean person.
  7. Why are you crying? Because I saw a romantic and sad movie.
  8. Why do you agree with him? Because he said the right thing.
  9. Is Priscilla a teacher? Yes, she is an excellent teacher.
  10. I will lend you my glasses, but be careful because they are new.
  11. Can you tell me something about John? He is sad because his girlfriend cheated on him.
  12. Which are her favourite roses? She likes yellow roses.
  13. Did you buy me new shoes? Thank you, I'll try them on. I'm afraid you bought the wrong size.
  14. What did you do in these summer months? Nothing interesting, I went on a boring vacation.
  15. Where will you go in the next few months? I'll go abroad for work, and I'm very proud to have obtained this task.

DAY FIFTEEN

15.1 1. Don't speak so quickly. We don't understand you.
  2. This pillow is very soft.
  3. My pen friend and I have a very nice friendship.
  4. When I saw him, I immediately got excited.
  5. She shouted at him angrily.
  6. Did you have a pleasant surprise yesterday night?
  7. Were you pleasantly surprised?
  8. Can you speak slowly, please?
  9. When he wants something, he is determined.
  10. Please listen carefully.

15.2 1. Suddenly it started raining very hard.
  2. I'm getting bored at school.
  3. I'm tired today. I didn't sleep well last night.
  4. You can learn English easily if you study every day.
  5. Claudio is a good player, but yesterday he played very badly.

15.3	Popular	More popular		Careful	More careful
	Strong	Stronger		Unlucky	Unluckier
	Light	Lighter		Lucky	Luckier
	Kind	Kinder		Late	Later
	Cold	Colder		Fast	Faster
	Safe	Safer		Good	Better
	Weak	Weaker		Tired	More tired
	Heavy	Heavier		Dull	Duller
15.4	Older	Younger		Wronger	Righter
	Worse	Better		Shier	More talkative
	Nearer	Farther		Lazier	More active
	Larger	Smaller		Nastier	More savory
	Dirtier	Cleaner		Fitter	More unfit

15.5
1. You aren't very tall, your sister is taller.
2. You are shorter than him.
3. I am more in love every day, today more than yesterday.
4. Who is older? My grandfather is older than yours.
5. Is this sandwich or that salad more expensive? The sandwich is much more expensive than the salad.
6. Is it more important to go to London or to Paris? Going to London is more important than going to Paris.
7. It is less expensive to travel by train. Yes, but it is also less comfortable and fast.
8. Jack is less shy than Sam.
9. Today in the sky there are fewer clouds than yesterday.
10. This dress doesn't fit you as well as the one you had before.
11. Oil is less heavy than water.

15.6

comparativo di maggioranza
This backpack is smaller than that one.
Lisa is lazier than anybody.
Those answers are more honest than the others.
Your sunglasses are more beautiful than hers.
My children are more polite than them.

comparativo di minoranza
This backpack is less small than that one.
Lisa is less lazy than anybody.
Those answers are less honest than the others.
Your sunglasses are less beautiful than hers.
My children are less polite than them.

comparativo di uguaglianza
This backpack is as small as that one.
Lisa is as lazy as anybody.
Those answers are as honest as the others.
Your sunglasses are as beautiful as hers.
My children are as polite as them.

15.7
1. Trains aren't as comfortable as planes.
2. Hilary has as much money as Joe does in her wallet.
3. Sam isn't as old as John.

352

4. My bus leaves at the same time as yours.

5. You like to study English as much as I like to study Spanish.

15.8 1. Christmas Day is a good day. It is the best day in the year.

      2. Clare is a young girl. She's the youngest girl in the class.

      3. This is a beautiful flower. It's the most beautiful flower I've ever seen.

      4. It was a very happy day. It was the happiest day of my life.

      5. Your husband is very nice. He is the nicest person I've ever met.

      6. Today my homework is very difficult. It is the most difficult homework for this week.

      7. This child is very rude. He is the rudest child I've ever known.

DAY SIXTEEN

16.1 We have bought a new bicycle.
     Jim has gone to the gym.
     They have gone to sleep late.

16.2 We haven't bought a new bicycle.
     Jim has not gone to the gym.
     They have not gone to sleep late.

16.3 Have you bought a new bicycle?
     Has Jim gone to the gym?
     Have they gone to sleep late?

16.4 Haven't you bought a new bicycle?
     Hasn't Jim gone to the gym?
     Haven't they gone to sleep late?

16.5 1. He has cleaned his shoes.

      2. You have received a letter from Lucy.

      3. She has closed the door.

      4. I have not finished the book yet.

      5. We have not paid the rent this month.

      6. Clark has sent us a postcard from Rome.

      7. I haven't passed the oral exam.

      8. Has it finished raining?

      9. Have you bought a new dress?

     10. Have they gone to bed already?

16.6 1. The train has just arrived.

      2. I have drunk all the water in the bottle.

      3. Joe has been here.

      4. The film has already begun.

      5. I have asked for information but I haven't understood the answer.

      6. Carl and Sophie have met in the park.

      7. You have learned English well.

      8. Mrs Mercur has always liked painting.

      9. They have spent their whole life in Paris.

     10. I have never kissed anybody until now.

16.7

Negativa	Interrogativa	Short answer
The train hasn't just arrived.	Has the train just arrived?	Yes, it has./No, it hasn't.
I have not drunk all the water in the bottle.	Have I drunk all the water in the bottle?	Yes, I have./No, I haven't.
Joe has not been here.	Has Joe been here?	Yes, he has./No, he hasn't.
The film has not begun yet.	Has the film already begun?	Yes, it has./No, it hasn't.
I have not asked for information.	Have I asked for information?	Yes, I have./No, I haven't.
Carl and Sophie have not met in the park.	Have Carl and Sophie met in the park?	Yes, they have./No, they haven't.
You have not learned English well.	Have you learned English well?	Yes, you have./No, you haven't.
Mrs Mercur hasn't always liked painting.	Has Mrs Mercur always liked painting?	Yes, she has./No, she hasn't.
They haven't spent their whole life in Paris.	Have they spent their whole life in Paris?	Yes, they have./No, they haven't.
I have kissed somebody before now.	Have I ever kissed anybody until now?	Yes, I have./No, I haven't.

16.8   1. I have just made some tea. Would you like some? No, thanks. I had some an hour ago and I have just had coffee with Sam. Where did you meet him?

     2. You have just had a horrible dream. What have you eaten at dinner yesterday?

     3. Has Sue passed her driving test? Yes, but she has not received her driving license yet. Last week she drove my car twice. She's a good driver.

     4. I ate too much yesterday and I still feel full.

16.9   1. Have you ever played baseball? No, I never have.

     2. Have you ever been to Berlin? Yes, I have twice.

     3. Have you ever bought a BMW? No, I never have.

     4. Have you ever been to Greece? No, I never have.

     5. Have you ever had a headache? Yes, I have, many times.

     6. Have you ever played chess? Yes, I have a few times.

     7. Have you ever eaten Indian food? Yes, I have once.

16.10   1. Sam has been to Berlin twice.

      2. Sam has never been to Greece.

      3. Sam has never played baseball.

      4. Sam has had a headache many times.

      5. Sam has eaten Indian food once.

16.11 (Qui ti proponiamo alcune possibili risposte: è probabile che le tue esperienze personali siano diverse!)

      1. I have been to Berlin once.

      2. I have never been to Greece.

      3. I have never played baseball.

      4. I have had a headache a few times.

      5. I have eaten Indian food many times.

16.12

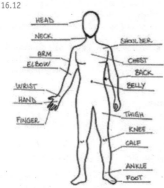

16.13   1. John seems angry!

      2. He opened the door and felt the cool wind on his face.

      3. This scarf feels very soft.

      4. I've never seen her feel so happy before.

      5. "How are you?" "I'm afraid I don't feel very well today."

16.14   1. Susy and Clare watch that stupid soap opera on TV every day.

      2. When I'm worried I listen to some music.

      3. The students are listening to their teacher giving a lesson.

      4. Look out the window! It's snowing!

      5. It's hard to hear the doorbell from here.

16.15 1. I'm not going to buy any clothes.
     2. I want to wash my hair. Is there any shampoo?
     3. I baked some biscuits for my children.
     4. I'm not hearing any voices.
     5. You are listening to some words.
     6. Yesterday, we went to the cinema with some friends
        of mine.
     7. "I'm hurt" "Do you have any painkillers?"

16.16 He feels bored.
     They smell horrible.
     It seems dangerous.
     It looks surprising.
     He sounds noisy.
     It tastes good.

16.17 1. How are you? My hand is hurt and I have some bruises. It could have been worse.
     2. Did you bake a cake? This kitchen smells good.
     3. Yesterday I whispered some answers to Carl during the test. He felt better immediately.
     4. I have a headache. Maybe it's best if I go to sleep a little bit.
     5. Lucy is afraid of injections. Every time she has to have one, I have to convince her
        with some promises.
     6. I was going to Rome on my motorbike, when I fell and I got burned.
     7. Grandma, the doctor said that you have diabetes. You can't eat any sweets, I'm sorry.
     8. My sense of smell works very well, but sometimes I don't recognize different tastes.
     9. Don't touch him anywhere! He feels pain everywhere.
     10. I have dry skin. Have you got any cream please?

DAY SEVENTEEN

17.1 1. I have been waiting for the bus for a few minutes.
     2. "How long have you been on holiday?" "I have been on holiday since August 10th."
     3. "How long have you been learning English?" "I have been learning English for seven-
        teen days."
     4. She has been working here since 2004.
     5. They have been sitting down since 9 o'clock.
     6. Annie has been typing letters all day long.
     7. Is the baby still crying? I hope she hasn't been crying all the time.
     8. You have been watching TV only for a short time.
     9. Mark has been preparing for this trip with his wife for a month.
     10. I have been laughing since this morning.

17.2 1. I have been wandering in London for a week.
     2. It has been raining since this morning.
     3. Lisa has been living in that house since 1986. She has been building a new house for
        a year.
     4. I have been walking towards the school for 15 minutes.
     5. Are you waiting for someone? Yes, I have been waiting for Matthew since 3 p.m.

17.3

SINCE	FOR
2010	a year
midnight	ages
6 a.m.	a long time
last week/year	a short time
we arrived	3 months
this morning	a few minutes

DAY EIGHTEEN

18.1 1. When we returned home, we realized that somebody had forced the door.
2. Andrew took my toys because he had broken all his toys.
3. I had unwrapped all my Christmas presents before you arrived.
4. We gave Tom a dog when he had passed the school year.
5. I wanted to help my mom to prepare the table for dinner, but she had done everything by herself.
6. Kevin was running after his hat because it had blown off in the wind.
7. My nephew had brought the rings to the altar when the bride ran away.
8. They had decided to spend a romantic day in the mountains, but the weather was awful, so they stayed at home.
9. I was at John's to visit him. He offered me some biscuits and tea but I had already eaten before.
10. Tom slept all day long because he hadn't slept at night.

18.2 1. My friends went to the theatre yesterday. I had a fever and I couldn't go.
2. Where did you go on holiday? I had thought about going to the sea but my boyfriend doesn't like it, so we went to the mountains.
3. Can you tell me what happened? I had talked to Paul about the idea of going to visit Venice, but Samantha had already decided not to come.
4. I had corrected all the tests, when I realized that Sam's was missing.
5. You had drunk too much and I was afraid, that's why I came with you.

18.3 1. He told me he had been trying to phone me all day long.
2. One day a poor fisherman had been catching fish in his net, when the police told him he needed a license.
3. Cinderella's carriage had been waiting outside the castle while she was dancing with the prince.
4. We had been speaking for an hour when he called.
5. I had been afraid of discussing things with my mother. But in the end, she understood.
6. A mouse had been running away from the fox in the woods.
7. Of course I was angry, I had been calling you all day!
8. He met Ann after she had been bringing her dog to this same park for years.
9. They had been building a new house since April.
10. I had lost an earring at the party and I had been looking for it for a week, when I finally found it.

18.4 1. Were you at home this morning? No, I was taking my piano lessons.
2. You were buying a beautiful blouse. Why didn't you buy it?
3. It was probably raining cats and dogs yesterday, if Michael preferred not to go have fun with his friends.
4. The lesson had been becoming more interesting when you came in the class.
5. We went to visit a haunted house. I was so excited about it that I had been telling everyone for days.

18.5 Ann: Hello! Who is it?
Mark: It's Mark speaking, hello.
Ann: Oh, hello Mark, how are you?
Mark: Fine, thanks. And you?

Ann: Very well because I just received some good news!

Mark: What happened?

Ann: I've got the green light from my parents, so I can go out with you! At first they had said I could not, but I convinced them.

Mark: When did you speak with them?

Ann: We spoke at lunch.

Mark: I'm happy! What are you doing in this moment?

Ann: I'm studying. Why?

Mark: I had been thinking about taking a break before I called you. Do you want to come with me?

Ann: No, I had decided to help my parents today. We'll meet another time. Ok?

Mark: Ok. Goodbye.

Ann: Goodbye.

DAY NINETEEN

19.1   1d

2c

3a

4b

19.2   I don't know. I might go camping with my son.

I'm not sure. I might have dinner with my wife.

I haven't decided yet. I might cook a roast and some baked potatoes.

I don't know. I might go to Padua.

We haven't decided yet. We might go to New York.

I'm not sure. I might give her a day of shopping without limits.

19.3   1. I took it to the mechanic a long time ago, but he still has not been able to find the cause of the breakdown.

2. Could people talk on the phone before 1865? Of course not, the telephone was invented in 1876.

3. I'm sorry Lizy but I can't come to your party on Sunday.

4. Is Mark there? No, he went to buy some bread ten minutes ago. He will come back soon.

5. Can I go to send the letter now? No, you can't. Will you be able to do it tomorrow? Yes, I will.

6. Could she sing a song for us? No, she lost her voice.

7. Can you see me? I can see you, but I can't hear you!

8. He could make a cake for your birthday, because he is a very good cook!

9. I will be able to take a day off whenever I like, when I get a promotion.

10. If you tidy up your bedroom, your mom will stop reprimanding you.

19.4   1. Could you open the door, please?

2. I could buy her a new car when she gets her license.

3. I could have looked after the children, if you had asked me.

4. Now it is 5 o'clock. I could make some tea.

5. Why did you go on foot? I could have lent you my car.

6. My compliments John. Your performance couldn't have been better.

7. Could you give me a hand with the housework, please?

8. He could have avoided that illness if he had been more careful with his health.

9. People couldn't live far away from their job before 1850, because cars had not been invented yet.

10. Even if you had the time, you couldn't cook the roast because we don't have any of the ingredients.

19.5 1. I am lost. I think you should follow the directions.
2. Do you need my car today? I think you should buy one.
3. This hotel is too expensive for us. I don't think we should stay here.
4. This subscription has expired. I think you should renew it.
5. We are in a hot air balloon. I think you should enjoy the view.

19.6 1. Your grades are not very good. You should have studied more.
2. You shouldn't go there alone. It can be dangerous.
3. You are learning English quite well. You should practice speaking with someone or you should go to London for a few weeks.
4. The fish Sam caught was too small to eat. He should have let it go back in the lake.
5. I'm full! I shouldn't have eaten all those sweets!

19.7 1. You must tell her the truth.
2. Everybody must wear a helmet when they ride a motorbike.
3. Did they have to wait for a long time?
4. She must get up early tomorrow. She has to go to her first lesson at the university.
5. How lucky you are! You've never had to go to the dentist!
6. I had to go to the bank yesterday to get some money.
7. Samuel feels so nervous when he has to speak in public that he has to drink two shots of whisky first.
8. Today I can't go to the park because I have to go to my violin lesson.
9. I must tidy up the table after using it.
10. We went to Berlin by train a month ago. The train was so full that we had to stand for the whole journey.

19.8 1. Would you like some chocolate? Yes, please.
2. Would you like to go to the cinema? No, thank you.
3. Would you like your coffee with or without milk? With milk, please.
4. Would you like an ice cream? Yes, please.
5. Would you like to go out for a walk? Not now. Maybe later.

19.9 1. Would you like to borrow my car to go to the market? I would prefer to go by bus.
2. It might not snow, it's too cold.
3. We might go to the disco on Saturday night.
4. This can't be true. Who told you this story?
5. Will you see Jim tonight? I might.
6. I don't know if Claudia will be able to leave school one hour earlier without her parent's permission.
7. I could have gone to the fundraiser yesterday evening, but some old friends came to visit me.
8. Liz should go to the hospital, it's better if you don't wait for Matthew.
9. You must remember to stop at the pharmacy before coming back home.
10. Excuse me, I have to talk to you. You never listen to me, and now I can't do anything else.

DAY TWENTY

20.1

Bagnarsi	To get wet	Sporcarsi	To get dirty
Andare in giro	To get around	Diventare facile	To get easy
Farsi buio	To get dark	Invecchiare	To get old
Raffreddarsi	To get cold	Sposarsi	To get married
Alzarsi	To get up	Prepararsi	To get ready

20.2
1. I've sent many emails but I haven't received any answers.
2. Sam... They've brought us dinner. Come here!
3. Could you take the bus to go to work today? I will leave home late.
4. Did you set the timer so it will ring in about an hour?
5. This book thrills me every time I open it.
6. My mom let me go out with my friends last night.
7. Don't let me down!
8. I couldn't hold on to the rope any longer, and I had to let it go.
9. I keep record of all expenses.
10. We should go home, it's starting to get dark.

DAY TWENTY-ONE

21.1

TEMPO VERBALE	FRASE ITALIANA	FRASE INGLESE
simple present	Vado a una riunione ogni lunedì. Lei usa la tua auto.	I go to a meeting every Monday. She uses your car.
present continuous	Sto andando alla riunione. Lei sta usando la tua auto.	I'm going to the meeting. She is using your car.
simple future	Andrò alla riunione. Lei userà la tua auto.	I'll go to the meeting. She'll use your car.
past simple	Sono andata alla riunione. Lei ha usato la tua auto.	I went to the meeting. She used your car.
past continuous	Stavo andando alla riunione. Lei stava usando la tua auto.	I was going to the meeting. She was using your car.
present perfect	Sono andato alla riunione! Lei ha usato la tua auto.	I have gone to the meeting. She has used your car.
present perfect continuous	Sto viaggiando da un'ora per andare alla riunione. Lei sta usando la tua auto da stamattina.	I have been travelling for an hour to go to the meeting. She has been using your car since this morning.
past perfect	Ero già stato alla riunione. Lei aveva già usato la tua auto.	I had already been to the meeting. She had already used your car.
past perfect continuous	Spiegai che stavo andando alla riunione. Lei stava usando la tua auto già l'anno scorso.	I explained that I had been going to the meeting. She had already been using your car last year.

21.2

To run into	Incontrare qualcuno inaspettatamente	To do something over	Rifare
To break in	Entrare di forza	To end up	Finire per
To look forward to	Non vedere l'ora di	To run out	Finire
To break out	Scoppiare	Tu pick out	Scegliere
To back down	Arrendersi	To go after	Seguire

21.3 1. Do you have something to clean the office? I phoned John to ask him if he could lend me the broom, but he said that he would call me back.

2. I asked Mary where I could find a pair of scissors, and she pointed to her desk.

3. Kim noticed that blanket was too old, so she gave it to Jack.

4. One of our biggest dreams is to wake up in the morning and find out we are on a hot air balloon.

5. It might be hard, but I'm not going to give up!

6. Look around, do you see a guitar?

7. At what time did you leave? I was late, so I put on some clothes and then I ran away.

8. Mary was sleeping, so she asked me to turn down the radio.

9. The burglars broke into the drugstore and took everything.

10. I was so angry that I got the cash out and figured out a solution.